ŚLADAMI JANA PAWŁA II
104 PIELGRZYMKI

1978–2005

napisał: Marek Latasiewicz

Kraków 2005

POLSKI PAPIEŻ
ŚLADAMI JANA PAWŁA II
104 pielgrzymki
1978-2005

ISBN 83-922223-1-8

Druk: TELEM, K&M a.s., Liptovský Mikuláš, Slovensko
© Copyright 2005 Firma Handlowo-Wydawnicza ALBATROS ABI Sp. j.
ul. Bociana 6, 31-231 Kraków

Wyłączny dystrybutor: Przedsiębiorstwo Wydawniczo-Handlowe „ARTI"
Artur Rogala, Mariusz Rogala – Spółka Jawna
01-217 Warszawa, ul. Kolejowa 11/13
zamówienia faxem: (22) 631 41 58, telefonicznie: (22) 631 60 80
przez e-mail: artibiuro@op.pl lub przez internet: www.artibiuro.pl

Wstęp

W naszej serii poświęconej Ojcu Świętemu podążyliśmy śladami prawie 27-letniego pontyfikatu Jana Pawła II. Postanowiliśmy towarzyszyć Największemu Pielgrzymowi w jego podróżach do świata. W tej niezwykłej, retrospektywnej wyprawie pragniemy przypomnieć, bogato ilustrując, najważniejsze wydarzenia i przesłania 104 pielgrzymek.

Historia nie zna tak niezwykłego pontyfikatu. Próżno szukać drugiego takiego podróżnika na Stolicy Piotrowej. Jan Paweł II już za życia zyskał przydomek Największego Pielgrzyma. Podróże do świata to ważna część jego posłannictwa. Trafiał do ludzi w najbardziej odległych zakątkach globu, nauczał, ewangelizował, wskazywał drogę pojednania i w efekcie kształtował nową rzeczywistość. Nic dziwnego, że te podróże są tak ważne dla współczesnego świata i Kościoła oraz nie dziwią tłumy towarzyszące papieskiemu pielgrzymowaniu.

Z trwającego 9497 dni pontyfikatu – dłużej urząd Biskupa Rzymu sprawował Pius IX (31 lat i 7 miesięcy) – Jan Paweł II blisko 1000 dni spędził poza Rzymem, w tym prawie 600 poza granicami Włoch. W trakcie ponad 100 zagranicznych podróży przebył ponad 1,2 mln kilometrów. Jak obliczono, przemierzył już odległość od Ziemi do Księżyca i zbliżył się z powrotem do Ziemi. To dystans ponad trzydziestu okrążeń kuli ziemskiej.

Papież wszędzie powierzał wiernych Matce Bożej, nawiedzał sanktuaria narodowe, dokonywał beatyfikacji i kanonizacji, udzielał sakramentów świętych. Spotykał się też z przywódcami państw, królami i książętami, szefami największych organizacji międzynarodowych oraz z biskupami, członkami Episkopatów, kapłanami, siostrami zakonnymi, zakonnikami, z członkami organizacji kościelnych, odwiedzał ludzi chorych, starych i najuboższych. Przyjmowany był z najwyższymi honorami w pałacach królewskich, tłumy witały go w najuboższych dzielnicach wielkich aglomeracji miejskich Ameryki Łacińskiej, był gościem żyjących w buszu plemion indiańskich i afrykańskich szczepów. Z uwagą słuchano jego wystąpień na forum Organizacji Narodów Zjednoczonych i w haskim Trybunale Sprawiedliwości. Skutecznie występował w roli mediatora zwaśnionych narodów, burzył podstawy totalitarnych systemów. Spotykał się z ludźmi niepełnosprawnymi i więźniami. Na wspólną modlitwę z Ojcem Świętym spieszyły również miliony młodych. Niezwykle ważne były też spotkania z przedstawicielami innych Kościołów i wspólnot chrześcijańskich, a także przedstawicielami religii niechrześcijańskich. Nie było też papieskiej podróży, podczas której brakowałoby polskich akcentów i polskich pielgrzymów.

Z pewnością jedną z najbardziej fascynujących pielgrzymek Jana Pawła II była ta na górę Synaj, gdzie Bóg dwukrotnie objawił się Mojżeszowi, i niedługo potem do Ziemi Świętej, śladami Chrystusa. Niezwykłe w swej wymowie były dziękczynne podróże do Fatimy i do krajów Ameryki Łacińskiej oraz pełne egzotyki wyprawy do krajów afrykańskich. Istotne były wreszcie odwiedziny Ojczyzny. Ale czy w ogóle były jakieś nieważne jego pielgrzymki?

Ojciec Święty nie bał się najtrudniejszych wyzwań. Podążał tam, gdzie przestrzegano go przed niechęcią, a nawet wrogością, gdzie tliły się jeszcze konflikty wojenne, a odwiedzane kraje wstrząsane były wewnętrznymi niepokojami społecznymi. Zawsze umiał jednak skruszyć najtwardsze lody i zjednać sobie przychylność potencjalnych wrogów. To jeden z wielkich fenomenów jego pielgrzymkowego pontyfikatu.

Najczęściej, bo aż osiem razy, był w Polsce, w Stanach Zjednoczonych siedem, we Francji sześć. 32. podróż apostolska – do Bangladeszu, Singapuru, Fidżi, Nowej Zelandii i na Seszele – w 1986 r. trwała 13 dni, 6 godzin i 15 minut; ona też była najdłuższa, jej trasa miała 48 974 km. Najkrótsza była pięciogodzinna wizyta w San Marino w 1982 r. W 1999 r. w Manili we Mszy św. koncelebrowanej przez Jana Pawła II uczestniczyło ponad 4 mln wiernych, ponad 2,5 mln modliło się ze „swoim" Papieżem na krakowskich Błoniach w 2002 r. Podczas swych zagranicznych pielgrzymek Ojciec Święty wygłosił ponad 2400 przemówień, będących jakże sugestywną formą papieskiego nauczania.

Oprócz Polski Papież odwiedził blisko 200 krajów na wszystkich kontynentach, nazw niektórych z nich nie ma już na mapie. Kiedy w 1999 r. rozpoczynał 85. podróż, do Meksyku i USA, dziennikarze zapytali go, czy pragnie jeszcze odwiedzić inne kraje. Odpowiedział: „Te największe, to znaczy dawny Związek Radziecki, czyli obecną Rosję europejską i azjatycką, oraz Chiny".

W dniu dzisiejszym, tj. 2 kwietnia 2005 roku, znamy odpowiedź na to pytanie. Marzenie Ojca Świętego nie spełniło się, właśnie rozpoczął swoją ostatnią pielgrzymkę do Chrystusa.

Redakcja

PIELGRZYMKA 1.

25 stycznia – 1 lutego 1979 r.

DOMINIKANA (25–26 I): Santo Domingo
MEKSYK (27–31 I): Mexico City, Puebla, Oaxaca,
Cuilapan, Guadalajara, Monterrey
BAHAMA (1 II): Nassau

Nieprzypadkowo w swą pierwszą pielgrzymkę Jan Paweł II udał się do Ameryki Łacińskiej. Ten region zamieszkuje przecież blisko połowa katolików świata.

Podróż ta, nazywana „pielgrzymką wiary", przebiegała pod hasłem: „Ewangelizacja Ameryki Łacińskiej dzisiaj i w przyszłości", i stanowiła inaugurację pontyfikatu na forum międzynarodowym. Ojciec Święty spotkał się podczas niej między innymi z prezydentem Dominikany, robotnikami, mieszkającymi w Meksyku Polakami, odwiedził w Mexico City dzielnicę nędzarzy. Były też spotkania – które będą charakteryzować niemal każdą późniejszą pielgrzymkę Jana Pawła II – z przedstawicielami innych wyznań katolickich.

Credo tej pierwszej pielgrzymki Papieża, a właściwie wyzwaniem o wymiarze swoistego programu społecznego dla Ameryki Łacińskiej, były słowa wygłoszone przez Ojca Świętego podczas Mszy św. odprawionej na placu Niepodległości w Santo Domingo: „Czynić świat jeszcze bardziej sprawiedliwym, to znaczy dokładać wszelkich starań, aby nie było dzieci niedożywionych, bez możliwości kształcenia i wychowania, aby nie było młodych pozbawionych możliwości odpowiedniego przygotowania zawodowego. Aby nie było chłopów pozbawionych ziemi potrzebnej do życia i rozwoju. Aby nie było robotników, których traktuje się źle, ograniczając ich prawa. Aby nie było systemów dopuszczających wyzysk człowieka przez człowieka czy przez państwo. Aby nie było korupcji. Aby nie było takich, którzy posiadają wszystko, gdy tymczasem inni – bez żadnej winy z ich strony – nie posiadają niczego. Aby nie było rozbitych i pozbawionych opieki rodzin. Aby nie było niesprawiedliwości i nierówności, aby prawo na równi broniło wszystkich. Aby siła nie panowała nad prawdą i prawem, ale aby prawda i prawo panowały nad siłą. Aby nigdy plany ekonomiczne czy polityczne nie były stawiane ponad planami człowieka".

Meksyk również gościnnie przyjął Papieża; 130 km, dzielące Mexico City od Puebla, gdzie miał dotrzeć na otwarcie sesji CELAM – Konferencji Episkopatu Ameryki Łacińskiej, przebył w sześć godzin. Na szybszą podróż papieskiego

Na trasie dzielącej Mexico City od Puebla
Papieża witało 10 mln Meksykanów

pojazdu nie pozwoliło – jak szacowano – 10 mln Meksykanów, którzy otoczyli już dzień wcześniej autostradę, którą miał przejeżdżać Ojciec Święty. Błogosławił on ludzi siedzących na dachach, balkonach, drzewach i dachach autobusów, zatrzymywał się, biorąc na ręce indiańskie dzieci. Serdecznością i spontanicznością przepełnione było spotkanie z Indianami w Oaxace, gdzie Jan Paweł II zapewnił, iż solidaryzuje się z ich sprawą, „sprawą ludzi biednych i chce nadrobić okres wyzysku i krzywdy. Papież mówi za tych, którzy nie mogą mówić, i za nimi się ujmuje".

Ojciec Święty ujął się także za najbiedniejszymi obywatelami, bezrobotnymi i wyzyskiwanymi. W Monterrey na spotkanie z nim przyszło milion robotników. Papież mówił do nich tak, jak nikt inny dotychczas: pocieszał, wskazywał, jak rozwiązywać problemy, apelował do rządzących o akceptowanie praw ludzi do sprawiedliwej płacy, ubezpieczeń społecznych oraz możliwości awansu.

Meksykanie urządzili Janowi Pawłowi II niezwykłe pożegnanie. Setki tysięcy ludzi, trzymając w rękach lusterka, przesyłali w kierunku odlatującego samolotu prawdziwie słoneczne pożegnanie.

PIELGRZYMKA 2.
2–10 czerwca 1979 r.

POLSKA: Warszawa, Gniezno, Częstochowa, Oświęcim, Kraków,
Kalwaria Zebrzydowska, Wadowice, Nowy Targ

P apież nie krył, że cieszy się na tę podróż. Po ogłoszeniu oficjalnego komunikatu społeczeństwo polskie ogarnęła prawdziwa euforia. Do komitetów organizacyjnych zgłaszały się tysiące osób, pragnących mieć swój udział w przygotowaniu tej pielgrzymki, a przy okazji, pilnując porządku, choćby przez chwilę być blisko Niego. To, co nie tak dawno jeszcze wydawało się niemożliwe, stało się realne – głowa Kościoła katolickiego odwiedziła kraj rządzony przez komunistów! Polski Papież, zanim upłynął rok jego pontyfikatu, przyjechał z pielgrzymką do rodzinnego kraju...

A oto najkrótszy opis przebiegu tej historycznej podróży, zaczerpnięty z książki Adama Wieczorka „Apostoł Pokoju": „Ojciec Święty na Jasnej Górze dokonał aktu oddania Kościoła w Polsce i na świecie Matce Bożej, w Krakowie ukoronował obraz Matki Bożej z Makowa Podhalańskiego, w Gnieźnie wręczył krzyże misyjne 12 neoprezbiterom ze Zgromadzenia Słowa Bożego, w Krakowie

Warszawa, Plac Zwycięstwa. „Niech zstąpi Duch Twój! Niech zstąpi Duch Twój! I odnowi oblicze ziemi. Tej Ziemi!"

dokonał zamknięcia Synodu Duszpasterskiego Archidiecezji Krakowskiej... W Belwederze przeprowadził rozmowę z sekretarzem KC PZPR Edwardem Gierkiem i spotkał się z władzami państwowymi. Modlił się i złożył kwiaty pod ścianą śmierci oraz pod Pomnikiem Męczeństwa Narodów na terenie byłego obozu zagłady w Oświęcimiu-Brzezince, odwiedził swoje rodzinne Wadowice i Kraków, a na cmentarzu Rakowickim w Krakowie modlił się przy grobie rodziców – matki Emilii z Kaczorowskich (1884–1929), ojca Karola (1879–1941) i brata Edmunda (1906–1932). Jan Paweł II wtedy powiedział: «Człowieka bowiem nie można do końca zrozumieć bez Chrystusa. A raczej: człowiek nie może siebie sam do końca zrozumieć bez Chrystusa... I dlatego Chrystusa nie można wyłączać z dziejów człowieka w jakimkolwiek miejscu ziemi. Nie można też bez Chrystusa zrozumieć dziejów Polski».

Każdy krok Papieża jest śledzony z największą uwagą, podążają za nim miliony ludzi, pilnie wsłuchujących się w jego słowa. Kościoły w całym kraju nabite są adorującymi non stop przez 24 godziny na dobę. Po raz pierwszy telewizja komunistycznego kraju transmituje na żywo najważniejsze wydarzenia pielgrzymkowe. Oczywiście, dokonując manipulacji obrazem, unikając konfrontacji kamery z milionowymi tłumami. Ojciec Święty przyjmowany jest z pełnymi honorami, jak głowa państwa, przez najwyższe władze państwowe. Przyjmowany jest przez prze-

11

Częstochowa, Jasna Góra, Ojciec Św. dokonuje aktu oddania Kościoła w Polsce i na świecie Matce Bożej

Msza św. na krakowskich Błoniach

Historyczne powitanie Papieża w Belwederze. Ojca Świętego podejmuje sekretarz komunistycznej partii – Edward Gierek

wodniczącego Rady Państwa i sekretarza partii Edwarda Gierka. Łzy pojawiły się w oczach Prymasa Stefana Wyszyńskiego. Setki kilometrów dróg, którymi przemieszczał się swym pierwszym papamobile, zaadaptowanym z terenowego stara, zamieniły się w wielobarwny kwiatowy dywan. Równie fantazyjnie przystrojono domy, nawet te znajdujące się daleko od trasy przejazdu papieskiego orszaku.

W Belwederze jego słowa wypowiedziane do najwyższych dostojników partyjnych i państwowych brzmią szczególnie donośnie: «Wszelkie formy kolonializmu politycznego, gospodarczego czy kulturalnego pozostają w sprzeczności z wymogami ładu międzynarodowego – należy cenić wszelkie sojusze i przymierza oparte na wzajemnym poszanowaniu i uznaniu dobra każdego narodu i państwa w systemie wzajemnych odniesień. (...) Dołączam do tego również wyrazy szacunku dla wszystkich dostojnych przedstawicieli władzy i zarazem dla każdego wedle sprawowanego urzędu, wedle piastowanej godności, wedle doniosłej odpowiedzialności, która na każdym z was ciąży wobec historii i własnego sumienia». W taki sposób nikt wcześniej nie przemawiał do komunistycznych przywódców.

Wzruszające momenty towarzyszyły tej wizycie od pierwszej chwili po wyjściu z samolotu na lotnisku Okęcie, kiedy Papież całuje ojczystą ziemię. Ten gest

Oświęcim, obóz koncentracyjny, modlitwa pod Ścianą Śmierci

będzie nieodłączny każdej następnej jego podróży. Niezapomniane chwile przeżywała młodzież, z którą nadzwyczaj szybko Ojciec Święty nawiązywał bezpo-
średni kontakt. W krakowskim kościele Na Skałce miejsce trzeba było sobie zająć
siedem godzin wcześniej. Każdy chciał słuchać swojego Papieża i... razem z nim
śpiewać religijne i młodzieżowe pieśni. To było totalne zaskoczenie, ale – jak się
okazało – Papież zaskakiwał tak przez następne lata.

W Krakowie zrodziła się tradycja spontanicznych spotkań z młodzieżą. Każdego wieczora pod oknami jego rezydencji odbywały się niezwykłe katechezy,
pełne żartów i dowcipów. Podczas jednego z takich spotkań zażartował
«na dobranoc»: «Przed ośmiu miesiącami zaginął obywatel miasta Krakowa i nikt
go nie szukał».

Zadziwił też Papież niezwykłym scenariuszem wizyty w Oświęcimiu-Brzezince,
kiedy modlił się pod Ścianą Śmierci, wspomniał o. Maksymiliana Kolbego,
a także miliony zamordowanych. Nie pominął żadnej z tablic upamiętniających
męczeńską śmierć ofiar nazizmu. Dłuższą chwilę modlił się przy tablicach z napisem w językach hebrajskim i rosyjskim.

Niezwykłe, jak wszystko inne w tych dniach, było przyjęcie Ojca Świętego
na Podhalu, u stóp jego ukochanych Tatr. Góralom w gościnności próbują
dorównać mieszkańcy Nowej Huty – to także symboliczny etap podróży do mia-

Wadowice, chrzcielnica, przy której Karol Wojtyła był chrzczony 20 czerwca 1920 r.

Kalwaria Zebrzydowska, „Zawsze tu miałem świadomość, że zanurzam się w rezerwuarze wiary, nadziei i miłości, które naniosły na to Sanktuarium całe pokolenia ludu bożego, ziemi, z której pochodzę i oto proszę abyście się za mnie modlili za życia mojego i po śmieci". 02.06.1979 r. Jan Paweł II Papież

Nowy Targ, u stóp ukochanych Tatr

sta, w którym miało nie być kościoła. Na krakowskie Błonia z całego kraju płyną przez całą noc tysiące pielgrzymów. Ostatnia Msza św., podczas tej podróży na ojczystej ziemi, przeradza się w niespotykaną manifestację ponad 2 milionów ludzi. Jego słowa miały dodać otuchy w rozpoczętej drodze do wolności. Nikt o tym nie mówił, każdy to wtedy czuł...".

PIELGRZYMKA 3.
29 września – 8 października 1979 r.

IRLANDIA (29 IX – 1 X):   Dublin, Drogheda, Clonmacnoise, Galway, Knock, Maynooth, Limerick, Shannon

STANY ZJEDNOCZONE (2–8 X): Boston, Nowy Jork, Filadelfia, Des Moines, Chicago, Waszyngton

W Jego rękach jest cały świat – śpiewano Papieżowi, przerywając przemówienie w Galway. Taki też tytuł widnieje w „Guardianie" nad relacją z wizyty Ojca Świętego w Irlandii, kraju krwawionym konfliktami między katolikami i protestantami. Podróż ta była jednak odpowiedzią na zaproszenie nie tylko prymasa Irlandii, lecz także przedstawicieli Kościołów protestanckich z Irlandii Północnej. Przyszli więc słuchać go wszyscy. We Mszy św. w Phoenix Park wzięło udział 1,5 mln wiernych. To prawdziwy rekord, zważywszy że liczba mieszkańców Irlandii nie przekracza 4 milionów. Apel Jana Pawła II, z którym zwrócił się do wszystkich Irlandczyków, obiegł cały świat: „Błagam was na kolanach, porzućcie drogi przemocy i wróćcie na drogi pokoju. Należy szukać sprawiedliwości. Ja również wierzę w sprawiedliwość i szukam sprawiedliwości. Ale przemoc niszczy dzieło sprawiedliwości".

W miejscowości Drogheda, blisko granicy z Ulsterem, gdzie nad ołtarzem górował celtycki krzyż, także padły mocne słowa: „Pokoju nie można przywrócić posługując się przemocą. Pokój nie może rozwijać się w klimacie terroru, zastraszenia i śmierci. Przemoc jest kryminalnym przestępstwem wobec ludzkości, ponieważ niszczy tkankę społeczeństwa".

O pokój, ale już w skali ogólnoświatowej, Papież upomniał się w nowojorskiej siedzibie Organizacji Narodów Zjednoczonych, dokąd udał się bezpośrednio z Irlandii. Jego wystąpienie było apelem o pokój, „o który tak trudno w dobie wyścigu zbrojeń, zimnej wojny oraz przepaści między bogatą Północą a ubogim

Południem". Fragmenty tego płomiennego przemówienia nie tracą na aktualności i wykorzystywane są przez wielu polityków również dzisiaj.

Ojciec Święty wykorzystał wizytę w najbogatszym kraju świata, by pochwalić Amerykanów za przywiązanie do demokracji, tolerancję i pracowitość. Wyraźnie jednak krytykował ich materializm, konsumpcjonizm, egoizm oraz kult pieniądza. Wykazując dobrą znajomość problemów współczesnego społeczeństwa amerykańskiego, Jan Paweł II swoją uwagę skierował między innymi na sprawy rasizmu i dyskryminacji rasowej. Odwiedził Harlem, dzielnicę biedoty murzyńskiej, a także Bronx, gdzie mieszka wielu najbiedniejszych Latynosów. Wygłaszane tam przemówienia Papieża co chwilę przerywane były wybuchami oklasków i śpiewów.

Wizycie Ojca Świętego w Stanach Zjednoczonych towarzyszyło wiele akcentów polskich. Najgorętsze spotkanie miało miejsce w Chicago, w którym żyje ponad milion Polaków. Boisko sportowe przy polskiej parafii Pięciu Braci Męczenników okazało się przynajmniej dziesięć razy za małe, żeby pomieścić wszystkich chętnych na spotkanie z „ich" Papieżem. Ktoś zauważył, że od momentu ogłoszenia Karola Wojtyły papieżem, wielu Polaków żyjących w Stanach Zjednoczonych przestało wstydzić się swojego pochodzenia i zaczęło powracać do swoich polskich imion i nazwisk. Dlatego też Jan Paweł II, zwracając się do słuchających go

Chicago, wśród Polonii

19

wiernych, zażartował: „Słyszałem, że od 16 października ubiegłego roku liczba Polaków w Ameryce bardzo wzrosła. Więc skoro już raz wzrosła, to niech nie opada".

Silny akcent polski miał także miejsce na spotkaniu Ojca Świętego w Białym Domu z amerykańskim rządem oraz prominentami świata gospodarki, polityki i kultury. Prezydent Jimmy Carter swoje przemówienie zaczął po polsku: „Niech będzie Bóg pochwalony". Papież, odpowiadając w swoim przemówieniu, powiedział na początku: „My congratulations for Your polish language". A potem dodał: „Pochodzę z narodu, który posiada długą tradycję głębokiej wiary chrześcijańskiej i który ma historię naznaczoną wieloma wstrząsami. Przez ponad 100 lat Polska była po prostu wykreślona z politycznej mapy Europy. Jest to jednak kraj, który ma głęboką cześć dla wartości, bez których żadna społeczność nie może istnieć i się rozwijać. Tymi wartościami są: umiłowanie wolności i własnego dziedzictwa kulturowego oraz przekonanie, że wysiłki wspólne dla dobra społeczeństwa muszą być kierowane przez prawdziwy sens moralny".

Ojciec Święty w trakcie swej podróży odwiedził 5 wielkich miast Ameryki oraz rolniczy region w stanie Iowa. W tym czasie wygłosił 50 przemówień i kazań w języku angielskim. Ujmował duchem miłosierdzia, przenikliwością, umiejętnością prowadzenia dialogu i spontanicznością. Popularność Papieża rosła z dnia na dzień. W Nowym Jorku witało go – jak podają niektóre źródła – 5 mln ludzi! Ksiądz Mieczysław Maliński w swej książce „Pielgrzymka do świata" tak opisywał tamte wydarzenia: „Gdy przejeżdżał przez Wall Street, na ulicę padał deszcz papieru – tradycyjna ticker-tape-parade urządzana w wyjątkowych okolicznościach. Było tego 100 ton. Zezwolił na to mayor Nowego Jorku, Edward Koch, z pochodzenia polski Żyd (rodzice przyjechali z Polski), który powiedział, że na to, żeby kochać Jana Pawła II, nie trzeba być katolikiem, i że zorganizuje Papieżowi takie przyjęcie, jakiego w Polsce nie było. Jeszcze jedno ważne wydarzenie: na Wall Street w luterańskim kościele Trinity biły dzwony. Największy kaznodzieja baptystów, Billy Graham, powiedział: «Papież jest najbardziej szanowanym przywódcą religijnym na całym świecie». We wszystkich miastach pobytu Jana Pawła II widywało się napisy: «Luteranie też kochają Ojca Świętego», «Żydzi też są z Papieżem». W gazecie «Washington Star» pojawiło się nawet stwierdzenie, że gdyby Jan Paweł II kandydował na prezydenta Stanów Zjednoczonych, z pewnością zostałby wybrany".

PIELGRZYMKA 4.
28–30 listopada 1979 r.

TURCJA: Ankara, Stambuł, Izmir (Smyrna), Efez

Podróż Papieża do Turcji była przede wszystkim krokiem ku zjednoczeniu dwóch odłamów chrześcijaństwa. W Stambule, będącym centrum Kościoła Wschodniego, Jan Paweł II powiedział podczas wspólnego nabożeństwa: „Moja dzisiejsza wizyta chce mieć sens spotkania we wspólnej apostolskiej wierze, aby razem iść ku pełnej jedności, którą zraniły smutne okoliczności historyczne".

Za słowami poszły natychmiast czyny. Nazajutrz doszło do historycznego wydarzenia – Biskup Rzymu uczestniczył we Mszy św. patriarchy prawosławnego. W jej trakcie Ojciec Święty wypowiedział fundamentalne dla obu Kościołów słowa: „Piotr dzięki natchnieniu Ojca rozpoznał w Jezusie Chrystusie Syna Boga Żywego. Ze względu na tę wiarę otrzymał imię Piotr, Skała, by na tej Skale oparł się Kościół (...). Pytanie, które musimy sobie postawić, brzmi, czy jeszcze mamy prawo pozostać rozdzieleni?".

Stambuł, z wizytą u patriarchy ekumenicznego Dimitriosa I

Drugim ważnym zagadnieniem poruszanym przez Jana Pawła II podczas pielgrzymki do Turcji była kwestia islamska. W Turcji żyje zaledwie 150 tys. chrześcijan. Zdecydowaną większość – ok. 50 mln – stanowią muzułmanie. Papież zachęcał chrześcijan, by dostrzegali w islamie to, co jest wspólne dla obu religii, a przede wszystkim prawdę o jedynym Bogu.

Polskim akcentem papieskiej wizyty w Turcji było przyjęcie przez Ojca Świętego potomków powstańców listopadowych, zamieszkałych w Adampolu – polskiej wiosce założonej przez Adama Czartoryskiego.

PIELGRZYMKA 5.
2–12 maja 1980 r.

ZAIR (2–5 V):   Kinszasa, Kisangani
KONGO (5–6 V):   Brazzaville
KENIA (6–8 V):   Nairobi
GHANA (8–9 V):   Akra, Kumasi
GÓRNA WOLTA (10 V):   Uagadugu
WYBRZEŻE KOŚCI
SŁONIOWEJ (10–12 V):   Abidżan, Jamusukro, Adzope

Z założenia papieska podróż do Afryki przebiegała pod dwoma hasłami: afrykanizacji chrześcijaństwa oraz konieczności zachowania przez tamtejsze narody swojej tożsamości kulturowej. Ale pod koniec podróży Ojciec Święty wyznał, iż jego pielgrzymka do Afryki miała jeszcze jeden, dodatkowy sens. Utwierdził się on bowiem w przekonaniu, iż nie może być dobrym papieżem dla Afrykanów, nie wiedząc, kim naprawdę oni są, jak żyją, jak wyrażają swoją wiarę w Boga. Podróż do Afryki dała Janowi Pawłowi II pewność, że Biskup Rzymu nie jest tylko następcą św. Piotra, ale powinien stać się również naśladowcą św. Pawła, który stale był w drodze, chciał być blisko wyznających wiarę w Chrystusa.

Papież spotkał się z miejscową hierarchią, klerem diecezjalnym i zakonnym, z misjonarzami, z szefami państw, dyplomatami, uczonymi, studentami, rodzinami, odwiedził trędowatych w dwóch leprozoriach. Na spotkania z nim przybywały miliony Afrykanów, wdzięcznych za okazany szacunek dla kultury afrykańskiej, za zwracanie się do nich słowami prostymi i jasnymi, za serdeczność, uśmiech, pozdrowienia. Przyjmowali go niezwykle wylewnie i szczerze, umilali wspólnie spędzony czas tańcem, śpiewem, barwnym afrykańskim rytuałem, oklaskami.

Kwestia afrykanizacji chrześcijaństwa stanowi element koncepcji Papieża, zmierzającej do jego pełnego unarodowienia, odzwierciedlającego się w kulturze danego narodu. Ojciec Święty zachęcał, by prawdę Chrystusową przetłumaczyć na „język afrykański", wyrażać ją za pomocą afrykańskich gestów, śpiewów, modlitw. „Wasz Kościół powinien pogłębić swój wymiar lokalny, afrykański, nigdy nie zapominając o wymiarze uniwersalnym, powszechnym" – mówił w Kinszasie.

Mocno ten problem eksponował także Jan Paweł II podczas rozmów z biskupami Zairu oraz innych krajów Afryki. Przypomniał im wówczas: „To do was, biskupi, należy wspieranie i harmonizowanie postępu w tej dziedzinie. Potrzebna jest do tego dojrzała refleksja i głęboka jedność między wami a Kościołem powszechnym i Stolicą Apostolską. (...) Chodzi o to, krótko mówiąc, by stawać się autentycznym chrześcijaninem i autentycznym Afrykaninem".

W swoich przemówieniach Papież nawoływał do niewyrzekania się przez ludność afrykańską własnej tożsamości kulturowej. „Chrystus jest nie tylko Bogiem, ale również Człowiekiem. A jako Człowiek jest również Afrykaninem" – przekonywał Ojciec Święty milion wiernych, zgromadzonych w Parku Niepodległości w Nairobi. Mówiąc te słowa, Jan Paweł II siedział na bębnie obitym skórą lam-

Zair, powitanie Jana Pawła II na lotnisku w Kinszasie

Zair, powitanie Jana Pawła II na lotnisku w Kinszasie

parta, w pióropuszu ze strusich piór, z narzutą z małpich skór na ramionach, trzymając w jednej ręce tarczę, a w drugiej oszczep, które otrzymał w darze od wodza szczepu Masajów. Tam też wzywał młodzież: „Bądźcie sobą. Bądźcie prawdziwymi obywatelami swojego kraju, godnymi synami i córkami Kenii". Podobne słowa skierował do studentów w Jamusukro: „Zachowajcie wasze afrykańskie korzenie".

Jan Paweł II był pierwszym, który w taki sposób potraktował żywotne kwestie narodów afrykańskich. To były wręcz fundamentalne spotkania, w których ktoś w tak ostry sposób przestrzegał przed niebezpieczeństwem naśladownictwa tak zwanych zaawansowanych krajów Północy. W stolicy Wybrzeża Kości Słoniowej pytał: „Zaawansowanych do czego? Z jakiego tytułu? Czyż Afryka nie ma – może więcej niż inne kontynenty – poczucia spraw duchowych, które determinują życie człowieka? Jakże chciałbym bronić jej przed wszelkiego rodzaju inwazją, przed niepełnymi światopoglądami materialistycznymi, które zagrażają jej na drodze do prawdziwego ludzkiego i afrykańskiego postępu".

PIELGRZYMKA 6.
30 maja – 2 czerwca 1980 r.
FRANCJA: Paryż, Lisieux, Saint-Denis

W prawdzie najważniejszym wydarzeniem pielgrzymki do Francji była wizyta w siedzibie UNESCO i wygłoszone tam przemówienie „W imię przyszłości kultury", ale niezwykłego znaczenia nabrał też fakt odwiedzin przez Papieża kraju, którego Kościół przeżywa widoczny kryzys. Najbardziej objawia się on w malejącej liczbie powołań. Obawy, że przyjazd głowy Kościoła katolickiego do Paryża będzie niezauważony, zostały jednoznacznie rozwiane. Stolica Francji przeżyła masowe uroczystości religijne o skali niespotykanej od zakończenia drugiej wojny światowej. Przez cały czas trwania wizyty Janowi Pawłowi II towarzyszyły tłumy. Większej spontaniczności od tej przejawionej podczas przejazdu papieskiego orszaku z placu Concorde do katedry Notre Dame nie pamiętali najstarsi Francuzi, niezwykli przecież do wylewności religijnej. Zdania: „Trzeba, żeby prawa cywilne służyły wyniesieniu człowieka", oraz przewodnia myśl kazania skierowana do Francji: „Czy mnie miłujesz?", cytowane były wielokrotnie przez wszystkie miejscowe media.

W manifestację przerodziło się spotkanie z robotnikami wielu narodowości w Saint-Denis i oczywiście „wiec" z Polakami na Polu Marsowym. To było wielkie święto dla polonusów, którzy przybyli na spotkanie ze „swoim" Papieżem z odle-

Paryż, przed Katedrą Notre Dame

głych zakątków Francji. Wielu z nich uczestniczyło we Mszy św. na lotnisku Le Bourget, na którym zgromadziło się ok. 700 tys. wiernych. Stadion Parc des Princes wypełniła zaś po brzegi młodzież francuska. Nazajutrz, mając na myśli spontaniczność spotkania, miejscowe gazety napisały, że w Parku Książąt wydarzył się cud.

Entuzjastycznie, ale i z głęboką zadumą, zostało przyjęte wspomniane przemówienie w UNESCO. To jedno z ważniejszych wystąpień Jana Pawła II, wygłoszone na forum międzynarodowej organizacji. Papież mówił o roli kultury: „(...) pierwszym i istotnym zadaniem kultury jest wychowanie: by człowiek stawał się bardziej człowiekiem, by mógł bardziej być nie tylko z innymi, ale dla innych. (...) Jestem synem narodu, który przeżył najcięższe próby historii. Narodu wielokrotnie skazanego na śmierć przez jego sąsiadów, który jednakże przeżył i pozostał sobą. Zachował swoją tożsamość i pomimo rozbiorów i okupacji zachował swoją narodową suwerenność w oparciu nie o zasoby sił fizycznych, ale wyłącznie w oparciu o swoją kulturę".

Po zakończeniu pielgrzymki w wywiadzie udzielonym „L'Osservatore Romano" Ojciec Święty powiedział: „Kościół Powszechny, Kościół katolicki, chrześcijaństwo otrzymało wiele od Kościoła Francji, od ludu francuskiego. I głęboko uzasadniony jest tytuł nadany Kościołowi Francji: córki pierworodnej, tytuł, który podkreślałem wiele razy podczas mej wizyty z wielkim zadowoleniem i z osobistym przekonaniem. Jeśli rozważymy udział Francuzów, Kościoła francuskiego w dziele uświęcenia Kościoła Powszechnego, zobaczymy, że ta ziemia, w różnych epokach, wydała naprawdę wielką liczbę świętych. (...) Jestem przekonany, że Francja otrzymała od chrześcijaństwa, od Kościoła Powszechnego, od Kościoła Soborowego swą tożsamość także jako naród. Obecnie Kościół Francji (i Francja jako taka) otrzymuje wyzwanie, by być sobą, by być nadal tym, czym był, by pokonać trudności, by pozostać wiernym, misyjnym, twórczym. To wyjaśnia głęboki sens mej podróży do Francji".

PIELGRZYMKA 7.

30 czerwca – 12 lipca 1980 r.

BRAZYLIA: Brasilia, Belo Horizonte, Rio de Janeiro, Sao Paulo, Aparecida, Porto Alegre, Kurytyba, Salvador da Bahia, Recife, Belem, Teresina, Marituba, Fortaleza, Manaus

Podróż Ojca Świętego do Brazylii miała trzy konkretne cele: X Brazylijski Kongres Eucharystyczny w Fortaleza, konsekracja nowej bazyliki w głównym sanktuarium maryjnym Brazylii – Aparecida oraz 25-lecie powołania do życia Rady Episkopatów Ameryki Łacińskiej CELAM. Warto jednak wiedzieć, że termin podróży do Ziemi Świętego Krzyża, gigantycznego kraju o ogromnych skrajnościach, przypadł w okresie niepokojów społecznych, niezadowolenia z zastoju gospodarczego, który pogłębiał nędzę milionów Brazylijczyków, zamieszkujących miejskie przedmieścia – favele. Władze państwowe, obawiając się, że wizyta Papieża może stać się okazją do wybuchu rewolucji, zmobilizowały ogromne siły policji i wojska, gotowe do interwencji.

Ojciec Święty, jakby głuchy na udzielane mu przestrogi, wykorzystał pobyt w Brazylii, którą rządziła dyktatura, do poruszenia najważniejszych problemów społecznych i ekonomicznych tego kraju. Godność człowieka, jego prawa i obowiązki, wyzysk robotników oraz brak elementarnych warunków do życia – to kwestie, które przewijały się w czasie 12-dniowej, najdłuższej z dotychczasowych pielgrzymek. Ale Papież zjednał sobie miliony Brazylijczyków nie tylko dlatego, że potrafił się ująć za nędzarzami i pokrzywdzonymi. Przede wszystkim zdecydowała o tym jego bezpośredniość i fenomen nawiązywania bliskiego kontaktu z młodymi i starymi, chorymi i ludźmi nauki, trędowatymi i muzułmanami. Tak też było w Belo Horizonte, gdzie na spotkanie z nim przyszła 2-milionowa rzesza młodzieży. Śpiewał z nimi brazylijskie piosenki, doczekując się zaskakującego rewanżu w postaci „Góralu, czy ci nie żal". Ujmujące były odwiedziny faveli w Rio de Janeiro i dramatyczne w swej wymowie spotkanie z robotnikami w Sao Paulo, podczas którego zebrani śpiewali zakazaną przez władze pieśń o obaleniu tyrana. Zdjęcie uścisku Ojca Świętego z legendarnym arcybiskupem – radykałem Helderem Camarą – obiegło lotem błyskawicy cały kraj. Arcybiskup Camara, prześladowany przez władze państwowe, wszystko, co posiadał, wraz z rezydencją arcybiskupią w Recife, oddał do dyspozycji biednych. Do wzruszającego spotkania doszło też w Manaus, stolicy Amazonii, gdzie Papież przyjął grupę brazylijskich Indian, którzy żyją jak ich przodkowie przed wiekami, trudniąc się tradycyjnym

Rio de Janeiro

rybołówstwem i myślistwem. Za pośrednictwem transmitującej to wydarzenie telewizji wielu Brazylijczyków po raz pierwszy dowiedziało się o tragedii Indian, którzy odsłonili ją także przed watykańskim Pielgrzymem: „Wasza Świątobliwość, zabija się nas i eksploatuje, zabiera się nam ziemię". Żegnali go słowami: „Janie, Indianie są Twoimi braćmi".

Brazylia to kraj, w którym żyje ok. 800 tys. Polaków, najwięcej w Kurytybie. Ale akcenty polskie podczas pielgrzymki spotkać można było na każdym niemal kroku. W Sao Paulo chór tysiąca dzieci zaśpiewał po polsku „My chcemy Boga", a w Aparecidzie grupa czarnych dzieci zaintonowała „Pod Twoją obronę". W Kurytybie zaskoczyli Ojca Świętego malcy ubrani w stroje łowickie i krakowskie. Tam też w Mszy św. odprawianej w intencji emigrantów uczestniczyło kilkadziesiąt tysięcy wiernych rodem z Portugalii, Włoch, Ukrainy, Niemiec, Japonii, Rumunii, Hiszpanii, Syrii i oczywiście znad Wisły.

Kiedy Jan Paweł II opuszczał ten największy katolicki kraj na świecie, na pożegnanie usłyszał skandowanie tłumów: „Wracaj, wracaj".

PIELGRZYMKA 8.
15–19 listopada 1980 r.

REPUBLIKA FEDERALNA NIEMIEC: Kolonia, Bonn, Osnabrück,
Moguncja, Fulda, Altötting,
Monachium

K iedy zrodził się pomysł odwiedzenia Niemiec przez Ojca Świętego, natychmiast pojawiły się w tym kraju głosy sprzeciwu. Ale nie polskość Papieża i tragiczne wspomnienia wojny były ich powodem, lecz fakt, że Niemcy to kraj w znacznej mierze luterański. W miarę zbliżania się terminu przyjazdu w mediach niemieckich narastała fala niechęci. W prasie pojawiły się oszczercze artykuły, sugerujące jakoby na gościa z Rzymu nikt w Niemczech nie czekał. Polski Papież podjął jednak wyzwanie, pragnąc przede wszystkim uczynić pierwszy krok na drodze zjednoczenia dwóch wielkich religii: katolickiej i protestanckiej. Wybrał na tę okazję 700. rocznicę śmierci św. Alberta Wielkiego, jednego z największych umysłów średniowiecza.

Prognozy okazały się fałszywe, bo mimo złej pogody na spotkania z Ojcem Świętym przybywały setki tysięcy ludzi, co doskonale technicznie dokumentowały w swych transmisjach radio i telewizja. Już podczas powitania na lotnisku w Kolo-

Spotkanie z episkopatem RFN

nii Papież przełamał pierwsze lody. Mówił: „Chciałbym moją pielgrzymką do waszego kraju uhonorować cały wielki naród niemiecki, którego dzieje wiążą się tak ściśle z dziejami chrześcijaństwa i Kościoła, i tak głęboko nacechowane są tradycją chrześcijańską".

Jan Paweł II zaskoczył wszystkich jeszcze bardziej, gdy odniósł się do pomocy charytatywnej, jaką Kościół niemiecki organizuje w czasie Adwentu i Wielkiego Postu krajom Trzeciego Świata. Nikt chyba nie spodziewał się też, że już podczas powitania Ojciec Święty będzie mówił o sprawach ekumenizmu. „Przybyłem do Republiki Federalnej Niemiec właśnie w roku, w którym nasi Bracia i Siostry z Kościoła ewangelickiego upamiętnili 450-lecie proklamowania wyznania augsburskiego. Pragnę powiedzieć, że zależało mi szczególnie na tym, aby być z nimi właśnie w tym momencie. Oby właśnie tutaj, gdzie zaczęła się reformacja, mogły być zdwojone starania w dochowaniu wiary Jednemu Panu Kościoła i Ewangelii". A w Osnabrück mówił jeszcze dobitniej: „Nie chcemy się potępiać nawzajem. Chcemy wspólnie uznać naszą winę. Wszyscy zgrzeszyliśmy. (...) Wdzięczność za to, co mamy wspólnego i co nas łączy, nie może nas zaślepiać na to, co nas dzieli. Nie możemy się zatrzymywać na stwierdzeniu, że jesteśmy podzieleni i tak już będzie na zawsze".

Program wizyty w RFN był bardzo napięty. W ciągu 5 dni Papież przebył 2900 km, odprawił 7 Mszy św., wygłosił 24 przemówienia, apostolskiej posłu-

dze poświęcał ok. 16 godzin dziennie. W Moguncji spotkał się też z kilkuty-
sięczną grupą Polaków. Wszędzie głosił znakomicie przygotowane kazania – zróż-
nicowane, wyważone, niosące uniwersalne treści, o dużych walorach edukacyj-
nych. Inaczej przemawiał do „gastarbeiterów", inaczej do ludzi nauki, teologów
i artystów. Za każdym razem wzbudzał podziw i autentyczny aplauz. W dniu koń-
czącym podróż, na Theresienwiese w Monachium, porwał swym kazaniem 800
tys. ludzi, w dużej mierze młodych. Wypowiedziane tam słowa przywoływane są
wielokrotnie przy innych okazjach: „Nie można żyć na próbę, nie można kochać
na próbę, nie można umierać na próbę".

Ani raz Papież nie podniósł kwestii krzywd wojennych, czym zdumiał nawet
największych przeciwników tej pielgrzymki.

Pielgrzymka 9.
16–27 lutego 1981 r.

PAKISTAN (16–17 II):	Karaczi
FILIPINY (17–22 II):	Manila, Quezon City, Cebu, Davao,
	Bacolod, Iloilo, Legaspi, Morong,
	Baguio City
GUAM (22–23 II):	Agana
JAPONIA (23–26 II):	Tokio, Hiroszima, Nagasaki
STANY ZJEDNOCZONE (27 II):	Anchorage (Alaska)

W 12 dni Papież przemierzył blisko 40 tys. km. To pierwsza w pełni
misyjna i zarazem jedna z najdłuższych papieskich podróży. Ojciec
Święty odwiedził kontynent, na którym żyje 60 proc. całej ludzkiej
populacji, ale tylko niespełna 100 mln chrześcijan, z czego dwie trzecie to katolicy. I choć Jezus urodził się w tej części świata, to chrześcijaństwo przyjęło się tam
w mniejszym stopniu niż gdzie indziej. Zasadniczą przyczyną takiego stanu rzeczy jest zamknięcie przez wiele rządów dostępu misjonarzy do ich krajów. Na 38
wówczas krajów azjatyckich zaledwie 9 było otwartych dla chrześcijańskiej działalności misyjnej.

Głównym celem podróży były Filipiny, które dla katolicyzmu są miejscem
szczególnym na kontynencie azjatyckim. Tam wszak żyje 70 proc. wszystkich
katolików Azji. To jakby spadek po Hiszpanach, którzy panowali tam
do początku XX w., kiedy Filipiny dostały się pod władzę Amerykanów. Dopiero
w 1946 r. odzyskały niepodległość. Zanim jednak Ojciec Święty tam dotarł, nastą-

pił 2,5-godzinny tak zwany postój techniczny w Karaczi, poprzedniej stolicy Pakistanu. Ale czasu było wystarczająco dużo, by na stadionie Cricet Garden odprawić Mszę św. dla 70 tys. miejscowych katolików, którzy stanowią niewielką część prawie 100-milionowego kraju mahometan. Msza, w której udział wzięło wielu wyznawców islamu, zakończyła się już o zmroku.

W Manili witały Papieża tłumy, podobne do tych w Polsce. W drodze z lotniska do rezydencji prezydenta Marcosa, stojącego na czele sprawującej władzę junty wojskowej, młodzież utworzyła fantazyjne „żywe obrazy". Ojciec Święty rozpoczął wizytę od wygłoszenia niezwykle odważnego orędzia do narodu filipińskiego. Nawiązując do niedawno odwołanego stanu wyjątkowego, nie wahał się powiedzieć: „Nawet w sytuacjach wyjątkowych, które czasem mogą zaistnieć, nie wolno nigdy usprawiedliwiać jakiegokolwiek pogwałcenia podstawowej ludzkiej godności czy fundamentalnych praw, które je chronią".

Jak w czasie każdej poprzedniej podróży, także program tej wizyty był niezwykle napięty i wyczerpujący. Spotkania z młodzieżą, robotnikami, odwiedzenie dzielnicy slumsów, audiencje dla Polaków oraz Chińczyków, orędzie do narodów Azji wygłoszone za pośrednictwem katolickiej rozgłośni radia „Veritas", wreszcie spotkania z duchowieństwem, chorymi, więźniami, uchodźcami i przedstawicielami mahometan – wypełniły bez reszty czas pobytu, ale były jakby tylko dopełnieniem kulminacyjnego punktu podróży do Manili, jakim była beatyfikacja Lorenzo Ruiza i 15 towarzyszy, wieńcząca trwający 80 lat proces. Tych 9 Japończyków, 4 Hiszpanów, Francuz i Włoch ponieśli męczeńską śmierć za wiarę w Nagasaki w 1637 r. We Mszy św. uczestniczyło ok. 3 mln wiernych, nie tylko z Filipin. Watykański fotoreporter wypatrzył w tłumie Matkę Teresę z Kalkuty, która przybyła do Manili ze swą najbliższą współpracownicą, z pochodzenia Polką.

Japonia, będąca następnym etapem pielgrzymki, oniemiała gdy Papież Polak wygłaszał wszystkie swe przemówienia oraz odprawiał Msze św. w języku japońskim. Chciał w ten sposób podkreślić rolę inkulturyzacji i antyeuropeizacji chrześcijaństwa. Jakby w rewanżu, po Mszy św. na stadionie Budokan japońskie dziewczynki w strojach krakowskich zaśpiewały po polsku „Po górach, dolinach" i „Szła dzieweczka do laseczka". Przejmującym polskim akcentem było spotkanie z legendarnym br. Zeno Żebrowskim. Do Nagasaki przywiózł go o. Maksymilian Kolbe w 1930 r. Po wojnie urósł on do rangi narodowego bohatera Japonii, organizując opiekę dla sierot i nędzarzy. Temu celowi poświęcił całe swoje życie. W nagrodę doczekał się najwyższych odznaczeń Cesarstwa Japonii oraz spotkania z polskim Papieżem. Brat Zeno zmarł rok później.

Filipiny zamieszkuje
70% wszystkich katolików Azji

Do rangi symboli urosły 45-minutowa rozmowa Jana Pawła II z 80-letnim cesarzem Hirochito oraz spotkanie z przedstawicielami buddystów i shintoistów, a także odwiedziny Hiroszimy i szpitala ofiar wybuchu bomby atomowej. „Niech nigdy nie powtórzy się ani Hiroszima, ani Oświęcim" – apelował w pokojowym orędziu Jan Paweł II...

W drodze powrotnej samolot z Papieżem wylądował na postój techniczny w Anchorage, na Alasce. Ojciec Święty spotkał się tam z Polakami, odprawił też na wolnym powietrzu Mszę św. Modlił się z 40 tys. wiernych, gdy temperatura spadła do –4°C.

PIELGRZYMKA 10.
12–19 lutego 1982 r.

NIGERIA (12–16 II):	Lagos, Enugu, Onitsha, Kaduna, Ibadan
BENIN (17 II):	Cotonou
GABON (17–18 II):	Libreville
GWINEA RÓWNIKOWA (18–19 II):	Malabo, Bata

To druga pielgrzymka Jana Pawła II na kontynent afrykański i pierwsza zagraniczna pielgrzymka po zamachu na jego życie. Podobnie jak dwa lata wcześniej, na każdym kroku Papież dawał świadectwo światu, iż kraje Czarnego Lądu mają takie samo prawo jak inne do życia, rozwoju i dobrobytu. Apelował o sprawiedliwość i pokój. W tej podróży do krajów misyjnych – nadal znaczną część ludności Afryki stanowią wyznawcy religii tradycyjnych – towarzyszyło Ojcu Świętemu 30 osób z najbliższego otoczenia w Watykanie i 60 dziennikarzy.

Jak podczas pierwszej pielgrzymki do Afryki, także i wówczas w odwiedzanych krajach, Papieża wszędzie witały tłumy ludzi, wśród których sporo było muzułmanów i animistów. Jego autorytet i mądrość znane stały się szczególnie dobrze od dramatycznego momentu zamachu na jego życie w maju 1981 r.

Gros czasu podczas tej podróży Jan Paweł II spędził w Nigerii, zamieszkiwanej przez ponad 90 mln ludności. W Lagos, które było bazą wypadową w inne rejony kraju, na miejscowym stadionie wypełnionym przez blisko 100 tys. ludzi witały Papieża śpiewy w narzeczu joruba i pokazy tancerzy w barwnych, tradycyjnych strojach. Podczas Mszy św. z rąk Ojca Świętego 72 dzieci przyjęło Pierwszą Komunię Świętą.

Jeszcze gorętsze powitanie zgotowano Papieżowi w mieście Onitsha (dawna Biafra), zamieszkiwanym głównie przez niemal całkowicie schrystianizowane plemiona Ibo. Już w końcu XIX w. powstała tam prałatura. Obecnie wspólnota katolicka liczy tam ponad pół miliona wiernych. Na Mszy św., odprawianej na wielkiej 150-hektarowej polanie nad rzeką Niger, zgromadziło się aż 1,5 mln ludzi. Atmosfera była tak gorąca i spontaniczna, że pod koniec Mszy św. ludzie przełamali kordony ochronne i ruszyli w kierunku ołtarza. Sytuacja stała się na długą chwilę dramatyczna, porównywalna do tej sprzed roku w Manili na Filipinach.

Z przejawami autentycznej serdeczności witano Jana Pawła II również w Kadunie, gdzie większość miejscowego plemienia Haussa stanowią muzułmanie. Wielkim wydarzeniem było wyświęcenie 92 diakonów ze wszystkich nigeryjskich diecezji podczas Mszy św. z udziałem 400 tys. osób. Homilia poświęcona była głównie kapłaństwu, bo właśnie w Kadunie brak duszpasterzy jest szczególnie dotkliwy. Żyje tam ok. pół miliona katolików, wśród których w czasie pielgrzymki Papieża pracowało zaledwie 18 kapłanów.

W ostatnim dniu pobytu w Nigerii Ojciec Święty spotkał się z 300-osobową grupą polskich emigrantów, w imieniu których powitał go ambasador PRL, mówiąc: „W blasku majestatu Waszej Świątobliwości bledną wszystkie słowa". Nie byłoby w tym nic dziwnego, gdyby nie fakt, że był to rok stanu wojennego w Polsce.

Trzy ostatnie dni swej pielgrzymki Papież spędził w krajach, w przeciwieństwie do Nigerii, niewielkich. Wszędzie tam doświadczono po wyzwoleniu w latach 60. rewolucyjnych przewrotów. Do tragicznych wydarzeń doszło przede wszystkim w Gwinei Równikowej, gdzie wymordowano tysiące ludzi, wielu musiało emigrować, a więzienia zapełniły się księżmi. Znamienne słowa wygłosił Ojciec Święty na Stade Municipal w Cotonou, mówiąc że chrześcijanie chcą rozwoju gospodarczego, ale nie kosztem wiary ani praktyk religijnych. „Oni wiedzą, że nie samym chlebem żyje człowiek".

PIELGRZYMKA 11.
12–15 maja 1982 r.

PORTUGALIA: Lizbona, Fatima, Vila Viçosa, Monte Sameiro, Porto

Rok po zamachu na placu św. Piotra Jan Paweł II udał się do Fatimy, by dziękować Matce Bożej za uratowanie życia. Cel jego pielgrzymki wyjaśniają najdobitniej słowa wypowiedziane do wiernych: „Przybywam tutaj w dniu dzisiejszym, gdyż właśnie w tym czasie ubiegłego roku na Placu Świętego Piotra w Rzymie został dokonany zamach na życie Papieża, co zbiegło się w tajemniczy sposób z datą pierwszego objawienia w Fatimie, które nastąpiło w dniu 13 maja 1917 r. Daty te spotkały się w ten sposób, że musiałem odczuć, że jestem tutaj przedziwnie wezwany... Przybyłem po to, żeby na tym miejscu, które – jak się wydaje – zostało szczególnie wybrane przez Matkę Boga, dziękować Bożej Opatrzności".

Wcześniej nikt nie kojarzył tych dwóch zdarzeń – objawienia z 1917 r. Matki Bożej trojgu pastuszkom: Łucji dos Santos i jej kuzynom Franciszkowi i Hiacyn-

„Przybyłem tutaj, w dniu dzisiejszym, gdyż właśnie w tym czasie ubiegłego roku, na Placu Świętego Piotra w Rzymie został dokonany zamach na życie Papieża, co zbiegło się w tajemniczy sposób z datą pierwszego objawienia w Fatimie"

cie – z tym, co się wydarzyło 65 lat później, także 13 maja i niemalże o tej samej – siedemnastej – godzinie. Nieco później zamach na życie Papieża posłużył do interpretacji spisanej przez s. Łucję w latach 1943-44 słynnej „trzeciej tajemnicy fatimskiej". Z Łucją Ojciec Święty spotkał się osobiście w Fatimie. Modlił się też nad grobami Franciszka i Hiacynty.

W Fatimie, dokąd Papież przybył w przeddzień maryjnego święta, witało go milion wiernych, powiewając białymi chusteczkami. Chyba jeszcze więcej ludzi zgromadziło się na dziękczynnej Mszy św., podczas której wygłosił przytoczone powyżej słowa. Ich dopełnieniem i zarazem uwieńczeniem pielgrzymki do Fatimy był akt zawierzenia świata opiece Matki Bożej Fatimskiej. Zdjęcie klęczącego i modlącego się Jana Pawła II przed figurą przyniesioną z kaplicy Objawienia obiegło cały glob.

Dramaturgii wydarzeniu dodała informacja o udaremnieniu dzień wcześniej przez portugalską policję zamachu na Ojca Świętego. Miał go przygotować hiszpański duchowny Juan Fernandez Krohn, wyświęcony przez zawieszonego przez Stolicę Apostolską abp. Lefèbvre'a. Zamachowca, uzbrojonego w bagnet i wznoszącego okrzyki przeciw Papieżowi i soborowi, pojmali funkcjonariusze, strzegący porządku na placu przed lizbońską bazyliką. Wiadomość ta przeszła jednak niezauważona w powszechnym entuzjazmie, jaki towarzyszył spotkaniom Jana Pawła II z wiernymi w Lizbonie i Porto. Jak zwykle, szczególnie gorąco Ojciec Święty przyjmowany był przez stołeczną młodzież.

PIELGRZYMKA 12.
28 maja – 2 czerwca 1982 r.

WIELKA BRYTANIA: Londyn, Liverpool, Manchester, York, Edynburg, Glasgow, Cardiff

Pielgrzymka do Portugalii rozpoczęła serię następujących po sobie w krótkich odstępach czasowych podróży do Wielkiej Brytanii, Argentyny i Szwajcarii. Dramatyczne okoliczności towarzyszące odwiedzinom Anglii i Argentyny, w związku z istniejącym między tymi krajami konfliktem zbrojnym o Falklandy-Malwiny, nadały tym wizytom wyjątkowe znaczenie.

Wyprawa do Wielkiej Brytanii do ostatniej chwili nie była pewna. Wbrew opinii całego Watykanu Papież ostatecznie zdecydował się jednak pojechać. Ale rów-

Pozdrawiamy Jego Świątobliwość, drogiego Brata w Chrystusie, w imię Pana naszego
Jezusa Chrystusa

nocześnie, by usatysfakcjonować Argentyńczyków, zapowiedział wizytę w Buenos Aires.

Zrezygnowano całkowicie z oficjalnych spotkań z przedstawicielami życia politycznego Wielkiej Brytanii. W ostatnim momencie odwołano też – należące do tradycji podróży apostolskich – spotkanie Ojca Świętego z korpusem dyplomatycznym. Historyczna wizyta głowy Kościoła katolickiego na ziemi angielskiej stała się jednak faktem. Nigdy wcześniej papież nie postawił nogi na tej ziemi, mającej za sobą kilkaset lat walk religijnych, a szczycącej się chrześcijańskimi tradycjami od VI w. Dla anglikanów najważniejszym wydarzeniem było jednak spotkanie Jana Pawła II w anglikańskiej katedrze Canterbury z prymasem wspólnoty anglikańskiej abp. Robertem Runcie. Biskup Rzymu rewizytował abp. Arundela, katolickiego prymasa Anglii, który jako ostatni, w 1397 r., odwiedził Rzym.

Spotkanie miało bardzo podniosły charakter i przepełnione było gestami serdeczności. Arcybiskup Runcie po polsku przywitał Jana Pawła II słowami: „Pozdrawiamy Jego Świątobliwość, drogiego Brata w Chrystusie, w imię Pana naszego Jezusa Chrystusa". Te doniosłe wydarzenia transmitowała na cały świat telewizja, wywołując w wielu zakątkach globu prawdziwy szok. Było tak szczególnie wówczas, kiedy obaj hierarchowie odnawiali przyrzeczenia złożone na chrzcie i wymieniali pocałunek pokoju. Zaskoczeni byli wszyscy uczestnicy uroczystości, gdy abp Runcie i Jan Paweł II zwrócili się z pytaniami zadawanymi podczas sakramentu chrztu. Nastąpiła wówczas konsternacja, a po chwili wszyscy zgodnie odpowiadali: katolicy, ewangelicy, metodyści, anglikanie, baptyści, zielonoświątkowcy, prawosławni. To niezwykłe wydarzenie zakończyło wspólnie udzielone błogosławieństwo.

Niespotykane widowisko rozegrało się nieco później na słynnym stadionie Wembley, wypełnionym szczelniej niż podczas finału mistrzostw świata w 1966 roku, kiedy Anglicy zdobywali Puchar Świata. Jeśli ktoś był przeciwny tej podróży, musiał zmienić zdanie. Wszelkie wątpliwości rozwiały kolejne wizyty w Cardiff, Glasgow, Edynburgu, Liverpoolu, Coventry, Manchesterze.

Swoją chwilę mieli też polscy emigranci, dla których Papież specjalnie odprawił Mszę św. na londyńskim stadionie Crystal Palace.

PIELGRZYMKA 13.
11–13 czerwca 1982 r.

ARGENTYNA: Buenos Aires, Lujan

C hociaż Papież, planując podróż do Wielkiej Brytanii i Argentyny, podkreślał religijny cel wizyty, to przecież dla nikogo nie było tajemnicą, że Biskup Rzymu udawał się tam w roli swoistego mediatora w trwającym od kilku tygodni konflikcie zbrojnym między obu krajami. Oczywiście, były to mediacje innego rodzaju, pozbawione wyłącznie dyplomatycznych zabiegów. Ojciec Święty, dzięki umiejętności wzniesienia się ponad sprawy polityki, zachowując duszpasterski wymiar swej działalności, osiąga nadspodziewaną skuteczność. Zatem tydzień po powrocie z ziemi angielskiej wyruszył do drugiej strony konfliktu. Pielgrzymka trwała 59 godzin, z czego 27 godzin Jan Paweł II spędził w samolocie. Argentyńczycy przyjmowali go entuzjastycznie. Jeśli nawiązywał on w swych wystąpieniach do wojny, to tylko w kontekście wspólnych modlitw o pokój i za ofiary z obydwu stron. Jednak po spotkaniu z prezydentem gen. Leopoldo Galtierim odważnie podnósł problem zaginięcia bez śladu 15 tys. Argentyńczyków.

Kulminacyjnym punktem wizyty była Msza św. na stołecznym placu Hiszpańskim. Wokół ołtarza, nad którym górował 18-metrowy krzyż, zgromadziło się 2 mln wiernych. Dziesiątki tysięcy Argentyńczyków spędziło noc na placu, by zająć miejsce blisko ołtarza. Wraz z Ojcem Świętym koncelebrowało 4 kardynałów, 120 biskupów z całej Ameryki Łacińskiej i ok. 1700 księży. Msza św. przerodziła się w wielką modlitwę o pokój.

Podobny charakter miała Eucharystia sprawowana w narodowym sanktuarium w Lujan, odległym o 80 km od Buenos Aires. U stóp cudownej figurki Matki Bożej Pocieszenia, patronki Argentyny, Urugwaju i Paragwaju, modliło się 3 mln wiernych. Wybór miejsca nie był przypadkowy – tutaj w 1895 r. podpisano porozumienie, kończące wojnę między Argentyną i Chile.

W czasie wizyty Papieża zarzewie nowej wojny wisiało na włosku. Warto więc wspomnieć i to, że Jan Paweł II, będąc w Buenos Aires, z własnej inicjatywy odbył rozmowę telefoniczną z prezydentem Chile gen. Pinochetem, apelując o pokojowe rozwiązanie rodzącego się konfliktu.

W Lujan odnaleźć też można polskie ślady. Wśród licznych flag narodowych znajduje się tam nasza flaga, pozostawiona przez polskich pielgrzymów w 1910 r. Począwszy od 1897 r. odbywało się do Ameryki Południowej masowe osadnictwo Polaków z Galicji i Królestwa Polskiego. Obecnie mieszka w Argentynie ok. 100 tys. naszych rodaków.

PIELGRZYMKA 14.
15 czerwca 1982 r.

SZWAJCARIA: Genewa

Ta pielgrzymka Papieża różniła się od poprzednich tym przede wszystkim, że nie była odwiedzinami kraju, a nawet miasta, lecz instytucji. Trwała ona zaledwie 11 godzin, ale jej charakter był na wskroś uniwersalny ze względu na tych, do których Ojciec Święty się zwracał. Jan Paweł II udał się do Genewy na zaproszenie generalnego dyrektora Międzynarodowego Biura Pracy (BIT). Miał tam pojechać rok wcześniej, 15 maja, w 90. rocznicę ogłoszenia encykliki „Rerum novarum", ale plany pokrzyżował zamach na jego życie.

W Pałacu Narodów, gdzie obradowała 68. Konferencja Międzynarodowej Organizacji Pracy, Papież wygłosił do blisko 2 tys. przedstawicieli ze 147 krajów godzinne przemówienie. Mówił o istocie i sensie pracy w bardzo szerokim kontekście: humanizacji pracy, pracy będącej sensem ludzkiego życia, o solidarności świata pracy oraz problemach bezrobocia. „Problem pracy jest nadzwyczaj ściśle związany z problemem sensu ludzkiego życia. Dzięki tej więzi praca staje się problemem natury duchowej i jest nim rzeczywiście" – wsłuchiwano się w słowa Ojca Świętego.

Wizytę w Genewie Ojciec Święty wykorzystał, by spotkać się jeszcze z przedstawicielami związków zawodowych, reprezentantami pracodawców, delegacjami rządowymi. Jako pierwszy Papież, w 120-letniej historii Międzynarodowego Czerwonego Krzyża, Jan Paweł II udał się do siedziby organizacji. Odwiedził także Europejskie Centrum Badań Nuklearnych, skupiające ponad 20 tys. badaczy z całego świata. W darze Papież otrzymał model przedstawiający spotkanie materii z antymaterią. Ojciec Święty przekazał natomiast do Centrum obraz Matki Boskiej Częstochowskiej, mówiąc: „Zostawiam wam ten obraz jako znak macierzyństwa, tego macierzyństwa, którego prawdopodobnie także i wy, w waszym ludzkim naukowym środowisku, potrzebujecie".

Na zakończenie swej krótkiej wizyty w Genewie, Jan Paweł II odprawił Mszę św. w Pałacu Wystaw dla 25 tys. osób. Msza przerodziła się w wielką modlitwę o pokój: „Będziemy się wspólnie modlili nie tylko o ten pokój, który polega na milczeniu broni, ale także o pokój, który mieści się w pojednanych i wolnych od żalu sercach".

PIELGRZYMKA 15.
29 sierpnia 1982 r.

SAN MARINO: San Marino

To była najkrótsza podróż apostolska Jana Pawła II poza granice Włoch. Trwała ona zaledwie 5 godzin. Do San Marino Papież udał się niejako w drodze do Rimini, gdzie spotkał się z uczestnikami trzeciego „Mityngu przyjaźni między narodami".

San Marino (powierzchnia: 62 km kw., 22 tys. mieszkańców) – to najstarsza republika świata, założona w 301 r. Właśnie wtedy, jak mówi legenda, osiadł na górze Titano przybyły z Dalmacji Marino. Niedługo potem powstała tam wspólnota zakonna, a wokół niej stopniowo wyrastało osiedle. Najstarszy dokument, z 886 r., mówi o kościele i wspólnocie wiernych; w X w. wybudowano mury, w XI przyjęto nazwę, pochodzącą od imienia założyciela i patrona. Od samych początków związana z Kościołem, Republika San Marino utrzymuje stosunki ze Stolicą Apostolską, przy której reprezentuje ją wysłannik nadzwyczajny w randze ministra pełnomocnego.

Przedmiotem dumy San Marino jest utrzymana nieprzerwanie suwerenność republiki, którą Jan Paweł II odwiedził jako pierwszy Biskup Rzymu. Właśnie suwerenności poświęcona była homilia, wygłoszona przez Papieża podczas Mszy św. na stadionie Serravalle.

PIELGRZYMKA 16.
31 października – 9 listopada 1982 r.

HISZPANIA: Madryt, Avila, Porta de Carmen Alba, Salamanka,
Gwadelupa, Toledo, Segovia, Sewilla, Santa Fe,
Granada, Loyola, Javier, Saragossa, Montserrat,
Barcelona, Walencja, Alcira, Santiago de Compostela

W przeciwieństwie do kilku poprzednich pielgrzymek, wyprawa do Hiszpanii była długa, obfitująca w niezwykle wiele wydarzeń, a zatem i bardzo pracowita. Okazją do podjęcia podróży hiszpańskiej był Rok Terezjański – ogłoszony z okazji 400-lecia śmierci św. Teresy z Avila. Papież miał być na otwarciu jubileuszu, ale zamach na jego życie spowodował zmianę planów.

Madryt

Podróż w 1982 r. stała się więc okazją do zamknięcia uroczystości, a zarazem przypomnienia i uczczenia wielkich świętych, którzy żyli i działali na hiszpańskiej ziemi: św. Jana od Krzyża, św. Ignacego Loyoli, św. Franciszka Ksawerego i wspomnianej św. Teresy. Beatyfikacja Anieli od Krzyża, której Ojciec Święty dokonał w Sewilli, była dopełnieniem tego dziejowego procesu.

Pielgrzymka ta prowadziła nie tylko do najstarszych centrów wiary i Kościoła na przestrzeni dwu tysięcy lat (diecezja w Toledo powstała w I w.). Pozwoliła też zetknąć się bezpośrednio z życiem współczesnych Hiszpanów, dla których goszczenie Papieża przerodziło się w czas wielkiego święta ludowo-religijnego. Miasta ozdobiono niezliczoną liczbą sztandarów i kwiatów, rozwieszono mnóstwo transparentów i portretów. Były spotkania, które swoją spontanicznością przewyższyły wszystko, z czymkolwiek spotkał się Jan Paweł II w dotychczasowych pielgrzymkach. Z takimi honorami jak w Madrycie nie witano go chyba nigdzie. Salwy armatnie mieszały się z odgłosami dzwonów wszystkich stołecznych kościołów, a triumfalnego przejazdu ulicami trudno z czymkolwiek porównać. Na placu Gregorio Maranona z rąk burmistrza Madrytu, socjalisty Tierno Galvana, Jan Paweł II otrzymał klucze do miasta.

Papież, doskonale zdając sobie sprawę ze zróżnicowania narodowościowego współczesnej Hiszpanii, tak zaplanował trasę swej podróży, by odwiedzić nie tylko położoną w centrum Kastylię z Madrytem, ale także Katalonię ze stolicą w Barcelonie, Andaluzję ze stolicą w Sewilli, północny kraj Basków ze stolicą w Bilbao i wreszcie Galicję ze stolicą w Santiago de Compostela. Kronikarze apostolskich podróży Jana Pawła II odnotowali przede wszystkim przesłania jego wielu przemówień. Szczególnego znaczenia nabrał apel o pojednanie skierowany do Basków, walczących o swą autonomię. Na stadionie Santiago Bernabeu w Madrycie, na którym swe mecze rozgrywa słynna piłkarska drużyna Real, święto z Ojcem Świętym przeżywała młodzież, wsłuchująca się w słowa: „Wy jesteście światłem świata".

Wreszcie niezwykle istotne przemówienie wygłosił Papież w Santiago de Compostela, wzywając wszystkie narody Europy do jedności: „Ja, Jan Paweł, syn narodu polskiego, narodu, który zawsze uważał się za europejski (...), ja, następca Piotra na stolicy rzymskiej, stolicy, którą Chrystus zechciał umieścić w Europie i którą kocha za jej trud szerzenia chrześcijaństwa na całym świecie, ja, Biskup Rzymu i Pasterz Kościoła powszechnego, z Santiago kieruję do ciebie, stara Europo, wołanie pełne miłości: odnajdź siebie samą! Bądź sobą! Odkryj swe początki! Tchnij życie w swoje korzenie! Ożyw te autentyczne wartości, które sprawiły, że twoje dzieje były pełne chwały, a twoja obecność na innych kontynentach dobroczynna! Podbuduj swoją jedność duchową w klimacie pełnego szacunku dla innych religii i dla prawdziwych swobód! Oddaj cezarowi to, co cesarskie, zaś Bogu to, co boskie!".

PIELGRZYMKA 17.
2–10 marca 1983 r.

PORTUGALIA (2 III):	Lizbona
KOSTARYKA (2–4 III):	San Jose
NIKARAGUA (4 III):	Managua
PANAMA (5 III):	Panama City
SALWADOR (6 III):	San Salwador
GWATEMALA (7 III):	Gwatemala City
HONDURAS (8 III):	Tegucigalpa, San Pedro Sula
BELIZE (9 III):	Belize
HAITI (9 III):	Port-au-Prince

O d zamiaru odwiedzenia krajów Ameryki Łacińskiej nie odwiodły Papieża liczne przestrogi o niespokojnej sytuacji panującej w tym regionie świata. Silniejsze było przekonanie, że tam, gdzie 90 proc. ludności stanowią katolicy, obecność głowy Kościoła jest ze wszech miar wskazana. Spośród ośmiu odwiedzanych państw tylko Kostaryka, Panama i Belize – dawny Honduras Brytyjski – uchodziły za kraje spokojne. Mieszkańcy pozostałych żyli w ciągłych konfliktach społecznych, nękani bezrobociem i przymierający z głodu. Nic dziwnego, że jedne z pierwszych słów wypowiedzianych przez Papieża w San Jose dotyczyły pokoju i sprawiedliwości społecznej: „Kościół powinien być ziarnem jedności i pokoju zwłaszcza w społeczeństwie naznaczonym konfliktami, starciami, przemocą, walkami i żądzą odwetu. Rozwój, którego wasze narody długo były pozbawione, można zapewnić tylko pokojem godnym i sprawiedliwym. (...) Przybywam tu, by dzielić wraz z narodami ich ból, by spróbować zrozumieć je z bliska, by pozostawić tu słowo zachęty i nadziei, oparte na niezbędnej zmianie postaw".

Szczególne napięcie towarzyszyło pobytowi Papieża w Nikaragui. Dzień przed uroczystą Mszą św. na placu 19 Lipca odbył się pogrzeb siedemnastu żołnierzy, którzy zginęli w starciach z Gwardią Narodową, inspirowaną przez zwolenników obalonego dyktatora Somozy. Dwa dni przed przybyciem Papieża wstrzymano sprzedaż napojów alkoholowych i racjonowanej benzyny. Olbrzymi plac, na którym wzniesiono ołtarz, zdobiły gigantyczne portrety przywódców rewolucji. Nad wszystkimi górował symboliczny obraz, przedstawiający wyzwalający się naród, nad którym unosi się Matka Boża, a napis u dołu głosił: „Dzięki Bogu i rewolucji". Podczas Mszy św. doszło do politycznej prowokacji. Najbliższe ołtarza sektory zajęli zwolennicy rewolucji, którzy za pomocą przenośnych megafonów skandowali hasła o charakterze politycznym. W czasie wygłaszanej homilii mikrofon Papieża był kilkakrotnie wyłączany, w końcu protesty przerodziły się w bójki. Do protestantów nie trafiały słowa Ojca Świętego o tym, że Kościół jest pierwszym, który chce pokoju. „Cóż robić, Papież musi stawiać czoło podobnym sytuacjom, ponieważ jest ojcem całego Kościoła" – mówił kilka godzin później.

W zupełnie innej atmosferze – serdeczności i entuzjazmu – przebiegały spotkania w Kostaryce, Panamie i na Haiti. Niespokojnie było w Gwatemali i Salwadorze. Dzień przed wizytą Papieża w Gwatemali – mimo jego prośby do prezydenta kraju o ułaskawienie – sześciu młodych ludzi skazanych za „działalność wywrotową" zostało rozstrzelanych.

Na koniec podróży był i polski akcent, nie licząc spotkań z grupami rodaków w Kostaryce, Gwatemali i Panamie. W Port-au-Prince, stolicy Haiti, w homilii Ojciec Święty zaskakuje wszystkich słowami: „Chciałbym w tym miejscu przypomnieć pewien epizod, raczej dramatyczny, który złączył w jakiś sposób historię Haiti z dziejami narodu polskiego. 170 lat temu wylądowało na tej wyspie 3 tys. żołnierzy polskich wysłanych przez okupanta w celu stłumienia powstania lud-

ności walczącej o swą niezawisłość. Żołnierze ci, zamiast zwalczać prawowite dążenia do wolności, sympatyzowali z ludem Haiti. Około 300 z nich przeżyło. Ich
potomkowie niewątpliwie przyczynili się do rozwoju tego kraju. Zachowali i pie-
lęgnowali tradycje katolickie. Między innymi wznieśli wiele kapliczek Matki
Boskiej Częstochowskiej. Słowo Haiti łączy się więc z Polakami i wywołuje krzyk
o wolność oraz staje się nowym źródłem refleksji historycznej".

PIELGRZYMKA 18.
16–23 czerwca 1983 r.

POLSKA: Warszawa, Niepokalanów, Częstochowa, Poznań,
           Katowice, Wrocław, Góra św. Anny, Kraków, Zakopane

D ruga podróż Ojca Świętego do ojczyzny stała pod znakiem zapytania aż
   do zawieszenia stanu wojennego z końcem 1982 r. – „Pragnę wreszcie
   odpowiedzieć na słowa księdza Kardynała Metropolity Krakowskiego
w tym punkcie, kiedy przypomniał moją pielgrzymkę do Ojczyzny w związku
z Jubileuszem Jasnogórskim [600-lecia – przyp. aut.]. Pragnę raz jeszcze stwier-
dzić, że uważam tę pielgrzymkę za mój święty obowiązek. Uważam również

Warszawa, z gen. Wojciechem Jaruzelskim i prof. Henrykiem Jabłońskim

Warszawa, w rezydencji Prymasa przy Miodowej

Częstochowa, modlitwa przy obrazie NMP

za moje, mimo wszystko, prawo jako Biskupa Rzymu i jako Polaka" – tak mówił Papież na audiencji dla rodaków w październiku 1982 r. Będąc w Warszawie, powiedział na powitanie: „Polska jest matką szczególną. Niełatwe są jej dzieje, zwłaszcza na przestrzeni ostatnich stuleci. Jest matką, która wiele przecierpiała i wciąż na nowo cierpi. Dlatego też ma prawo do miłości szczególnej".

W trakcie całego pobytu w Polsce Papież nawiązywał do tej wyjątkowej sytuacji, w jakiej przyszło mu pielgrzymować. Na każdym kroku dawał do zrozumienia, jak bardzo cenne było to, co się stało w czasie polskiego Sierpnia. Jednocześnie prosił rodaków, by patrzyli realnie na tę sytuację i nie poprzestawali szukać rozwiązań. Podkreślał, że wszystkie umowy zawarte pomiędzy robotnikami i rządem są nadal obowiązujące. Nie zawahał się tego przypomnieć także podczas ponad dwugodzinnego, czyli znacznie dłuższego niż przewidywano, spotkania z gen. Jaruzelskim. Każda jego wypowiedź, każde słowo z homilii wysłuchiwane było z ogromnym zainteresowaniem, nabierało wyjątkowego znaczenia. „Tylko zwycięstwo moralne może wyprowadzić społeczeństwo z rozbicia i przywrócić mu jedność. Taki ład może być zarazem zwycięstwem rządzonych i rządzących" – mówił podczas Mszy św. na Stadionie X-lecia.

Na każdym kroku towarzyszyły Ojcu Świętemu ogromne tłumy – półtora miliona w Częstochowie i Poznaniu, ponad dwa w Katowicach, nie mniej w Krakowie. Nie odstraszał ich nawet – tak jak w Częstochowie – ciągle padający

Dar dla Papieża od ludzi ciężkiej pracy

Wrocław

Kraków, Wawel, orszak papieski oczekuje gościa

deszcz. Ludzie byli wytrwali, pragnęli spotkania „ze swoim człowiekiem" z Watykanu, który przynosił dobrą nowinę, ale zarazem i swoisty instruktaż, jak postępować w tych skomplikowanych, trudnych czasach. Władza nie ingerowała w często zmieniany program pielgrzymki, bo wszędzie panował wzorowy porządek i mimo wyraźnych akcentów politycznych w homiliach papieskich, nie dochodziło do manifestacji. „Tak więc sprawa, która toczy się w Polsce na przestrzeni ostatnich lat, posiada głęboki sens moralny. Nie może ona być rozwiązana inaczej, jak na drodze prawdziwego dialogu władzy ze społeczeństwem" – mówił Papież do zgromadzonych tłumów w Katowicach. W tamtejszej katedrze powitano go specjalnie na tę okazję skomponowanym przez Wojciecha Kilara utworem muzycznym „Victoria".

Również we Wrocławiu padły ważkie słowa: „Wszystkie wymiary społecznego bytu, i wymiar polityczny, i wymiar ekonomiczny, oczywiście – wymiar kulturalny, i każdy inny, opiera się ostatecznie na tym podstawowym wymiarze etycznym: prawda – zaufanie – wspólnota. Tak jest w rodzinie. Tak jest też na inną skalę w narodzie i państwie".

Z ogólnym wydźwiękiem podróży papieskiej do Polski korespondowały uroczystości beatyfikacyjne w Poznaniu i Krakowie, gdzie Ojciec Święty wyniósł na ołtarze m. Urszulę Ledóchowską, o. Rafała Kalinowskiego i br. Alberta Chmielowskiego. „Oni wszyscy, niezrażeni trudnym czasem rozbiorów, poświęcili swe życie służbie Polsce i Polakom. Choć upłynęło wiele lat, ciepła i mądrości rodakom potrzeba także teraz" – podkreślał Jan Paweł II w kazaniu na krakowskich Błoniach.

Na zakończenie tej pielgrzymki doszło do niezaplanowanego wcześniej wypadu do Zakopanego i krótkiego relaksu pośród przyrody ukochanych przez Papieża Tatr. Znalazł on czas na rozmowę z Lechem Wałęsą i wycieczkę do Doliny Jarząbczej. Nieplanowana wcześniej była też półtoragodzinna rozmowa na Wawelu z gen. Jaruzelskim. Gdy Ojciec Święty wracał z niej do swej krakowskiej rezydencji, młodzież głośno skandowała pytanie: „Co było na Wawelu?". Papież odpowiedział z charakterystycznym dla siebie poczuciem humoru: „Synod, synod, synod".

PIELGRZYMKA 19.
14–15 sierpnia 1983 r.

FRANCJA: Lourdes

Jan Paweł II jest pierwszym papieżem, który odwiedził sanktuarium w Lourdes. Ojciec Święty przybył tam jako pielgrzym, pragnąc aby jego wizyta nie naruszyła zasadniczych elementów zwykłego dnia funkcjonowania sanktuarium, by nie zakłócać porządku: Mszy św., procesji eucharystycznej i wieczornej procesji światła. Papież wybrał Lourdes jako miejsce, w którym pragnął uczcić uroczystość Wniebowzięcia Najświętszej Marii Panny – jej narodziny dla nieba, a zarazem, jak stwierdził, „błogosławioną chwilę narodzin Maryi dla ziemi!".

Program pobytu Jana Pawła II w Lourdes był swoistym spełnieniem tego, o co przed laty prosiła Matka Boska małą Bernadettę Soubirous. Po przybyciu do Groty Objawień Ojciec Święty modlił się w skupieniu, ucałował ziemię i skałę, napił się wody ze źródła. Gdy zapadł zmrok, wypełnił dwa dalsze życzenia Pięknej Pani z Massabielle: odmówił różaniec i uczestniczył w procesji światła.

Szczególnie wymowne były słowa wypowiedziane przez Papieża do 30 tys. młodych ludzi przybyłych na spotkanie: „Obyśmy mogli mieć zahartowaną i przejrzystą wiarę Bernadetty, która w wieku niespełna 15 lat, pewna posłania otrzymanego od Maryi, zdobyła się na niezachwianą odwagę, by stawić czoło podejrzliwości świata dorosłych, pozostać wierną temu, co otrzymała, i dawać temu świadectwo".

Podczas centralnej uroczystości Wniebowzięcia NMP, wśród licznych darów niesionych przez ludzi na ofiarowanie, niezwykły aplauz wywołały wyczynowe narty, ale najwięcej braw zebrała para krakowiaków. „Zresztą sympatii tu mamy w bezmiarze. Na każde odezwanie się Papieża po polsku ludzie natychmiast reagują brawami" – pisze ks. Mieczysław Maliński w książce „Pielgrzymka do świata".

Niezwykłe było też spotkanie z młodzieżą, szczelnie wypełniającą mury bazyliki. Przerodziło się ono w niesamowity dialog, a wypowiedzi Ojca Świętego przerywane były raz po raz głośnymi okrzykami i długimi oklaskami. Papież pięknie mówił o trudnych wyzwaniach miłości: „W Lourdes uczymy się na czym polega miłość życia: w Grocie i w szpitalach miłość zawarta jest w pomocy niesionej chorym. (…) Miłości nie można oddzielić od ducha posługi, który nadaje wartość życiu, życiu młodych". To korespondowało z ostatnim punktem pielgrzymki, jakim było spotkanie z ponad 2 tys. chorych. Wszak opiekujący się niepełnosprawnymi to w zdecydowanej mierze ludzie młodzi. Oddajmy głos ks. Mieczysławowi Malińskiemu: „Papież przyjeżdża pod Grotę, idzie pomiędzy niekończą-

Pierwszy Papież, który odwiedził Lourdes

cymi się rzędami wózków z chorymi. Idzie od wózka do wózka, głaszcze, całuje, dotyka, przytula zaślinione policzki, kiwające się głowiny, opuchłe ręce, wysuszone szkielety. To spotkanie jest już tylko dla nich, ostatnie. (...) Nasza kultura nie lubi widoku chorych. Tymczasem choroba i cierpienie należy do ludzkiej kondycji. Tak jak śmierć. I trzeba je brać poważnie w swoim życiu i w życiu drugich. Nawet gdy jest się zdrowym i młodym, trzeba się z tym liczyć co przyjdzie nieuchronnie. I taki jest chyba sens wizyty Papieża w Lourdes. I tego uczy Lourdes tych, którzy tu przychodzą". (Ks. Mieczysław Maliński, „Pielgrzymka do świata", Wyd. Interpress, 1987).

Na lotnisku, podczas pożegnania, jeszcze jeden polski akcent. Po przemówieniu premiera Francji, Pierre'a Mauroy'a polski chór zaśpiewał swemu rodakowi: „Góralu, czy ci nie żal".

PIELGRZYMKA 20.
10–13 września 1983 r.

AUSTRIA: Wiedeń, Mariazell

A ustria – niewielki kraj leżący w samym sercu Europy. Tutaj krzyżowały się drogi Rzymian i Celtów, Germanów i Słowian. Przed Janem Pawłem II ostatnim papieżem, który odwiedził Wiedeń, był 200 lat wcześniej Pius VI.

Ta podróż przepełniona była bez reszty europejskimi akcentami. Wizytę rozpoczęły Nieszpory Europejskie – podniosła uroczystość, zakrojona na skalę ogólnokontynentalną. Wokół krzyża na Heldenplatz zgromadziły się delegacje innych Kościołów: Patriarchatu Ekumenicznego Konstantynopola, Patriarchatu Prawosławno-Koptyjskiego, Patriarchatu Serbskiego oraz Kościoła ewangelickiego w Niemczech, dostojników Kościoła katolickiego z innych krajów Europy. Tuż obok krzyża płonął znicz, zapalony krótko przed uroczystością od pochodni przyniesionych z Asyżu, z niemieckiego Aintenbergu, szwajcarskiego miasteczka Flue i z Częstochowy. Ta wyjątkowa w swej wymowie Liturgia Słowa zakończyła się procesją krzyża.

Przejmująca symbolika towarzyszyła każdemu następnemu spotkaniu, każdemu ruchowi wykonanemu przez Papieża. Nie mogło być inaczej na wypełnionym ponad 80-tysięczną rzeszą młodych stadionie na Praterze. Na środku boiska młodzież ułożyła z kwiatów ogromnej wielkości krzyż, swą wiązankę na koniec dołożył Ojciec Święty. Spotkanie przerodziło się w znakomicie zaaranżowany

Wiedeń, Katedra Świętego Stefana

Spotkanie z Polakami

spektakl, którego muzycznym tłem był spiritual „Nobody knows the trouble I've seen", który wykonywały chóry i zespoły z różnych krajów, w tym także chór z warszawskiego kościoła św. Anny. Spotkanie skończyło się o zmroku, który rozjaśniało światło zapalonych kilkudziesięciu tysięcy świec.

Europejskość wyczuwalna była również podczas Mszy św. na błoniu Donaupark, w której uczestniczyli obok Austriaków przybysze z innych krajów. Intencje były odczytywane po niemiecku, polsku, chorwacku, słoweńsku i węgiersku. Podczas ofertorium delegacje poszczególnych diecezji składały zobowiązania, będące wyrazem troski o Kościół powszechny. Między innymi diecezja Sankt Poelten zobowiązała się zebrać fundusze na lekarstwa dla Polski.

Sprawy polskie przewijały się jeszcze kilkakrotnie, a to przy okazji poświęcenia organów w polskim kościele na Rennweg, na spotkaniu z polonusami na Karlsplatzu czy też na Kahlenbergu, historycznym miejscu, z którego w 1683 roku ruszyły wojska króla Jana III Sobieskiego do ataku na oblegających miasto Turków. Akt poświęcenia na Kahlenbergu kaplicy pod wezwaniem Matki Bożej Częstochowskiej nabrał dla Polaków szczególnej wymowy.

Należy wspomnieć też o wizycie Papieża w UNO-City, wiedeńskiej siedzibie 14 międzynarodowych organizacji-agend ONZ oraz nawiedzeniu na zakończenie sanktuarium Mariazell, w którym przechowywana jest słynąca łaskami drewniana figurka Matki Boskiej z Dzieciątkiem na kolanach.

„Nikomu jeszcze na austriackiej ziemi nie udało się w ciągu czterech tylko dni przerzucić tak trwałych mostów, jak uczynił to Wasza Świątobliwość" – mówił przy pożegnaniu Ojca Świętego prezydent Austrii Rudolf Kirschlaeger.

PIELGRZYMKA 21.
2–12 maja 1984 r.

STANY ZJEDNOCZONE (2 V):	Fairbanks
KOREA PŁD. (3–6 V):	Seul, Kwangju, Taegu, Pusan, Seul
PAPUA-NOWA GWINEA (7–8 V):	Port Moresby, Mount Hagen
WYSPY SALOMONA (9 V):	Honiara
TAJLANDIA (10–11 V):	Bangkok, Phanat Nikhom, Sampran

P o tej jednej z bardziej uciążliwych podróży papieskich kronikarz „La Civilita Cattolica" zwracał uwagę na rozmaite sposoby komunikowania się Jana Pawła II. Zauważył, że na język Papieża składają się słowa i niejednokrotnie bardziej jeszcze wymowne gesty. „Okoliczności zewnętrzne, takie choćby jak deszcz, upał, długie godziny oczekiwania, i związane z tym zmęczenie, trudności w zrozumieniu języka, odległość fizyczna od ołtarza, tłok – to wszystko sprawia, że nie zawsze i nie dla wszystkich to, co mówi Ojciec Święty, jest w pełni zrozumiałe i nie zawsze dociera do świadomości każdego ze słuchaczy. To, co zawsze i do wszystkich przemawia najbardziej, to fizyczna obecność Papieża, ludzki kontakt, próby nawiązania żywego dialogu, a nawet długość przemówień, która świadczy, że Papież swych słuchaczy traktuje poważnie, że ma dla nich aż tyle czasu. Podczas podróży na Daleki Wschód wiele było takich gestów, których wymowa niewątpliwie trafiała do wszystkich. Były nimi, żeby wskazać najbardziej widoczne, wizyta w Kwangju, mieście, które w 1980 r. przeżyło masakrę; modlitwa w milczeniu przed grotą Matki Bożej z Lourdes w Taegu, w obecności 400 zakonnic; trwające zaledwie kilka chwil «zatrzymanie się» papieskiego helikoptera nad więzieniem dla nieletnich w Pusan i udzielenie błogosławieństwa młodym więźniom zgromadzonym na dziedzińcu; wręczenie osobiście przez Papieża drobnych podarunków więźniom w Honiara; cztery godziny poświęcone na odwiedziny w obozie dla uchodźców w ramach krótkiej wizyty w Tajlandii” („L'Osservatore Romano”, czerwiec 1984).

Ta najdłuższa do tej pory pielgrzymka apostolska Jana Pawła II (trasa jej wynosiła 38 500 km) była podróżą dialogu, podczas której Papież często wskazywał na bliskość zachodzącą między wartościami tradycyjnych kultur i orędziem chrześcijańskim. Jakże charakterystyczna była wizyta u najwyższego patriarchy buddyjskiego Vasany Tary w Bangkoku, w otoczeniu wielkiej statuy Buddy i z gestami pełnego poszanowania gospodarza spotkania (Ojciec Święty wchodząc do świątyni zdjął obuwie).

Na podzielonej ziemi koreańskiej niejednokrotnie powracał wątek pojednania Południa z Północą, ale także wyeliminowania przemocy, szczególnie zaś wobec młodocianych. Do rangi historycznego wydarzenia urosło spotkanie na seulskim placu Youido z ponad 1,5-milionową rzeszą wiernych, uczestniczących w kanonizacji 103 męczenników. Nigdy w Korei nie zgromadziło się w jednym miejscu tak wielu ludzi, nigdy też wcześniej kanonizacja nie była dokonywana tak daleko od Rzymu.

Niezwykle wymowna była liturgia w stolicy Papui-Nowej Gwinei, gdzie setki tancerzy w strojach z traw i skór, z pomalowanymi twarzami, przez cały czas trwania Mszy św. rytmicznie klaskało i podkreślało swą obecność dźwiękami tamburów. Podobnie było w miasteczku Mount Hagen, gdzie ołtarz na polu golfowym został udekorowany na miejscową modłę – łukami, strzałami i tarczami. Papież wygłosił tam homilię w miejscowym języku pidgin.

Spotkanie na Alasce w drodze do Korei Płd.
W rozmowie z prezydentem Ronaldem Reaganem
poruszano polskie sprawy

PIELGRZYMKA 22.
12–17 czerwca 1984 r.

SZWAJCARIA: Lugano, Genewa, Chambesy, Fryburg, Berno, Flüeli, Einsiedeln, Lucerna, Sion

P odróż do Szwajcarii pierwotnie planowana była na początek czerwca 1981 roku, ale zamach na życie Papieża zmusił do przełożenia terminu wizyty. W tym należącym do najwyżej rozwiniętych ekonomicznie krajów świata, na niespełna 6 mln mieszkańców blisko połowa uważa się za katolików, istnieje 6 diecezji i 1800 parafii, w których pracuje niespełna 2 tys. księży. Ojciec Święty w 14 miejscowościach wygłosił 34 przemówienia, a charakter podróży był określony w znacznym stopniu przez specyfikę odwiedzanego kraju – niewielkiego, ale stanowiącego z punktu widzenia pastoralnego niezwykle skomplikowaną rzeczywistość.

Jednym z ważniejszych, o ile nie najważniejszym wydarzeniem tej pielgrzymki, było spotkanie z Ekumeniczną Radą Kościołów. Jan Paweł II w swoich wystąpieniach wielokrotnie kładł nacisk na te elementy, które niezależnie od polemik i dramatycznych podziałów w przeszłości jednoczą Kościół: „(...) zaangażowanie oraz fakty pozwalają nam żywić nadzieję, że istniejące jeszcze trudności stopniowo zostaną przezwyciężone i że wkrótce nadejdzie błogosławiony dzień, w którym będziemy mogli dzielić jeden chleb eucharystyczny i pić z tego samego kielicha" – mówił Ojciec Święty w prawosławnym ośrodku w Chambesy.

Odpowiedzią na życzenie Papieża o jedność była wspólna deklaracja kard. Willebrandsa i pastora Pottera, w której wyrażono wolę pracy na rzecz jedności wszystkich chrześcijan, postanowienie modlitwy i pokuty za podziały i nieposłuszeństwa, które wciąż oddalają od siebie chrześcijan i szkodzą sprawie Ewangelii.

Było też miejsce w poruszanych kwestiach na problemy, z którymi Kościół boryka się na co dzień. W Einsiedeln Jan Paweł II spotkał się z księżmi, którzy powitali go w czterech językach, używanych w Szwajcarii. To właśnie wówczas odczytano słynny „List do Papieża" autorstwa rady duszpasterskiej parafii św. Antoniego w Lucernie, w którym między innymi domagano się przyznania kobietom prawa do święceń kapłańskich oraz zniesienia celibatu. Wywołało to ożywioną dyskusję i replikę licznych wspólnot parafialnych.

Nie można również pominąć kwestii nawiązujących do położenia emigrantów, które zwłaszcza w kraju o statusie neutralnym nabierają szczególnej wagi. Papież podkreślał obowiązek przyjmowania uchodźców, ale jednocześnie wska-

Szwajcaria, w ojczyźnie swoich gwardzistów

zywał na konieczność wejścia emigrantów w życie społeczeństwa, które ich przyjęło.

Na spotkaniu z Polakami przypomniał dzieje niektórych wybitnych rodaków – Tadeusza Kościuszki, Henryka Sienkiewicza, Ignacego Paderewskiego – którzy znaleźli schronienie właśnie w alpejskim kraju. O neutralności Helwetów Ojciec Święty mówił, powołując się na św. Mikołaja z Flüeli, podczas spotkania z Radą Federalną: „Nie rozszerzajcie za bardzo waszej zagrody... nie mieszajcie się do cudzych spraw. Ta zasada doprowadziła do waszej cieszącej się uznaniem i pewnością zasłużonej neutralności. Dzięki niej mała Szwajcaria stała się dziś potęgą ekonomiczną i finansową".

PIELGRZYMKA 23.
9–21 września 1984 r.

KANADA: Quebec, Trois-Dame du Cap, Montreal, St. Johns,
Moncton, Halifax, Toronto, Huronia, Unionville,
Winnipeg, Edmonton, Vancouver, Ottawa

Swą podróż do Kanady Ojciec Święty rozpoczął od nawiedzenia w Quebecu Parku Cartier Brebeuf, gdzie znajduje się krzyż ustawiony przed 450 laty przez Jacquesa Cartiera. Następnie w ciągu 12 dni przemierzył niemal cały ten ogromny kraj wzdłuż i wszerz. Z bogatego planu nie zrealizował jedynie wyprawy do Fort Simpson na spotkanie z rzeszą Indian i Eskimosów, przybyłych tam – niejednokrotnie za cenę wielkich wyrzeczeń – z odległych terenów arktycznych. Niesprzyjające warunki atmosferyczne zmusiły lecący z Edmonton papieski samolot do awaryjnego lądowania na małym lotnisku w Yellow Knife. Do oczekujących Papież przemówił za pośrednictwem radia i telewizji.

„Przychodzę do was jako Pasterz i Brat" – to hasło przyświecało wielu spotkaniom Jana Pawła II z potomkami Indian i Eskimosów, rybakami i przedstawicielami innych wspólnot religijnych, ludźmi chorymi i niepełnosprawnymi czy też duchowieństwem i młodzieżą. W Toronto na Nathan Philips Square płomieniem z pochodni przyniesionej przez włoskiego benedyktyna z Hiroszimy zapalił znicz pokoju. Przejmujące było spotkanie w Toronto z kanadyjską Polonią, które zamieniło się w prawdziwy przegląd chórów miejscowych parafii. Natomiast przed sanktuarium Męczenników Kanadyjskich w Huronii Ojciec Święty zwracając się do potomków starodawnego plemienia Huronów, powiedział: „Nie tylko istnieją punkty odniesienia wspólne dla chrześcijaństwa i ludów indiańskich, lecz

„Przychodzę do Was jako Pasterz i Brat"

sam Chrystus jest Indianinem w członkach swego Ciała. A odrodzenie kultury indiańskiej będzie odrodzeniem tych prawdziwych wartości, odziedziczonych przez nich i chronionych, oczyszczonych i uszlachetnionych przez objawienie Jezusa Chrystusa".

W Winnipeg wręczono Papieżowi nagrodę Fundacji św. Bonifacego, w uznaniu jego zasług dla sprawy pokoju, wolności, braterstwa i ludzkiej godności. Warto wspomnieć, że w skład przyznającej nagrodę komisji wchodzą między innymi przedstawiciele wyznań niekatolickich i wspólnoty żydowskiej.

Pośród wielu wielkiej rangi wydarzeń podczas tej podróży z pewnością dwa miały znaczenie wyjątkowe: zawierzenie Kanady Matce Bożej oraz beatyfikacja s. Marii Leonii Paradis, zmarłej w 1912 r.

W drodze powrotnej do Watykanu Janowi Pawłowi II towarzyszyło 40 osób, które współpracowały z Konferencją Episkopatu Kanady przy organizacji pielgrzymki Ojca Świętego i w nagrodę otrzymały bilety na lot papieskim samolotem.

PIELGRZYMKA 24.
10–13 października 1984 r.

HISZPANIA (10 X):   Saragossa
DOMINIKANA (11 X): Santo Domingo
PORTORYKO (12 X):   San Juan

Inauguracja Nowenny Lat, przygotowującej do przypadającego 12 października 1992 r. jubileuszu 500-lecia ewangelizacji Ameryki, to najbardziej znaczący cel tej podróży. Złożyły się na nią trzy etapy. Pierwszym było odwiedzenie Hiszpanii i sanktuarium Matki Boskiej del Pilar, patronki wszystkich narodów żyjących w kręgu kultury i języka hiszpańskiego. Stamtąd wyruszyły pięć wieków wstecz okręty Krzysztofa Kolumba: „Nina", „Pinta" i „Santa Maria". Drugi etap pielgrzymki papieskiej to Santo Domingo – miejsce, do którego w nocy z 11 na 12 października 1492 r. dotarła wyprawa Kolumba. Wreszcie w drodze powrotnej Ojciec Święty zatrzymał się w San Juan na wyspie Portoryko.

Hiszpanię Jan Paweł II odwiedził po raz drugi w czasie swego pontyfikatu. Tym razem ograniczył się do wizyty w Saragossie. W bazylice Matki Boskiej del Pilar, wzniesionej w miejscu, w którym – według przekazów historycznych – Matka Boża ukazała się św. Jakubowi Starszemu, Papież modlił się wspólnie z rodzinami i krewnymi misjonarzy. To bardzo znamienny moment, wszak w Ameryce Łacińskiej pracuje blisko 20 tys. kapłanów diecezjalnych i zakonnych, braci i sióstr zakonnych oraz świeckich, w decydującej mierze wywodzących się z Kościoła hiszpańskiego. Szacuje się, że w ciągu pięciu stuleci wywodziło się z tego kraju ponad 200 tys. misjonarzy i misjonarek. Kulminacyjnym punktem pobytu Jana Pawła II w Saragossie była jednak Liturgia Słowa. W homilii słuchanej przez ponad milion wiernych zaapelował między innymi o podjęcie przygotowań Kościoła do roku dwutysięcznego.

Na ziemię dominikańską Papież także przybył po raz drugi, kontynuując misję pierwszej swej apostolskiej podróży. W homilii wygłoszonej podczas Mszy św. odprawionej w intencji ewangelizacji ludów Ojciec Święty powiedział: „W perspektywie zbliżającego się 500-lecia ewangelizacji Kościół Ameryki Łacińskiej staje przed tym niezwykle ważnym, zakorzenionym w Ewangelii zadaniem. Nie ulega wątpliwości, że Kościół musi być całkowicie wierny swemu Mistrzowi, realizując praktycznie opcję na rzecz ubogich i wnosząc praktyczny wkład w dzieło wyzwolenia społecznego wydziedziczonych rzesz ludzi i jako dzieci Bożych. Lecz Kościół musi realizować to ważne i naglące zadanie w duchu wierności Ewangelii, która zabrania uciekania się do metod inspirowanych przez nienawiść i przemoc".

Niezwykle donośnie zabrzmiały słowa Papieża, nawiązujące do pierwszej homilii adwentowej z 1511 r., jaką wygłosił w tym samym miejscu misjonarz Antoni de Montesinos. Prawie pół wieku później Jan Paweł II staje w obronie przede wszystkim Indian i również sprzeciwia się uciskowi i nadużyciom popełnianych na niewinnych: „Jesteście wszyscy w stanie grzechu śmiertelnego! Czyż oni nie są ludźmi? Czy nie mają duszy rozumnej? Czy nie macie obowiązku kochać ich jak samych siebie?".

PIELGRZYMKA 25.
26 stycznia – 6 lutego 1985 r.

WENEZUELA (26–29 I):	Caracas, Maracaibo, Merida,
	Ciudad Guayana
EKWADOR (29 I–1 II):	Quito, Latacunga, Cuenca, Guayaquil
PERU (1–5 II):	Lima, Arequipa, Cuzco, Ayacucho,
	Callao, Piura, Trujillo, Iquitos
TRYNIDAD I TOBAGO (5–6 II):	Port of Spain

P apież już po raz szósty odwiedził Amerykę Łacińską. Podróż ta była w pewnym sensie kontynuacją pielgrzymki – do Hiszpanii, Santo Domingo i Portoryko w 1984 r., która rozpoczęła nowennę przygotowującą obchody 500-lecia ewangelizacji. Tym razem Ojciec Święty odwiedził 4 kraje, przebył blisko 30 tys. km, odwiedził 17 miejscowości, wygłosił 47 przemówień oficjalnych, dokonał dwóch beatyfikacji – s. Mercedes od Jezusa Moliny, misjonarki ubogich, oraz dominikanki Anny od Aniołów Monteagudo.

Na przybycie Jana Pawła II wszystkie kraje przygotowywały się niezwykle starannie, a tak jak w przypadku Peru, nawet kilka lat. Bilety na spotkanie z Papieżem w Limie należało odebrać 5 miesięcy wcześniej. Wenezuela zorganizowała trwające rok misje krajowe. Na spotkania przybywały niezliczone tłumy, nierzadko przekraczające milion osób. Ujmujący był widok setek tysięcy Ekwadorczyków, witających Ojca Świętego uniesionymi w górę krzyżami.

Do niezwykłej rangi wydarzenia urósł akt poświęcenia Ekwadoru Sercu Pana Jezusa, upamiętniający 450. rocznicę rozpoczęcia ewangelizacji tego kraju. Wzruszające i przepełnione głęboką troską były spotkania Jana Pawła II z ludnością

Peru, w zimnych, wysokich Andach

tubylczą Wenezueli, Ekwadoru i Peru. Lotnisko w Latacundze stało się miejscem manifestacji 200 tys. Indian, reprezentujących wszystkie plemiona żyjące w Ekwadorze. Był wśród nich Luis Felipe Atahualpa Duchicel XXVIII, potomek zamordowanego podstępnie przez Pizarra ostatniego władcy państwa Inków. W położonej wysoko w peruwiańskich górach dawnej fortecy Sacsayhuaman również oczekiwały na Papieża tłumy, głównie potomków Inków, do dzisiaj przechowujących dawne stroje, pielęgnujących tradycje i zwyczaje. Ojciec Święty usiadł na specjalnie przywiezionym z muzeum fotelu należącym do Bolivara. Ustawiono go w miejscu, które zajmował legendarny władca Inków podczas święta słońca.

Osobistego wymiaru nabrała wizyta Papieża w ekwadorskiej miejscowości Guayaquil, gdzie znajduje się sanktuarium Matki Boskiej Częstochowskiej. Tam, na skraju miasta, wzniesiono mały kościół, wotum dziękczynne za uratowanie życia Ojca Świętego po pamiętnym zamachu. Fundatorem świątyni był mieszkający od lat w Ekwadorze libański przemysłowiec Jose Assaf.

Program podróży, jak zwykle, był wypełniony do ostatniej minuty. Szczególnie wyczerpująca była zmienność aury – zimnej i deszczowej w wysokich Andach, upalnej w puszczy amazońskiej i gorącej na skraju pustyni w Trujillo. Kiedy Jan Paweł II spotkał się w Limie z biskupami, z polecenia lekarza nie przemawiał do nich, lecz przekazał przygotowany wcześniej tekst.

„To były największe misje w naszych dziejach. Nigdy dotąd księża nie wyspowiadali tylu ludzi z okazji żadnej uroczystości" – słowa biskupa Limy najlepiej oddają znaczenie tej pielgrzymki.

Oczywiście na jej trasie pojawiali się Polacy. W Caracas wraz z rodakami na spotkanie z Ojcem Świętym przybyli Litwini, Łotysze, Słowacy, Chorwaci, Słoweńcy, Węgrzy, Ukraińcy. A podczas spotkania ekumenicznego pewien rabin z dumą wyjawił, że jego rodzina wywodzi się z Polski.

PIELGRZYMKA 26.
11–21 maja 1985 r.

HOLANDIA (11–15 V):   Eindhoven, Den Bosch, Utrecht, Haga, Maastricht, Amersfoort

LUKSEMBURG (15–16 V): Luksemburg, Esch-Alzette, Opactwo Echternach

BELGIA (16–21 V):   Bruksela, Antwerpia, Ypres, Gandawa, Mechelen, Beauraing, Namur, Liege, Louvain, Banneux

Była to jedna z najtrudniejszych podróży Jana Pawła II, głównie z uwagi na odwiedziny w Holandii. Trudności te wynikały przede wszystkim z podejścia wielu katolików holenderskich do problemów religijnych.

Okres przygotowań do papieskiej pielgrzymki był pełen napięć. Podsycały je środki masowego przekazu, które rozwinęły prawdziwą kampanię przeciwko tej wizycie. Na parę dni przed przyjazdem Papieża w Hadze odbył się mityng pod hasłem „Inne oblicze Kościoła", w którym uczestniczyło 10 tys. ludzi. Na murach holenderskich miast rozwieszano plakaty, wyznaczające nagrodę za zabicie Ojca Świętego oraz reklamujące polską wódkę: „Polska wódka lepsza niż polski papież". Pojawiały się też zapowiedzi demonstracji antypapieskich. Mimo to Jan Paweł II podjął kolejne wyzwanie i nie zmienił programu zaplanowanej wizyty. Poprzednim papieżem, który odwiedził Holandię, był św. Leon IX, który uczynił to w połowie XI wieku.

Jan Paweł II nie unikał konfrontacji. Już podczas powitania na lotnisku w Eindhoven, nawiązując do umiłowania przez Holendrów wolności, zapytał: „A co wyście zrobili z wolnością, która nas tak wiele kosztowała?". Pytań było więcej, choć Papież zachował dystans i sporą dozę kurtuazji wobec zachowania gospo-

Bruksela, spotkanie ze studentami

darzy. Jego wizycie nie towarzyszyło tak wielkie zainteresowanie, jak w innych krajach, ale każdy krok Biskupa Rzymu śledzony był ze zdwojoną uwagą. Gdzie jednak się pojawił, z reguły przyjmowany był z wielkim szacunkiem, jak chociażby w Pałacu Pokoju, gdzie przewodniczący Międzynarodowego Trybunału Sprawiedliwości nazwał go „mędrcem naszych czasów". Tak też było w centrum kongresowym „Jaarbeurs" w Utrechcie, gdzie Papież odprawił Mszę św. dla 20 tys. osób. Niestety, w tym czasie policja tłumiła uliczną demonstrację, ponoć skierowaną przeciwko niemu. Entuzjastycznie natomiast witała Ojca Świętego stolica Limburgii – Maastricht. Spontaniczne było też spotkanie z młodymi na terenie klasztoru Ter Eem.

Z jakże innym, serdeczniejszym przyjęciem spotkał się Jan Paweł II podczas dwudniowego pobytu w Luksemburgu, a nade wszystko w Belgii. Po 300 tys. wiernych wzięło udział w Mszach św. odprawionych w Gandawie i przed stołeczną katedrą Najświętszego Serca Jezusa, 100 tys. modliło się w Banneux, słynnym z cudownego źródełka i objawień Matki Boskiej. Po brzegi wypełniony był Grand d'Place w Antwerpii, a do sanktuarium maryjnego w Beauraing przybyło za Papieżem ponad 40 tys. wiernych. Jan Paweł II odwiedził też Ypres, gdzie wielka bitwa podczas pierwszej wojny światowej pochłonęła pół miliona żołnierzy.

PIELGRZYMKA 27.
8–19 sierpnia 1985 r.

TOGO (8–10 VIII):	Lome, Pya, Kara, Togoville
WYBRZEŻE KOŚCI SŁONIOWEJ (10 VIII):	Abidżan
KAMERUN (10–13 VIII):	Jaunde, Garoua, Bamenda, Duala
REPUBLIKA ŚRODKOWO-AFRYKAŃSKA (14 VIII):	Bangi
ZAIR (14–16 VIII):	Kinszasa, Lubumbashi
KENIA (16–19 VIII):	Nairobi
MAROKO (19 VIII):	Casablanca

Zamiar powzięcia trzeciej wyprawy na kontynent afrykański Jan Paweł II tłumaczył z charakterystycznym poczuciem humoru: „Przecież w Afryce jest 55 krajów, a ja byłem dotąd w 14". Teraz do tej listy dopisał kolejne cztery, bo Wybrzeże Kości Słoniowej, Kenię i Zair odwiedził w 1980 r. Pięć lat później przybył tam powtórnie, żeby – jak mówił – „podziwiać owoce ewangelizacji".

Podobnie jak podczas poprzednich odwiedzin Afryki, Papież spotykał się i tym razem z niezwykłą gościnnością i serdecznością, a uroczystościom towarzyszył barwny rytuał miejscowych ludów. W Togo przywódcy plemion przybyli na spotkanie z nim w złotych koronach na głowach, a papieski orszak powitały dźwięki królewskich tam-tamów, oznaczające przynależność do królewskiej linii tamtejszego narodu. Nie zabrakło i zaskakujących momentów, kiedy dzieci śpiewały na lotnisku po polsku: „Witamy cię, alleluja...". Sporo było też jak dla Europejczyka egzotyki, wyrażającej się choćby w otaczaniu szczególną czcią... pytonów. Jeden z nich w dniu wizyty Ojca Świętego w Togoville przypełznął bezkarnie pod same drzwi kościoła.

Afryka to ciągle siedlisko wyznawców tradycyjnych religii animistycznych. We wspomnianym Togoville tysiące ludzi przybyło na uroczystości oczyszczenia, zabezpieczające przed chorobami i złymi duchami. Jan Paweł II przyjmowany był jednak z honorami należnymi największym dostojnikom. Kapłani pogańscy na tę okoliczność wzywali Boga tęczy, prosząc o błogosławieństwo dla Papieża.

Drzewko Jana Pawła II w parku Uhuru koło Nairobi

Biskup Rzymu przyjął te „rewelacje" ze zrozumieniem. Tłumaczył, że nie można oczekiwać, by to, co trwało w Polsce 1000 lat, dokonało się w afrykańskich krajach raptem po kilkudziesięciu latach. Pracującym w Afryce misjonarzom wskazywał więc na rolę tradycyjnych religii w żmudnym procesie ewangelizacji.

W Togo, a także w pozostałych krajach, Ojciec Święty udzielał sakramentów chrztu, Pierwszej Komunii Świętej i bierzmowania, wyświęcał nowych kapłanów. Wszędzie towarzyszyły temu barwne rytuały, tańce, regionalne stroje, charakterystyczna muzyka i śpiewy. W Lubumbashi Papież znakomicie wczuł się w atmosferę i, ku zdumieniu zgromadzonych, przemówił w języku suahili.

Tego radosnego nastroju brakowało jedynie w Bangi, stolicy Republiki Środkowoafrykańskiej, gdzie ludzie pamiętający przemoc i dyktatorskie rządy Jeana Bedela Bokassy, na Mszy św. ustawili się w milczeniu prawie kilometr od ołtarza. Ze względów bezpieczeństwa...

PIELGRZYMKA 28.
8 września 1985 r.

LIECHTENSTEIN: Eschen-Mauren

Kilkunastogodzinny wyjazd do jednego z najmniejszych państw świata (160 km kw., niespełna 30 tys. mieszkańców) był przejawem troski Papieża o losy niewielkich wspólnot kościelnych w małych krajach i wyrazem szacunku, jakim je darzy. Liechtenstein, od 1434 r. autonomiczne księstwo, od 1719 r. lenno Świętego Cesarstwa Rzymskiego, od 1806 r. jest niepodległym państwem w ramach Federacji Reńskiej. Należy do najbogatszych państw w Europie. Na jego terytorium działa zaledwie 10 parafii.

W Eschen-Mauren witał Ojca Świętego Johannes Vonderach, ordynariusz szwajcarskiej diecezji Chur, do której należy wspólnota kościelna Liechtensteinu, oraz książę Franz Joseph II, który w swym przemówieniu podkreślał prawo do samostanowienia nawet takich małych narodów, jak alpejskie księstwo.

Najważniejszym punktem tej wizyty apostolskiej była Msza św. odprawiona na stadionie w Eschen-Mauren oraz spotkanie z młodzieżą Liechtensteinu, na zakończenie którego Jan Paweł II w kaplicy cudownego wizerunku Maryi Pocieszycielki w Schaan-Dux odczytał akt poświęcenia całego kraju Matce Bożej. W ceremonii uczestniczył książę Franz Joseph II, który w marcu 1940 r., obawiając się inwazji wojsk niemieckich, w tej samej kaplicy dokonał oddania kraju w opiekę Matki Bożej, patronki Liechtensteinu.

PIELGRZYMKA 29.
31 stycznia – 11 lutego 1986 r.

INDIE: New Delhi, Ranczi, Kalkuta, Szilong, Madras, Goa,
Mangalur, Triczur, Koczin, Trivandrum, Ernakulam,
Verapoly, Kottayam, Bombaj, Wasai, Puna

P odróż do kraju, w którym chrześcijanie stanowią znikomy procent ogółu
mieszkańców – ok. 2,5 proc. – rodziła pewne obawy. Jednocześnie jednak
była wyrazem szacunku Papieża dla narodu indyjskiego, jego kultury
i religii, albowiem Kościół katolicki funkcjonuje tam w symbiozie z innymi
wyznaniami od 2 tys. lat. Dzieje Kościoła w Indiach – jak głosi tradycja – sięgają
czasów apostolskich. W 52 r. przybył tam św. Tomasz, prowadził działalność
misyjną i w Madrasie poniósł męczeńską śmierć. Jest on uważany za założyciela
Kościoła lokalnego w Indiach.

Obawy wszak rodziły się głównie dlatego, że Indii nie można traktować w ści-
słym tego słowa znaczeniu jako kraj misyjny. Wyznawane tam religie, przede
wszystkim hinduizm, mają bogate tradycje, własny rozbudowany system filozo-
ficzny i są mocno zespolone z kulturą i całym życiem tego drugiego co do wielkości państwa świata.

Ogromny obszar kraju, jego różnorodność oraz wielość problemów determi-
nowały niezwykłą intensywność programu podróży. W czasie 10 dni Ojciec Święty
odprawił 11 Mszy św., przewodniczył pięciu wielkim spotkaniom modlitewnym,
wygłosił ponad 30 homilii i przemówień, odbył dziesiątki spotkań i rozmów.
Z pewnością do najbardziej spektakularnych należało spotkanie w Kalkucie
z Matką Teresą, która od 1949 r. prowadziła Dom Czystego Serca, w którym wraz
ze siostrami misjonarkami miłości przyjmowała umierających nędzarzy. Po przybyciu do Kalkuty pierwsze kroki Jan Paweł II skierował właśnie do przytułku,
gdzie w towarzystwie Matki Teresy pomagał w rozdawaniu chorym pożywienia,
pocieszał ich i modlił się za zmarłych.

Sporo emocji wzbudziło przyjęcie przez Papieża w nuncjaturze w Delhi
na prywatnym spotkaniu Dalajlamy, Buddy żyjącego poza Tybetem, na zesłaniu.
Wcześniej dwukrotnie przywódca Tybetu odwiedził Jana Pawła II w Rzymie.
W Bombaju zaś doszło do spotkania z głową Kościoła anglikańskiego, prymasem
Canterbury Robertem Runcie. Ale o wiele większą dramaturgię miało spotkanie
w Szilong, u podnóża Himalajów. Rozrzucone po ogromnych przestrzeniach

Indie, Kalkuta, spotkanie z Matką Teresą

górskich plemiona odnalazły się przy okazji przyjazdu Papieża. To była dla nich podwójna radość, którą ubogacili uroczystą Mszą św.

Ojciec Święty był zszokowany niemal powszechną nędzą, panującą w tym wielkim kraju. W Delhi, jego przyjazd spotkał się z najmniejszym zainteresowaniem, ale w Mszach św. odprawianych przez niego w Koczin i Bombaju uczestniczyło milion ludzi. Na terenie St. Augustin High School w Wasai, niedaleko Bombaju, w spotkaniu modlitewnym wzięło udział 550 tys. osób. Obawy więc, że wizyta Jana Pawła II zostanie zignorowana, nie sprawdziły się.

Pielgrzymka spotkała się również z dużym zainteresowaniem wyznawców innych religii. W Rajaji Hall w Madrasie doszło do bezprecedensowego w swym wymiarze spotkania ekumenicznego 2 tys. przedstawicieli religii niechrześcijańskich – sikhów z Pendżabu, mnichów buddyjskich, hinduistów, mahometanów, żydów. Po uroczystym powitaniu Papież przemówił do zebranych w języku tamilskim.

Nie obyło się bez problemów w czasie drogi powrotnej do Włoch. Opady śniegu uniemożliwiły lądowanie papieskiego samolotu na rzymskim lotnisku Ciampino. Wylądował on w Neapolu, a stamtąd specjalnym pociągiem, ze znacznym opóźnieniem, Ojciec Święty i towarzyszące mu osoby dotarły do Watykanu.

PIELGRZYMKA 30.
1–8 lipca 1986 r.

KOLUMBIA (1–7 VII):   Bogota, Chinquinquira, Tumaco,
                             Popayán, Cali, Pereira, Chinchina,
                             Medellin, Lerida, Armero,
                             Bucamaranga, Cartagena, Barranquilla
WYSPA ŚWIĘTEJ ŁUCJI (7 VII): Castries, Hewanorra

Kolumbia – drugi po Brazylii eksporter kawy, kraj o znacznych zasobach ropy, złota i szmaragdów, będący jednocześnie zdecydowanie największym centrum handlu narkotykami. Kraj pełen kontrastów i niezwykle burzliwej historii, rozdzierany wewnętrznymi walkami, w którym ślady ostatniej masakry sprzed kilku miesięcy widoczne jeszcze były na fasadzie Pałacu Sprawiedliwości. To kolejny kraj Ameryki Łacińskiej, który Papież chciał odwiedzić przed 1992 r., czyli przed przypadającą rocznicą odkryć Krzysztofa Kolumba. Ale dodatkowym pretekstem była chęć odwiedzenia miejsc erupcji wulkanu Nevado, który w 1985 r. pochłonął tysiące istnień ludzkich. Miasto Armero z 25 tys. mieszkańców zniknęło pod powierzchnią 20-metrowej warstwy wulkanicznej magmy. Ojciec Święty dotarł helikopterem na miejsce tragedii i u stóp wielkiego krzyża odmówił modlitwę za ofiary. Krzyże i krzyżyki znaczą miejsca, gdzie znajdują się zalane domostwa.

Podróży Jana Pawła II towarzyszył iście południowy entuzjazm Kolumbijczyków. Przejazd z lotniska w Bogocie do katedry utrudniał deszcz kwiatów, spadający na papieskiego „jeepa". W katedrze Papież wpisał się do liczącej 400 lat pamiątkowej księgi, używając pióra, którym Pius IX podpisał w 1854 r. bullę ogłaszającą dogmat o Niepokalanym Poczęciu. Msze św. celebrowane w Bogocie, Tumaco, Cali czy Medellin ściągały po kilkaset tysięcy wiernych. Na spotkanie do liczącej 50 tys. mieszkańców Chinquinquiry, gdzie w 1586 r. modlitwa pewnej Hiszpanki spowodowała cudowne odnowienie się obrazu Matki Boskiej, przybyło ponad 300 tys. ludzi z całego kraju. W 1919 r. Matka Boska Różańcowa z Chinquinquiry została ogłoszona Królową Kolumbii. Na przyjazd Ojca Świętego Indianie z plemienia Chibcha wznieśli z kamienia przepiękny ołtarz w kształcie muszli.

Papież podnosił w swych homiliach i przemówieniach wiele istotnych problemów, nękających współczesną Kolumbię. Podejmując tematy ściśle religijne, wskazywał konieczne warunki, od których zależy rozkwit życia chrześcijańskiego w klimacie pokoju i miłości. Mówił o plagach społecznych, kierując apele do „tych, co weszli na ścieżki nienawiści i śmierci", a handlarzy narkotyków porównał do dawnych handlarzy niewolnikami.

W drodze powrotnej do Rzymu Jan Paweł II zatrzymał się na kilka godzin na Wyspie Świętej Łucji, leżącej na Morzu Karaibskim (ok. 100 tys. mieszkańców), miejscu jawiącym się jako oaza ciszy, spokoju i bezpieczeństwa.

Warto ponadto wspomnieć o spotkaniu Papieża z grupą Polaków mieszkających w Kolumbii. Wśród nich była wdowa po Władysławie Broniewskim, która wręczyła Ojcu Świętemu manuskrypty męża, powstałe w czasie jego pobytu w Jerozolimie.

PIELGRZYMKA 31.
4–7 października 1986 r.

FRANCJA: Lyon, Taizé, Paray-le-Monial, Ars, Annecy

Trasa trzeciej pielgrzymki Jana Pawła II do Francji prowadziła śladami świętych: beatyfikowanego o. Chevrier, Marii Małgorzaty Alacoque, bł. Klaudiusza La Colombiere, św. Jana Vianney, św. Franciszka Salezego oraz Joanny Franciszki de Chantal.

To była prawdziwie sentymentalna podróż, ale niepozbawiona nauk dla współczesnych. Taizé kojarzyć trzeba ze wspólnotą, której zadaniem jest pojednanie. Założył ją w 1940 r. Szwajcar Roger Schutz. Przy wejściu do kościoła Pojednania widnieje napis: „Wy, którzy tu wchodzicie – pojednajcie się: ojciec z synem, mąż z żoną; wierzący z tym, który wierzyć nie może; chrześcijanin ze swym bratem". Papieża powitał przed wejściem sam przewodniczący wspólnoty br. Roger.

Jednym z ważnych punktów podróży było wyniesienie na ołtarze ks. Antoniego Chevriera. Pracował on w drugiej połowie XIX wieku w Lyonie. Uznaje się go za twórcę prężnie rozwijającego się obecnie stowarzyszenia Prado. Zrzesza ono księży, którzy wybrali pracę wśród najbiedniejszych: w slumsach, z bezrobotnymi, narkomanami.

Z Annecy związane jest życie św. Franciszka Salezego i św. Joanny Franciszki de Chantal, założycieli Zgromadzenia Sióstr Wizytek. W niedalekim Paray-le-Monial, gdzie został w XVII w. ufundowany klasztor Sióstr Wizytek i gdzie Marii Małgorzacie objawił się Pan Jezus, swoją przystań znaleźli członkowie charyzmatycznej grupy „Emmanuel" – wspólnoty księży, zakonnic i rodzin. Natomiast

„Wy jesteście nadzieją świata"

w Dardilly urodził się św. Jan Vianney, legendarny proboszcz z Ars, wsi oddalonej od Lyonu o 30 km.

Czyż może więc dziwić, że kiedyś Jan Paweł II musiał odbyć taką pielgrzymkę? Oczywiście, to najlepsza okazja, by uniwersalne wartości związane z działalnością świętych odnieść do współczesności. Dlatego z ust Ojca Świętego padło pytanie: „Chrześcijanie Lyonu i Francji, co uczyniliście z chwalebnym dziedzictwem męczenników?".

Najbardziej spektakularnym wydarzeniem dla mediów był jednak dialog Papieża z 60-tysięczną rzeszą młodzieży, zgromadzoną na stadionie Gerland w Lyonie. Dialog ten przeszedł wszelkie wyobrażenia. To był spektakl z udziałem kilkudziesięciu tysięcy aktorów, jakiego nigdy wcześniej jeszcze nie oglądano. Nad wszystkim dyskretnie czuwał jednak Jan Paweł II, jego słowa trafiały do słuchaczy, były jasne, mocne i wypowiedziane w najwłaściwszym momencie. „Nie mam złota ani srebra, nie mam gotowych odpowiedzi, przychodzę do was jako świadek Jezusa Chrystusa i mówię wam za Chrystusem i Piotrem: «Wstań i idź». Nie skupiaj się na swoich słabościach i zwątpieniach, żyj wyprostowany. Idź w Jego kierunku, aby zbudować z Nim i wraz z twoimi braćmi nowy świat".

PIELGRZYMKA 32.
18 listopada – 1 grudnia 1986 r.

BANGLADESZ (19 XI):	Dhaka
SINGAPUR (20 XI):	Singapur
FIDŻI (21–22 XI):	Suva, Nadi
NOWA ZELANDIA (22–24 XI):	Auckland, Wellington, Christchurch
AUSTRALIA (24 XI–1 XII):	Canberra, Brisbane, Sydney, Hobart, Melbourne, Darwin, Alice Springs, Adelajda, Perth
SESZELE (1 XII):	Victoria

Ta najdłuższa z apostolskich podróży Jana Pawła II, podczas której Papież odwiedził sześć, jakże zróżnicowanych pod każdym względem państw i przemierzył blisko 49 tys. km, przebywając w powietrzu 70 godzin, trwała 13 dni, 6 godzin i 15 minut. Ojciec Święty wygłosił 50 przemówień, nie licząc wielu wystąpień improwizowanych przy różnych okazjach. Nigdy podczas wcześniejszych pielgrzymek Jan Paweł II nie zetknął się z tak wielką różnorod-

„Nasi bracia mniejsi – jak mówił św. Franciszek"

nością etniczną, kulturową, religijną oraz społeczną. Stąd też rozległa tematyka podejmowanych przez niego tematów.

W stumilionowym, mahometańskim Bangladeszu, kraju należącym do najbiedniejszych i najgęściej zaludnionych, który oprócz głodu i problemów natury społecznej nękają klęski żywiołowe, Ojciec Święty mówił o jedności, na bazie której można osiągnąć pokój i rozwiązywać wszelkie trudności. W Dhace jego słów słuchało z uwagą ponad 50 tys. osób, w dużej mierze muzułmanów. Chyba tylko wcześniej w Casablance, w sierpniu 1985 r., Papież miał okazję przemawiać do tak licznie zgromadzonych mahometan. Wśród wręczonych darów znalazły się między innymi biały turban z czarnymi piórami – symbol siły, honoru i władzy królewskiej, oraz miedziany gong – symbol powodzenia.

Sprawy ekumenizmu zajęły zasadniczą część spotkań w lokalnych, niewielkich wspólnotach w Singapurze i na Fidżi. W Nowej Zelandii oraz Australii, gdzie spędził najwięcej czasu, Papież stanął w obronie tubylczych ludów. Maorysi, uważający się za prawowitych mieszkańców Nowej Zelandii, witali Biskupa Rzymu jako „białą czaplę, która tylko raz wznosi się do lotu", dając do zrozumienia, że widzą w nim wysłannika bóstwa, zwiastuna pokoju.

Aborygeni australijscy przyjmowali Ojca Świętego niezwykle gorąco w Alice Springs – zresztą podobnie jak, wbrew pojawiającym się przed podróżą obawom, wszyscy mieszkańcy kontynentu. Wywołał on długo niekończący się aplauz, kiedy powiedział: „Nie musicie być ludem rozdwojonym, tak jakby Aborygen miał wiarę i życie chrześcijańskie wypożyczać niczym kapelusz lub buty od kogoś, kto jest ich właścicielem".

W stolicy Australii, Canberze, Jan Paweł II zawitał do krajowego parlamentu, by powiedzieć o pokoju i sprawiedliwości oraz podkreślić osiągnięcia Australijczyków w wielu aspektach życia społecznego. W Adelajdzie natomiast dotknął drażliwego tematu pomocy głodującym: „Za naszych dni rolnicy, współpracując ze swoim Stwórcą, są w stanie wyprodukować dostateczną ilość żywności dla każdego na świecie. Fakt, że już obecnie dostępna żywność nie dociera do głodujących milionów, jest jednym z największych skandali naszego wieku". To wreszcie w Australii Papież otrzymał od miejscowych reporterów przydomek „król dzieci". Na zakończenie wizyty w szkole, gdzie trzecioklasiści zadawali Janowi Pawłowi najbardziej bezpośrednie pytania, ten sam ich zapytał: „A czy myślicie, że mógłbym być przyjęty do waszej klasy?". Wówczas wybuchnął radosny wrzask: „Taaak!".

Mozaikę tej niezwykłej pielgrzymki dopełniły spotkania z Polakami. Najwięcej mieszka ich w Australii – ponad 120 tys. Powitali oni Ojca Świętego niezapomnianym oberkiem, którego nie powstydziłoby się „Mazowsze". W nowozelandzkim Wellington Papież przemówił do rodaków w ojczystym języku, przypominając swój pobyt tam 13 lat wcześniej, gdy był jeszcze biskupem krakowskim. Tamtejsi Polacy w znacznej części wywodzą się z grupy ponad 2 tys. sierot, adoptowanych w czasie drugiej wojny światowej przez rząd Nowej Zelandii. Kiedy Jan Paweł II mówił podczas zorganizowanej dla nich Mszy św.: „Pamiętajcie, że wasze korzenie są tam, stamtąd wyrastacie i ta więź z ojczyzną domaga się szczególnej solidarności", niemal wszyscy płakali.

PIELGRZYMKA 33.
31 marca – 13 kwietnia 1987 r.

URUGWAJ (31 III–1 IV):   Montevideo
CHILE (1–6 IV):   Santiago, Valparaiso, Maipu, Punta Arenas,
                         Puerto Montt, Concepcion, Temuco,
                         La Serena, Antofagasta
ARGENTYNA (6–13 IV):   Buenos Aires, Bahia Blanca, Viedma, Mendoza,
                         Cordoba, Tucuman, Salta, Corrientes, Parana,
                         Rosario

W swą kolejną podróż Papież wyruszył w poczuciu dobrze wypełnionej pokojowej misji mediacyjnej. Po sześciu latach, od czasu, kiedy rządy Chile i Argentyny zobowiązały się zrezygnować z użycia siły i wyraziły zgodę na papieską mediację, Jan Paweł II triumfalnie mógł odwiedzać oba kraje. Rozpoczął jednak pielgrzymkę od Montevideo w Urugwaju, gdzie spisano rozejmowy pakt. Oczywiście, główny cel wizyty Papież wykorzystał do licznych spotkań, spośród których największy wymiar miały te z młodzieżą, która zjechała do Buenos Aires na Światowy Dzień Młodości. Wypadł on akurat w Niedzielę Palmową. Był to pierwszy przypadek, że Jan Paweł II obchodził tę uroczystość poza Rzymem.

Najpierw jednak ważne wydarzenia rozgrywały się w Chile. Ich zapowiedzią było spotkanie z prezydentem Pinochetem oraz błogosławieństwo udzielone ze Wzgórza św. Krzysztofa, na którym wznosi się ogromna figura Niepokalanej, będąca kopią tej z placu Hiszpańskiego w Rzymie. Podczas zaś spotkania w Poblaciones, dzielnicy najbiedniejszych w Santiago, po raz pierwszy od przejęcia władzy w 1973 r. przez gen. Pinocheta, ludzie nie bali się w obecności Papieża głośno powiedzieć o swych udrękach: bezrobociu, wyzysku ekonomicznym, braku

Chile, Msza św. na przedmieściach Santiago

elementarnych warunków do życia, wzroście przestępczości, represjach, ograniczeniu wolności słowa. Ojciec Święty nie omieszkał wrócić do tych spraw podczas spotkania z młodzieżą. O tym, że w Santiago ciągle nie było spokoju, świadczy incydent, jaki miał miejsce podczas beatyfikacyjnej Mszy św. karmelitańskiej nowicjuszki Teresy od Jezusa (1901–1920). Właśnie wtedy doszło do starć 100-osobowej bojówki lewackiej, która zaatakowała policję. Użyto gazów łzawiących, byli ranni. Papież i 700 tys. uczestników Eucharystii zachowali spokój i liturgia nie została przerwana.

Także bogaty był program pobytu w Argentynie. Najważniejsze przemówienie Ojciec Święty wygłosił w Buenos Aires na Mercado Central do 300 tys. robotników. Porywająco mówił o roli związków zawodowych i solidarności ludzi pracy: „Byłoby źle, gdyby zabrakło solidarności między pracownikami wówczas, kiedy warunki pracy pogarszają się i wzrastają nadużycia i arogancja ludzi wykorzystujących uprzywilejowane pozycje, aby przywłaszczać sobie prawa, które im się nie należą".

I jeszcze polskie akcenty. Podczas spotkań z chilijską Polonią Jan Paweł II wspominał życie i działalność wielkiego rodaka Ignacego Domeyki, przyjaciela Adama Mickiewicza, który w Chile stworzył naukowe podstawy eksploatacji bogactw naturalnych. W Buenos Aires, mówiąc o poszanowaniu tradycji narodowych, Ojciec Święty przywoływał słowa poety Adama Asnyka: „Ale nie depczcie przeszłości ołtarzy, choć macie sami doskonalsze wznieść".

PIELGRZYMKA 34.

30 kwietnia – 4 maja 1987 r.

REPUBLIKA FEDERALNA NIEMIEC: Kolonia, Bonn, Münster, Kevelaer, Bottrop, Monachium, Augsburg, Spira

Szczególny charakter drugiej papieskiej wizycie w RFN nadały dokonane po raz pierwszy w tym kraju przez Biskupa Rzymu dwie beatyfikacje. Na przykładzie Edyty Stein oraz Ruperta Mayera Ojciec Święty wyjaśniał uczestnikom Mszy św. w Kolonii, co to znaczy być świadkiem Chrystusa. „Heroiczne świadectwo wiary siostry Edyty Stein i ojca Ruperta Mayera przenosi nas w czasy wielkiej udręki dla Kościoła i dla całego waszego narodu. Wraz z zagarnięciem władzy przez hitlerowski narodowy socjalizm nastąpił fatalny zwrot, w wyniku którego partia polityczna, opętana szaleństwem nieludzkiego rasizmu, przekształciła się stopniowo w totalitarną ideologię, a nawet w namiastkę religii. Następstwem tego była zaostrzająca się coraz bardziej otwarta walka z wiarą chrześcijańską i z Kościołem katolickim, wbrew uroczystym gwarancjom i zobowiązaniom podpisanym w konkordacie z Rzeszą".

Na tym ponurym tle historii – jak tłumaczył Jan Paweł II – wyróżniają się postaci Edyty Stein oraz Ruperta Mayera, a także kard. Klemensa Augusta von Galena. „To inne Niemcy" – twierdził Papież – to te, które nie ugięły się wobec brutalnej uzurpacji i przemocy, a tym samym dały podstawy dla moralnej odbudowy w późniejszym okresie. „Być świadkiem Chrystusa znaczy dawać świadectwo prawdzie, Bogu i autentycznej wielkości człowieka, chcianemu przez Boga porządkowi we wszystkich dziedzinach ludzkiego życia. Dlatego właśnie kard. von Galen wystąpił w tamtych czasach tak stanowczo przeciw zorganizowanemu mordowaniu tak zwanych ludzi «nieużytecznych». W obliczu pełnej pogardy dla człowieka tyranii, przypomniał o przykazaniu Bożym: nie zabijaj" – mówił Ojciec Święty.

Pielgrzymka Jana Pawła II do RFN miała również charakter ekumeniczny. W katolickiej bazylice św. Ulryka i św. Afry w Augsburgu spotkali się przedstawiciele różnych wyznań. Byli wśród nich: prawosławny metropolita Niemiec, przewodniczący Niemieckiej Rady Kościołów, luterański biskup Bawarii oraz przedstawiciel „Freikirchen". Spotkanie było wyrazem dążenia do przezwyciężenia podziałów, nawiązania dialogu oraz osiągnięcia jedności wszystkich chrześcijan. Papież przypomniał, że do nas wszystkich odnosi się obietnica Chrystusa:

Na taki moment trzeba było czekać do 1996 r. Jan Paweł II w towarzystwie Helmutha Kohla, kanclerza zjednoczonych Niemiec, uroczyście przeszedł otwartą Bramę Branden-burską

„Będziecie moimi świadkami" (Dz 1,8). „Ktokolwiek otrzymuje wiarę, obowiązany jest przekazywać ją innym. Światło Pana, które pada na nasz mrok, jest światłem dla świata. Jest to nasz dług wobec wszystkich naszych bliźnich. (...) Każdy jest powołany do dawania całkowicie osobistego świadectwa. Każdy zarazem jest obowiązany starać się o wspólne świadectwo – kontynuował Ojciec Święty znakomity wykład o ekumenizmie. – Dlatego Pan, prosząc o wiarę i o zbawienie dla wszystkich, mówi: «aby wszyscy stanowili jedno... aby świat uwierzył»".

PIELGRZYMKA 35.
8–14 czerwca 1987 r.

POLSKA: Warszawa, Majdanek, Lublin, Tarnów, Kraków, Szczecin, Gdynia, Westerplatte, Gdańsk, Częstochowa, Łódź

Wprawdzie okazją do odwiedzenia po raz trzeci ojczyzny stał się Krajowy Kongres Eucharystyczny, ale dziś jest niewątpliwe, że kolejna wizyta Ojca Świętego była zaplanowanym etapem w procesie „rozmiękczania" totalitarnego systemu. Z tej drogi nie było już odwrotu. Wzrost świadomości społecznej i sytuacja międzynarodowa coraz bardziej sprzyjały dokonaniu historycznych przemian. Władza komunistyczna chyliła się ku upadkowi – dwa lata później odbyły się zwycięskie dla „Solidarności" wybory do parlamentu. Wtedy jednak nieuchronność tego procesu wcale nie była wśród narodu tak oczywista. Podczas papieskiej wizyty w Gdańsku i Krakowie dochodziło do starć z milicją, kilkanaście osób aresztowano, a pielgrzymów drobiazgowo przeszukiwano. Prowadzono rozmowy „interwencyjne" w sprawie niektórych wystąpień papieskich z watykańskim sekretarzem stanu, a nawet z samym Papieżem.

Na lotnisku, tak jak poprzednio, Ojciec Święty mówił wzruszony niemal do łez: „O ziemio polska! Ziemio trudna i doświadczona! Ziemio piękna! Ziemio moja! Bądź pozdrowiona. I bądźcie pozdrowieni wy, Rodacy, którzy znacie radość i gorycz bytowania na tej ziemi".

Swą wizytę Jan Paweł II rozpoczął tak naprawdę od nawiedzenia warszawskiego kościoła Sióstr Wizytek. Papamobile zatrzymał się tam w drodze z lotniska i, choć nie było to w planie, Ojciec Święty wysiadł z samochodu i w modlitwie oddał hołd Prymasowi Tysiąclecia. Podobnie uczynił później w warszawskiej katedrze, gdzie znajduje się sarkofag kard. Stefana Wyszyńskiego. Swoje przemówienie zaczął od przypomnienia jego życiowego motta: „Zło dobrem przezwyciężaj".

Warszawa, Kongres Eucharystyczny

A potem w kilkunastu miejscach kraju, które odwiedził, zrobił rodakom prawdziwe rekolekcje, ostatnie przed upadkiem totalitaryzmu:

– W odpowiedzi na powitanie w Zamku Królewskim: „Trzeba zaczynać od społeczeństwa. Od ludzi. Każdy z tych ludzi ma swoją osobową godność, ma prawo tej godności odpowiadające. W imię tej godności słusznie każdy i wszyscy dążą do tego, aby być nie tylko przedmiotem nadrzędnego działania władzy, instytucji życia państwowego, ale być podmiotem. A być podmiotem – to znaczy: uczestniczyć w stanowieniu o pospolitej rzeczy wszystkich Polaków. Tylko wówczas naród żyje autentycznie własnym życiem, gdy w całej organizacji życia państwowego stwierdza swoją podmiotowość. Stwierdza, że jest gospodarzem w swoim domu".

– Podczas inauguracji Krajowego Kongresu Eucharystycznego w warszawskim kościele Wszystkich Świętych: „Dzięki śmierci i zmartwychwstaniu Chrystusa – mówił śp. ks. Jerzy Popiełuszko – symbol hańby i poniżenia stał się symbolem odwagi, męstwa, pomocy i bohaterstwa. W znaku krzyża ujmujemy dziś to, co najbardziej piękne i wartościowe w człowieku".

– Zwracając się do byłych więźniów obozu zagłady w Majdanku: „Nie przestawajcie być przestrogą (...) dla wszystkich pokoleń, bo jesteście naznaczeni stygmatem straszliwego doświadczenia".

– W auli Katolickiego Uniwersytetu Lubelskiego: „Społeczeństwo oczekuje od swych uniwersytetów ugruntowania własnej podmiotowości, oczekuje ukaza-

Warszawa, przy grobie ks. Jerzego Popiełuszki

nia racji, które ją uzasadniają, oraz motywów i działań, które jej służą. Z tym też ściśle związany jest wymóg wolności akademickiej".

– W Tarnowie, podczas beatyfikacji Karoliny Kózkówny, zwracając się do szerokiej rzeszy polskich chłopów: „Wiadomo, że polska wieś współczesna, w wyniku dramatycznych doświadczeń, jakie stały się jej udziałem, przeżywa wieloraki kryzys, kryzys gospodarczy i moralny". Cytuje pochodzącego z podtarnowskich Wierzchosławic Wincentego Witosa: „Któż siłę państwa i niezawodną nigdy ostoję ma stanowić?! Dla mnie odpowiedź narzucała się sama: Świadomi, niezależni, zadowoleni chłopi polscy".

– W Krakowie, do dwumilionowej rzeszy wiernych na Błoniach, kiedy przytacza słowa swej codziennej modlitwy: „Wzbudź w Narodzie chęć cierpliwej walki o zachowanie pokoju i wolności. Spraw, abyśmy co dzień stawali się zdolni własnymi rękami i społeczną solidarnością, wpatrzeni w tajemnicę Twojego Krzyża, budować naszą wspólną przyszłość. (...) Zachowaj nas od uczestnictwa w zakłamaniu, które niszczy nasz świat. Daj odwagę życia w prawdzie. Obdarzaj nas chlebem codziennym. Błogosław naszej pracy".

– W Szczecinie, odnosząc się do polskiej rodziny: „W latach osiemdziesiątych Szczecin był miejscem doniosłych wydarzeń i doniosłych umów pomiędzy władzami państwowymi a przedstawicielami świata pracy. Jaki był sens tych umów? Czyż nie chodziło o wszystko, co odpowiada godności ludzkiej pracy – i godno-

Lublin, spotkanie ze studentami na KUL

Tarnów, beatyfikacja Karoliny Kózkówny

Szczecin

ści człowieka pracy? Mężczyzny i kobiety? Praca ludzka: czyż nie jest ona stałym punktem odniesienia całego społeczeństwa, a w tym społeczeństwie – każdej rodziny?".

– W Gdańsku, kolebce „Solidarności", na ołtarzu umieszczonym na dziobie łodzi zwanej kogą: „Jeden drugiego brzemiona noście – to zwięzłe zdanie Apostoła jest inspiracją dla międzyludzkiej i społecznej solidarności. Solidarność – to znaczy: jeden i drugi, a skoro brzemię, to brzemię niesione razem, we wspólnocie. A więc nigdy jeden przeciwko drugiemu. I nigdy brzemię dźwigane przez człowieka samotnie. Bez pomocy drugich. Nie może być walka silniejsza od solidarności".

– W Częstochowie, podczas nieprzewidzianego wcześniej przemówienia: „Trzeba, żebyście z papieżem, który jest waszym rodakiem, mieli w oczach i w sercach wszystkie te wymiary zmagania się Kościoła w świecie współczesnym o wolność dzieci Bożych. Zmagania się nie tylko z programami, z ideologiami, systemami, które są wrogie religii, ale także ze słabością człowieka...".

– W Łodzi, gdy mówił o misji kobiety: „To naturalne posłannictwo kobiety-matki bywa często poddawane w wątpliwość z pozycji akcentujących przede wszystkim uprawnienia społeczne kobiety. Niekiedy patrzy się na jej pracę zawodową jako na awans społeczny, a oddanie się bez reszty sprawom rodziny

Gdańsk Zaspa

i wychowania dzieci bywa uważane za rezygnację z rozwoju własnej osobowości, za jakieś zacofanie".

– W warszawskim kościele Świętego Krzyża, zwracając się do przedstawicieli środowisk twórczych: „Człowiek – to inny jeszcze wymiar potrzeb i inny wymiar możliwości. Jego byt określa wewnętrzny stosunek do prawdy, dobra i piękna. (...) Chleb... i słowo. Kultura i ekonomia. Czy się wykluczają? Czy się wzajemnie zwalczają? Nie, po prostu się dopełniają...".

– Podczas beatyfikacji ks. Michała Kozala, zamordowanego w obozie koncentracyjnym w Dachau: „Jeden wśród tych, w których okazała się Chrystusowa władza w niebie i na ziemi. Władza miłości przeciw obłędowi przemocy, zniszczenia, pogardy i nienawiści".

– Podczas pożegnania na Okęciu: „Ojczyzna nasza musi zabiegać o to, aby życie ludzkie w Polsce stawało się coraz bardziej ludzkie, coraz bardziej godne człowieka. Ten proces – a zarazem – to zadanie posiada cztery główne wytyczne i zarazem cztery główne uwarunkowania. (...) Są to: prawo do prawdy – prawo do wolności – prawo do sprawiedliwości – prawo do miłości".

PIELGRZYMKA 36.
10–21 września 1987 r.

STANY ZJEDNOCZONE (10–19 IX): Miami, Columbia, Nowy Orlean,
San Antonio, Phoenix,
Los Angeles, Monterey, Carmel,
San Francisco, Detroit

KANADA (19–20 IX): Fort Simpson

Prawa dla homoseksualistów, kapłaństwo kobiet, zagrożenie egzystencji tubylczych grup etnicznych, upadek moralny, wybujały konsumpcjonizm wobec rosnącej biedy, seks przedmałżeński i antykoncepcja, zanik powołań kapłańskich – to tylko niektóre z problemów, z jakimi przyszło się zmierzyć Papieżowi w Ameryce Północnej. Ale musiał także pokonywać zupełnie prozaiczne przeciwności losu. W drugim dniu wizyty, podczas odprawianej w parku Tamiani Mszy św. dla 200 tys. osób, nadciągnęła burza z huraganem. Ojciec Święty był zmuszony dokończyć liturgię w zakrystii. Ale na koniec wyszedł do 40-tysięcznej rzeszy tych, którzy mimo nawałnicy wytrwali na placu.

W przeciwieństwie do pierwszej podróży do USA w 1979 r., kiedy Jan Paweł II odwiedził uprzemysłowione okręgi Północy, tym razem trasa prowadziła „szlakiem słońca" w południowych stanach, których ludność składa się w 30 proc. z katolickich Latynosów. O zainteresowaniu wizytą papieską świadczy fakt akredytowania rekordowej liczby 20 tys. dziennikarzy z całego świata.

Z Miami, gdzie Papież spotkał się z prezydentem Ronaldem Reaganem i przywódcami żydowskimi, udał się do Południowej Karoliny, w 98 proc. protestanckiej. Podczas spotkania z przedstawicielami 27 Kościołów chrześcijan-niekatolików mówił: „Ekumenizm nie jest sprawą sił ludzkich czy ludzkich taktyk, ale służbą prawdzie, miłości i pokornym poddaniem się Bogu".

W Nowym Orleanie na płycie lotniska witał go zespół dixielandowy standardem „When the saints go marching in". Entuzjastycznie przyjmowany był przez czarnych katolików. Problem dyskryminacji rozstrzygnął mocnymi słowami: „Nie istnieje Kościół białych czy czarnych, a tylko jeden Kościół Jezusa Chrystusa".

W San Antonio, w stanie Teksas, do którego emigrowali pierwsi Polacy, gdzie w 1854 r. została założona przez ks. Leopolda Moczygębę pierwsza polska parafia – Panny Maryi, doszło do niezwykłego oświadczenia. Jego autorem był ks. Henryk Moczygęba, krewny Leopolda: „My, Ślązoki, i w Polsce, i w Teksasie bedyma trzymać się Kościoła katolickiego!".

Miami, powitanie Jana Pawła II przez prezydenta USA Ronalda Reagana

Niezwykłe było też spotkanie z prawie 20-tysięczną rzeszą Indian w Phoenix. Papieski tron ustawiono obok białego wigwamu, pełniącego funkcję zakrystii. Ojciec Święty wyszedł odziany w biały ornat, ozdobiony indiańskimi kwiatami i obszyty dookoła długimi frędzlami. Indianie dali przepiękny pokaz rytualnych tańców i śpiewów. W homilii Papież mówił o „twardym i bolesnym zetknięciu Indian z kulturą europejską".

W Los Angeles przyjęcie Jana Pawła II było jeszcze gorętsze. W czasie wizyty Ojca Świętego przestępczość spadła o 30 proc., a policja nie odnotowała ani jednego morderstwa, podczas gdy zwykle dochodzi tam do mniej więcej dwóch dziennie. Największa stacja TV zawiesiła wszystkie swoje programy i całą wizytę relacjonowała niemal bez przerwy na żywo. W wytwórni filmowej w Hollywood odbyło się entuzjastyczne spotkanie z młodzieżą, „którego spontaniczność – jak pisze ks. Mieczysław Maliński – przewyższa nawet tego typu spotkania w Ameryce Łacińskiej".

Wzruszający był też moment w San Francisco, gdzie Jan Paweł II spotkał się z chorymi, w tym 52 dotkniętymi wirusem HIV. Papież wziął na ręce czteroletniego zarażonego chłopczyka i ucałował go.

Ostatnim amerykańskim miastem pielgrzymki było Detroit, gdzie Ojciec Święty spotkał się z Polonią. Mówił tam o solidarności jako o sposobie życia w wielkiej rodzinie narodów. Na spotkaniu ekumenicznym dzieci wypuściły w górę baloniki z karteczkami, na których zapisane były urywki z nauk Jana Pawła II.

Był jeszcze jeden etap tej podróży papieskiej. W 1984 r. z powodu mgły nie mógł on dotrzeć do kanadyjskich Indian w Fort Simpson. Obiecał przybyć tam przy najbliższej okazji i słowa dotrzymał. Indianie w tym czasie postawili nawet pomnik „Oczekiwania". W wiosce, zamieszkałej na co dzień przez 1,5 tys. Indian, w dniu wizyty zgromadziło się ich ponad 20 tys. Papież modlił się z nimi przy ogniu pod pomnikiem. Zwracając się na wschód, powiedział: „O Przenaj-świętszy Boże! Dziękujemy Ci za wodę, która oczyszcza i uzdrawia, umacnia powietrze i ziemię. Spraw, by Twoja miłość także oczyściła nas, złączyła i zjedno-czyła". Z twarzą skierowaną na południe dziękował za ogień: „Spraw, niech ten ogień spali wszystkie nieczystości z tej ziemi, z naszych umysłów, serc i dusz". Zwrócony na zachód, modlił się nad powietrzem: „Dziękujemy Ci, wielki Duchu Życia, za powietrze i dzieło wiatrów. (...) Niech podmuch Twego Ducha odnowi w nas życie, abyśmy zawsze żyli owiani Twoją miłością". Ku północy zaś zanosił prośbę o błogosławieństwo nad ziemią i jej płodami oraz o lepszą przyszłość dla każdego Indianina.

PIELGRZYMKA 37.
7–18 maja 1988 r.

URUGWAJ (7–9 V):   Montevideo, Melo, Florida, Salto
BOLIWIA (9–14 V):   La Paz, Cochabamba, Oruro, Sucre, Santa Cruz,
                   Tarija
PERU (14–16 V):   Lima
PARAGWAJ (16–18 V): Asuncion, Villarrica, Mariscal Etigarriba,
                   Encarnacion, Caacupe

To już dziewiąta podróż Jana Pawła II do Ameryki Łacińskiej. Podobnie jak poprzednie, również i ta została wpisana w kontekst historycznej rocznicy odkrycia Ameryki oraz rozpoczęcia ewangelizacji całego kontynentu. Papież uczestniczył w zamknięciu Kongresu Eucharystycznego i Maryjnego krajów boliwariańskich (Peru, Boliwia, Ekwador, Panama, Wenezuela).

W Paragwaju kanonizował trzech pierwszych świętych z tych ziem – misjonarzy-jezuitów, którzy swą działalność ewangeliczną okupili śmiercią męczeńską: Roqua Gonzaleza de Santa Cruz, Alfonsa Rodriqueza i Juana de Castila. Pielgrzymka rozpoczęła się jednak w Urugwaju, który w okresie dyktatury wojskowej

(1971–1984) uznał się za państwo całkowicie laickie. Imię Boga pisze się w oficjalnych publikacjach małą literą, święta kościelne zastąpiono okolicznościowymi obchodami, jak Tydzień Turystyki (Wielki Tydzień), Dzień Plaży (Niepokalane Poczęcie) itd. Formalnie do Kościoła katolickiego należy 80 proc. 3-milionowej ludności, ale na Mszę św. niedzielną uczęszcza zaledwie 5 proc. Nic dziwnego, że rozpoczynając swą kolejną pielgrzymkę, Ojciec Święty w powitalnym przemówieniu w Montevideo wyraził nadzieję: „Oby Bóg sprawił, że moja podróż apostolska pobudzi do uważniejszego słuchania orędzia chrześcijańskiego (...)".

Najważniejszymi punktami pobytu Papieża w Urugwaju były Eucharystie sprawowane w Melo, gdzie mówił o cywilizacji pracy oraz w dawnej stolicy Floridzie, gdzie po Mszy św. dokonał aktu zawierzenia tego kraju Matce Bożej. Obok ołtarza ustawiono niewielką figurkę Matki Boskiej, zwaną Madonną Trzydziestu Trzech, na pamiątkę grupy patriotów, którzy w 1825 roku dali początek procesowi niepodległości Urugwaju.

W pozostałych odwiedzanych krajach Jan Paweł II spotykał się z cieplejszym przyjęciem, aczkolwiek nie brakowało dramatycznych momentów. Opozycjoniści tamtejszych rządów próbowali wykorzystać okazję do przeprowadzenia akcji terrorystycznych. Do kilku doszło tuż przed przybyciem Ojca Świętego do Peru, ale w czasie jej trwania bojownicy z „Sendro Luminonso" ograniczyli się jedynie do wysadzenia słupa linii wysokiego napięcia, przerywając w ten sposób na krótko dostawę prądu. We Mszy św. w Limie uczestniczyło ok. 2 mln wiernych.

W Paragwaju tymczasem władze nie wyraziły zgody na spotkanie Papieża z tubylczą ludnością w Concepcion, co odczytywano nie tyle jako zachowanie „szczególnej ostrożności", lecz brak odwagi pokazania gościowi najbiedniejszej części kraju. Wszędzie Jana Pawła II przyjmowano entuzjastycznie. W Asuncion, podczas Mszy św. kanonizacyjnej, mimo obficie padającego deszczu, zebrało się ponad 300 tys. osób. Jeszcze więcej ludzi zgromadziła Msza św. w stolicy Boliwii – La Paz.

PIELGRZYMKA 38.
23–27 czerwca 1988 r.

AUSTRIA: Schwechat, Wiedeń, Eisenstadt Mauthausen, Salzburg, Enne-Lorch, Gurk, Innsbruck

„Tak wobec wiary, tak wobec życia" – to hasło drugiej wizyty Ojca Świętego w Austrii, podczas której – w przeciwieństwie do poprzedniej w 1983 r. – pozwolono mu zapoznać się niemal z całym krajem. Pragnął – jak wyznał – „przez trzy dni być Austriakiem". Ponad 85 proc. mieszkańców tego kraju, który Papież określił mianem pomostu łączącego północ i południe oraz zachód i wschód Europy, należy do Kościoła katolickiego. W swoich mowach apelował o rozszerzenie Unii Europejskiej na Wschód. Podkreślał, że przed budowniczymi Europy stoją wielkie zadania „utworzenia z zachodnioeuropejskiej wyspy dostatku – ogólnoludzkiej strefy wolności, sprawiedliwości i pokoju". „Europo, otwórz drzwi Chrystusowi" – wołał do członków korpusu dyplomatycznego.

Bezwzględnie najdonioślejsze jednak znaczenie miało spotkanie Ojca Świętego z wiernymi w Eisenstadt, gdzie wzywał do ratowania rodziny i przeciwstawiał się aborcji. Wzięli w nim udział mieszkańcy diecezji, a także pielgrzymi z sąsiednich krajów: 100 tys. Węgrów i 20 tys. Chorwatów. W nawiązaniu do tematu pielgrzymki, Papież wspólnie z wiernymi zastanawiał się nad kwestią narodzenia człowieka, jego pochodzenia i przeznaczenia. „Jakkolwiek wiele zdajemy się wiedzieć na ten temat – mówił Papież – zarówno na drodze ogólnoludzkiego doświadczenia, jak też coraz wnikliwszych badań biomedycznych, to przecież słowo Boże wciąż na nowo uwydatnia ten istotny wymiar prawdy o człowieku: człowiek – zgodnie z wolą Boga – jest przez Niego stworzony na Jego obraz i podobieństwo. (...) Człowiek jest dla Boga «kimś»: jedynym i niepowtarzalnym. (...) Człowiek jest tą istotą, którą Bóg nazywa i wzywa po imieniu". Ojciec Święty przywołał słowa psalmisty: „Panie, znasz mnie i przenikasz mnie... Ty bowiem stworzyłeś moje wnętrze i utkałeś mnie w łonie mej matki... I duszę moją znasz do głębi (...)" (Ps 139 [138],1.13-15).

Wniosek z tej katechezy płynął oczywisty: od łona matki człowiek jest istotą, z którą Bóg spotyka się i chce z nią obcować. Papież wyraził więc niepokój, wskazując na zaprzeczające godności ludzkiej eksperymenty prowadzone na człowieku, aborcję i eutanazję. Tę ostatnią szczególnie ostro potępił w wiedeńskim hospicjum. Podkreślił, że życie jest darem Boga i dobrem, o którym tylko Bóg

Obóz koncentracyjny Mauthausen, wpis do księgi pamiątkowej

może decydować. Źródłem współczesnego zaniku szacunku dla życia jest według Ojca Świętego, oddalenie się człowieka od Boga, które prowadzi do poczucia ogromnego osamotnienia.

Kwestia odpowiedzialności za życie ludzkie, za jego jakość została poruszona przez Jana Pawła II podczas jego spotkania z przedstawicielami świata nauki i sztuki w Salzburgu. Prosił ich, by zawsze pamiętali o fundamentalnych wymiarach człowieka jako osoby. Jest to szczególnie ważne w epoce, w której często stawia się je pod znakiem zapytania. Papież podkreślił wagę konieczności ponownego spotkania się nauki, techniki i polityki z filozofią, sztuką i religią. „Wiedza musi się znowu sprzymierzyć z mądrością i wiarą" – powiedział.

Tymczasem wizyta w Sankt Poelten stała się dla miejscowych katolików okazją do zorganizowania protestu przeciw tamtejszemu biskupowi Kurtowi Krennowi, znanemu z najbardziej konserwatywnego w Episkopacie Austrii stanowiska. Pojawiły się ogromne transparenty: „Ojcze Święty, ratuj naszą diecezję" i „Bracie Papieżu, uwolnij nas od Krenna".

PIELGRZYMKA 39.
10–19 września 1988 r.

ZIMBABWE (10–13 IX):   Harare, Bulawayo
BOTSWANA (13 IX):   Gaborone
LESOTHO (14–16 IX):   Roma, Maseru
SUAZI (16 IX):   Manzi
MOZAMBIK (16–19 IX): Maputo, Beira, Nampula

„To ciągle jest teren misyjny" – odpowiedział Papież na pytanie, które stawiano mu przed kolejną, czwartą już podróżą na kontynent afrykański. Ale tym razem była szczególna okazja do skierowania uwagi świata na problemy krajów Afryki Południowej, które odwiedził. W swych wystąpieniach położył nacisk na głoszenie pokoju i sprawiedliwości, solidarności i pojednania, bo właśnie w tym regionie świata, obok powszechnie znanej dyskryminacji rasowej, sprawą jeszcze pilniejszą była kwestia pokoju. Ofiarami toczących się tam wojen padali i padają przede wszystkim najubożsi.

Z pięciu odwiedzonych przez Ojca Świętego krajów, Mozambik był areną wydarzeń najbardziej dramatycznych. Tocząca się tam od lat wojna domowa doprowadziła ten bogaty kraj do ruiny, a życie mieszkańców przemieniła w koszmar. Właśnie w Mozambiku, w ostatni dzień swojej wizyty, Jan Paweł II wykonał gest, nadający całej podróży wymowę czytelnego znaku. Dnia 18 września odwiedził, położoną na peryferiach Maputo, dzielnicę nędzy „Bairro da Polana Canico". W lepiankach skleconych z trzciny, błota i tektury żyło tam w najbardziej prymitywnych warunkach ponad 25 tys. ludzi. Wśród nich było ponad 400 rodzin deslogados, uciekinierów z terenów dotkniętych wojną. Miliony takich jak oni opuszczało północne tereny kraju, szukając schronienia w miastach.

Papież odwiedził dom młodego małżeństwa Joana i Marilii Bunga. Z ogromnym wzruszeniem mówili oni Ojcu Świętemu o swoim życiu: z dwojgiem małych dzieci utrzymywali się ze sprzedaży słomianych toreb wyrabianych przez Joana. Potem Jan Paweł II odwiedził babcię Natalię, 85-letnią staruszkę, z którą mieszkańcy osiedla dzielą się tym, co mają, uznając ją za wspólną babcię wszystkich. Papież ofiarował mieszkańcom Bairro pomoc materialną. Zapowiedziano też przybycie daru Papieża, dużego transportu odzieży. Ale nie to było najważniejszym celem odwiedzin.

W trakcie tej misji doszło jednak do tragicznych wydarzeń. W Maseru, stolicy Lesotho, stanowiącym enklawę na terytorium RPA, terroryści z Ruchu Wyzwolenia Lesotho uprowadzili autobus z 69 przybyłymi z RPA pielgrzymami; wśród nich było 36 dzieci. Doprowadzili pojazd pod rezydencję Wysokiego Komisarza Brytyjskiego i zażądali spotkania z Janem Pawłem II oraz królem. Kiedy 20 minut po przyjeździe Papieża zaczęli ostrzeliwać placówkę brytyjską, do akcji wkroczyło wojsko. Zginęło 6 osób, wiele trafiło do szpitala.

Już sama podróż Ojca Świętego z Botswany do Lesotho obfitowała w niespodzianki. Oto bowiem papieski samolot ze względu na niesprzyjające warunki atmosferyczne w Maseru i awarię naziemnych urządzeń radarowych, nieprzewidzianie wylądował w Johannesburgu. RPA, z uwagi na panujący tam apartheid, nie znalazła się w planie pielgrzymki. Po 50 minutach na pokład samolotu wszedł minister spraw zagranicznych RPA, aby powitać niespodziewanego gościa. Władze RPA zorganizowały środki transportu dla Papieża oraz osób towarzyszących i po 5 godzinach jazdy samochodem Jan Paweł II dotarł do Maseru. Nazajutrz beatyfikował tam o. Józefa Gerarda, misjonarza ze Zgromadzenia Oblatów Maryi Niepokalanej.

PIELGRZYMKA 40.
8–11 października 1988 r.

FRANCJA: Strasburg, Metz, Nancy, Mont Sainte-Odile, Miluza

Głównym celem czwartej podróży Jana Pawła II do Francji było odwiedzenie instytucji europejskich, mających swoje siedziby w Strasburgu. Papież złożył wizytę w Radzie Europejskiej, Komisji i Trybunale Praw Człowieka oraz w Parlamencie Europejskim. Wszystkie wygłoszone tam przez niego przemówienia nawiązywały do idei jedności Europy. Często pojawiającym się wątkiem było także nawoływanie do wierności wobec chrześcijańskich korzeni kontynentu europejskiego. Ojciec Święty wielokrotnie podkreślał, że tożsamość Europy została ukształtowana przez chrześcijaństwo, przez chrześcijańską koncepcję świata i człowieka, która do dziś pozostaje aktualna.

Doniosłe znaczenie miało przede wszystkim przemówienie wygłoszone na forum Parlamentu Europejskiego. Papież wyraził w nim aprobatę Kościoła dla wysiłków zmierzających do integracji Europy, już wtedy przypominając o aspiracjach krajów środkowo- i wschodnioeuropejskich. Jasno powiedział: „Pragnieniem moim – jako najwyższego Pasterza Kościoła powszechnego, który pochodzi ze wschodniej Europy i zna aspiracje ludów słowiańskich, tego drugiego «płuca» naszej wspólnej europejskiej ojczyzny – jest to, by Europa suwerenna i wyposa-

Przemówienie w Parlamencie Europejskim w Strasburgu

żona w wolne instytucje rozszerzyła się kiedyś aż do granic, jakie wyznacza jej geografia, a bardziej jeszcze historia".

Ojciec Święty wymienił trzy dziedziny, w których zjednoczona Europa, otwarta ku wschodniej części kontynentu oraz niosąca pomoc krajom Trzeciego Świata, powinna na nowo objąć rolę przewodniczki cywilizacji światowej. Zdaniem Jana Pawła II, „najpierw należy pojednać człowieka ze stworzeniem, dbając o zachowanie integralności natury, jej fauny i flory, powietrza i rzek, jej subtelnej równowagi, ograniczonych surowców oraz piękna głoszącego chwałę Stwórcy". W dalszej kolejności „trzeba pojednać człowieka z jego bliźnim, tak aby Europejczyk akceptował innych mieszkańców tego kontynentu, reprezentujących różne kultury i prądy myślowe, był gościnny wobec przybysza i uchodźcy, otwarty na duchowe bogactwa ludów innych części świata". Wreszcie „należy pojednać człowieka z nim samym: tak, trzeba na nowo stworzyć integralną i całościową wizję człowieka i świata, która przeciwstawi się kulturze zwątpienia i dehumanizacji; wizję, w której nauka, technika i sztuka nie wykluczają się, ale prowadzą do wiary w Boga".

PIELGRZYMKA 41.
28 kwietnia – 6 maja 1989 r.

MADAGASKAR (28 IV–1 V): Antananarivo, Antsiranana, Fianarantsoa
REUNION (1–2 V):   Saint-Denis
ZAMBIA (2–4 V):   Lusaka, Kitwe
MALAWI (4–6 V):   Blantyre, Lilongwe

D okonując podsumowania swej piątej podróży na kontynent afrykański, Jan Paweł II określił ją „jako pielgrzymkę do serca Kościoła, który uznając swe słabości, braki i grzechy, nie przestaje z ufnością spoglądać w przyszłość naznaczoną paschalnym zwycięstwem Chrystusa nad śmiercią i grzechem". Papież podkreślał doniosłość historycznego momentu, jaki każdy z odwiedzanych narodów przeżywał, rozpoczynając kształtowanie swej suwerenności. „Proszę sobie wyobrazić w dziejach Kościoła w Polsce, w dziejach Polski, analogiczny moment: pierwsi biskupi, którzy siedzieli na pięciu stolicach metropolii gnieźnieńskiej, byli częściowo cudzoziemcami – misjonarzami. Stopniowo dochodzili do głosu polscy biskupi" – tłumaczył Ojciec Święty dziennikarzom.

Jan Paweł II podjął więc raz jeszcze niemal wszystkie te same problemy, które przedstawił w czasie poprzednich pielgrzymek do Afryki. Oczywiście uwzględnił specyfikę każdego z odwiedzanych krajów – niewielkich państw. Co ciekawe, w zamorskim departamencie Reunion we Mszy św., podczas której beatyfikowano br. Jeana-Bernarda Rousseau (1797–1867) ze Zgromadzenia Braci Szkolnych, znanego jako Brat Scubilion, uczestniczyło 200 tys. osób.

Druga beatyfikacja miała miejsce na Madagaskarze, gdzie Jan Paweł II wyniósł na ołtarze Wiktorię Rasoamanarivo (1848–1894). Ta pierwsza błogosławiona wśród Malgaszów stała się prawdziwą „matką wierzących" na Wielkiej Wyspie. Była osobą świecką, żyjącą w „trudnym" małżeństwie z człowiekiem, który dopiero na końcu życia został doprowadzony do wiary. Stała się przykładem autentycznego apostolstwa ludzi świeckich.

Był też i polski akcent tej pielgrzymki. Wiązał się on ze wspomnieniem o. Jana Beyzyma, polskiego misjonarza, który pracował z trędowatymi na Madagaskarze i tam zmarł na tę chorobę w 1920 r. We Fianarantsoa Papież odprawił Mszę św. na drewnianym ołtarzu wykonanym przez o. Beyzyma, używał jego kielicha. W procesji z darami delegacja trędowatych z pobliskiego leprozorium, założonego przez polskiego misjonarza, ofiarowała Ojcu Świętemu wyrzeźbioną w drzewie makietę Madagaskaru, z umieszczoną w środku szkatułką, zawierającą ziemię

Madagaskar, Antananarivo

z grobu o. Beyzyma, który został pochowany na cmentarzu w Marana. W 2002 r., podczas kolejnej podróży do Polski, Jan Paweł II wyniósł swego rodaka na ołtarze.

PIELGRZYMKA 42.
1–10 czerwca 1989 r.

NORWEGIA (1–3 VI): Oslo, Trondheim, Tromsø
ISLANDIA (3–4 VI):   Rejkiawik
FINLANDIA (4–6 VI): Helsinki, Turku
DANIA (6–8 VI):   Kopenhaga, Roskilde, Oem
SZWECJA (8–10 VI): Sztokholm, Uppsala, Vadstena

Papież nazwał tę podróż pielgrzymką do początków chrześcijaństwa i Kościoła w północnej Europie. Jej hasłem była modlitwa: „Ojcze, spraw, aby byli jedno" (J 17,21). Skandynawia, w znacznej mierze protestancka, była zafascynowana niepowtarzalnym dialogiem, jaki zainspirował Jan Paweł II. Jeden z wybitnych teologów norweskich nazwał tę pielgrzymkę „barometrem prawdziwego zaangażowania i postaw ekumenicznych, tolerancji i fanatyzmu u chrześcijan różnych wyznań".

Podróż po Skandynawii przypadła akurat na okres białych nocy. Jedno z nabożeństw ekumenicznych odbywało się na targu rybnym w Tromsø, miasteczku zamieszkiwanym przez ledwie 68 katolików, bardzo późnym wieczorem, ale przy pełnej widoczności. W kazaniu Ojciec Święty nie omieszkał więc nawiązać do światła słonecznego, które w tym regionie zanika całkowicie na dwa miesiące zimy. Powiedział, że prawdziwym światłem jest Chrystus, który niesie miłość, nadzieję i pokój. Po nabożeństwie wszyscy odmówili wspólnie Ojcze nasz.

W Islandii katolicy także stanowią mniejszość. Jest ich zaledwie kilkanaście tysięcy na 250 tys. mieszkańców. Nabożeństwo odbyło się tam w niezwykłej scenerii – na równinie Thingvellir, gdzie w X w. wodzowie Wikingów utworzyli pierwszy w świecie parlament i gdzie w 1000 r. Islandczycy postanowili przyjąć chrześcijaństwo. Papież zacytował po norwesku słowa ówczesnego przywódcy Wikingów: „Będziemy mieli jedno prawo i jeden obyczaj".

W helsińskim Pałacu Finlandii, w którym w 1975 r. obradowała Konferencja Bezpieczeństwa i Współpracy w Europie, tworząc dokument, będący podstawą pokoju na kontynencie, Jan Paweł II zadeklarował: „Stolica Apostolska ze wszystkich sił wspierać będzie proces zapoczątkowany w tym gmachu", dodając że

Jan Paweł II z duńską parą królewską

do utrzymania pokoju niezbędna jest wolność religii i współpraca między wszystkimi wyznaniami świata. Do Turku na spotkanie z Papieżem przybyła rzesza pielgrzymów z Estonii, Łotwy, Litwy i Polski.

Kolejne spotkania ekumeniczne odbyły się w Danii i Szwecji. W Sztokholmie Ojca Świętego przyjął na prywatnej audiencji król Karol Gustaw. Największe znaczenie miało jednak spotkanie ze studentami i ludźmi nauki w Uppsali, gdzie tamtejszy uniwersytet założył w 1477 r. papież Sykstus IV, który dążył do umocnienia więzi intelektualnych i duchowych między krajami Północy a resztą Europy. Jest niewątpliwe, że podróż Jana Pawła II w 1989 r. także temu celowi bardzo się przysłużyła.

Jeden z magazynów na dowód tego przytacza wypowiedź pewnego Belga, który – choć mówił, że jest niewierzący – tak tłumaczył swoją obecność na jednym ze spotkań z Ojcem Świętym: „Przyszedłem, bo to miły człowiek. Przyjeżdża do tego kraju nie po to, by załatwiać polityczne problemy albo podpisywać handlowe układy, lecz po to, by po prostu być z ludźmi, mówić o losie i przeznaczeniu człowieka, o tym, co dobre, co złe, jak żyć, jak być dobrym".

PIELGRZYMKA 43.
19–21 sierpnia 1989 r.

HISZPANIA: Santiago de Compostela, Oviedo, Cangas, Covadonga,
Jezioro Enol

Podczas swej trzeciej pielgrzymki do Hiszpanii (poprzednio był tam w 1982 i 1984 r.) Jan Paweł II nawet swym strojem przypominał średniowiecznego pątnika. W takim właśnie przebraniu dotarł do grobu św. Jakuba Apostoła w Santiago de Compostela, od IX w. celu pielgrzymek ze wszystkich zakątków Europy.

Tam też wyznaczono miejsce na obchody IV Światowego Dnia Młodzieży. Miasto przeżyło najazd ponad 400 tys. młodych ludzi, znacznie większej ilości niż się spodziewano. Oczywiście magnesem był Ojciec Święty, inspirator jedynego w swoim rodzaju młodzieżowego forum. Przesłaniem tego hiszpańskiego spotkania było hasło: „Jezus – Droga, Prawda i Życie".

Jak napisała miejscowa prasa, Światowy Dzień Młodzieży był największą w dziejach pielgrzymką do sanktuarium św. Jakuba. Rozpoczęło ją wieczorne spotkanie na Monte del Gozo, w miejscu, z którego oczom pielgrzymów zdążających do Santiago de Compostela po raz pierwszy ukazywało się sanktuarium i skąd w średniowieczu wielu z nich na znak pokuty szło dalej boso. Do wzgórza tego nawiązał Papież podczas spotkania z młodzieżą niepełnosprawną: „Wy pierwsi, już dotarliście na Monte del Gozo – górę radości, bowiem Kalwaria, gdzie Jezus umarł i zmartwychwstał, i gdzie wy z Nim jesteście, to – patrząc oczyma wiary – góra radości, wzgórze radości doskonałej, szczyt nadziei".

Natomiast wszystkich zebranych podczas Mszy św. kończącej Światowy Dzień Młodzieży nauczał, że być wielkim to znaczy służyć. Na pożegnanie Jan Paweł II wręczył 10 uczestnikom spotkania symboliczne laski pielgrzymie i udzielił błogosławieństwa.

Tymczasem on sam udał się w dalsze pielgrzymowanie po miłej jego sercu Hiszpanii. Odwiedził Oviedo – stolicę Asturii, do którego chrześcijaństwo dotarło już w V w. Tam znajduje się wspaniała gotycka katedra ze słynną Capilla di San Miguel, w której przechowywane są bezcenne pamiątki i relikwie, między innymi chusta, którą według tradycji miała być przykryta twarz Chrystusa po Jego śmierci.

Na szlaku papieskiej podróży znalazło się też sanktuarium maryjne Covadonga, z którym związane są ważne wydarzenia w dziejach Hiszpanii: wygrana w pobliżu bitwa w 722 r. przez króla Pelayo położyła kres inwazji arabskiej na Półwysep Iberyjski. Miejscem kultu w sanktuarium Covadonga jest Święta Grota z drewnianą figurką Matki Boskiej. Papież polecił Asturię opiece Matki Bożej, a na pamiątkę swej wizyty zawiesił na Jej ręce różaniec.

PIELGRZYMKA 44.
6–16 października 1989 r.

KOREA PŁD. (7–9 X):   Seul
INDONEZJA (9–14 X):   Dżakarta, Jogyakarta, Maumere, Ritapiret, Dili, Medan
MAURITIUS (14–16 X):   Port-Louis, La Ferme, Rose Hill, Curepipe

To już po raz piąty Jan Paweł II wyruszył w rejon Oceanu Spokojnego. Wcześniej w tamtym rejonie odwiedził 11 krajów. Tym razem podróż z Rzymu przebiegała inną niż dotychczas trasą, co nabrało dodatkowego symbolu. Otóż papieski samolot nie leciał z Rzymu nad Alaską, jak w 1984 r. podczas pierwszej podróży do Korei, gdyż otrzymano zgodę na przelot nad terytorium Związku Radzieckiego. To był gest Michaiła Gorbaczowa, który kilka tygodni później został przyjęty przez Ojca Świętego w prywatnej bibliotece.

Ciągle niewzruszone natomiast pozostawały Chiny. Wprawdzie przygotowując pielgrzymkę brano pod uwagę możliwość śródlądowania w Makao lub w Hongkongu, lecz po czerwcowych krwawych zajściach na pekińskim Placu Niebiańskiego Spokoju wykluczono taką ewentualność. O Chinach nie zapomniał wszak Papież, będąc w sąsiadującej Korei. Ba, najważniejszym wydarzeniem podczas dwudniowego pobytu w Korei Płd. był apel, jaki Jan Paweł II wystosował stamtąd do katolików w Chinach. „W głębi mojego serca obecne jest stale gorące pragnienie spotkania się z tymi braćmi i siostrami, aby wyrazić im moje serdeczne uczucia, troskę o nich i aby zapewnić ich o wielkim szacunku, jaki żywią dla nich inne Kościoły lokalne" – mówił pod koniec Mszy św., zamykającej 44. Międzynarodowy Kongres Eucharystyczny. To wystąpienie, które tłumaczyło „więzy wiary i kultury" oraz „bliskość geograficzną" obu państw, miało szczególnie głęboki wydźwięk moralny, choć zupełnie od politycznych akcentów uciec się nie dało, podobnie jak w przypadku odniesienia się do bolesnego problemu rozdzielonego od 1953 r. narodu koreańskiego. Tuż po przylocie Ojciec Święty cytując miejscowe przysłowie, stwierdził: „Nawet rzeki i góry zmieniają się po dziesięciu

Błogosławieństwo dla Seulu

latach". To była wyraźna aluzja do wizji zjednoczenia kraju, mimo że „tyle murów i barier dziś rozdziela wielką rodzinę ludzką, tyle różnych konfliktów...". Słów Papieża podczas Mszy św. o pokój, odprawionej na placu Youido w Seulu, słuchało milion ludzi. Wśród ponad 100 biskupów znajdowali się dwaj biskupi z Wietnamu i Birmy. To także znak czasu...

Przesłanie pierwszych dwóch dni papieskiej podróży było bardzo wyraźne: dla chrześcijanina pokój jest walką, w której musi wziąć udział każdy. „Prawdziwy pokój, «shalom», pokój Chrystusowy, jest zwycięstwem nad własnym grzechem i nad zbiorowymi egoizmami... Niech każdy z nas stanie się dla drugiego ryżem życia" – mówił Jan Paweł II do wiernych po koreańsku.

Drugi etap pielgrzymki był chyba jeszcze ważniejszy. Indonezja, zamieszkiwane przez ok. 175 mln ludzi równikowe państwo, w którym współistnieje ze sobą prawie 400 grup językowych. Poza dominującym islamem, prawo bytu mają tam 3 inne wyznania: chrześcijaństwo, buddyzm i hinduizm. Rozproszona wspólnota katolicka, do której przybył Papież, stanowi zaledwie 5 proc. ludności (na 15 proc. chrześcijan).

Oczywiście Papież nie mógł pominąć w swej wędrówce wysp Flores i Timor, zasiedlonych przez ponad połowę katolików. W kręgach dyplomatycznych wywołało to pewien niepokój, związany z aneksją w 1976 r. przez Indonezję wschodniej części Timoru, dawnej kolonii portugalskiej. Przeciwko tej wizycie protestował rząd indonezyjski, ale Ojciec Święty nie chciał rezygnować. „Moja podróż ma czysto apostolski charakter. Byłoby obraźliwe dla katolików Timoru, gdybym ich nie odwiedził, skoro będę na sąsiedniej wyspie Flores. Pozostawcie więc politykę politykom" – odpowiedział przeciwnikom. W środę 11 października został gorąco powitany przez katolików miasta Dili. Podczas 4-godzinnej wizyty poświęcił tamtejszą katedrę i odprawił Mszę św., na której zgromadziło się 100 tys. wiernych, znacznie więcej niż Dili liczy mieszkańców. Ołtarz, zbudowany na wzór tradycyjnego timorskiego domu, znajdował się pośrodku zatoki otoczonej wzgórzami, na których pod koniec lat 70. dokonywano egzekucji. Oczekujących politycznych sensacji Jan Paweł II rozczarował. Nie wyszedł poza granice zakreślone rolą duszpasterza, broniąc prawa miejscowej ludności do własnej godności i kultury. Do incydentu doszło jednak, gdy papieski samochód odjeżdżał w stronę lotniska. Grupa ok. 20 młodych ludzi zaczęła krzyczeć: „Wolności, wolności, niepodległości! Niech żyje Papież! Cierpimy!". Natychmiast wszyscy zostali aresztowani.

Każdą okazję w trakcie swego pobytu w Indonezji Ojciec Święty wykorzystywał, by akcentować osiągnięcia tego kraju, przejawiające się w „stworzeniu z tak wielu różnych grup jednolitego i spójnego wewnętrznie społeczeństwa" oraz wskazując na „głębokie poszanowanie ludzkiego życia, niezbywalnych praw osoby ludzkiej i wolności decydowania odpowiedzialnych obywateli o swej przyszłości jako narodu".

Zanim Papież wrócił do Rzymu, zatrzymał się na wyspie Mauritius, gdzie w ciągu 2 dni odwiedził szereg miast tej – jak pisał Joseph Konrad Korzeniowski – „słodkiej perły Oceanu Indyjskiego". Istniejący tam Kościół od niemal trzech wieków chlubi się działalnością misyjną o. Lavala ze Zgromadzenia Ducha Świętego. Zmarł on w Rose Hill w 1864 r., a w 1979 r. Jan Paweł II dokonał jego beatyfikacji. Podczas tej pielgrzymki odwiedził jego grób w kościele Świętego Krzyża.

PIELGRZYMKA 45.
25 stycznia–1 lutego 1990 r.

WYSPY ZIELONEGO PRZYLĄDKA (25–27 I): Praia, Mindelo
GWINEA BISSAU (27 I):   Bissau
MALI (28–29 I):   Bamako
BURKINA FASO (29–30 I):   Wagadugu, Bobo Dioulasso
CZAD (30 I–1 II):   N'Djamena, Moundou, Sarh

Papież z godną podziwu konsekwencją, tak jak zapowiadał na początku pontyfikatu, rozwijał swą misyjną działalność na kontynencie afrykańskim. Podczas szóstej już wyprawy na Czarny Ląd odwiedził 5 chyba najuboższych krajów Afryki. Podkreślając wielokrotnie religijny charakter tej pielgrzymki, nie mógł i nie pozostał nieczuły na problemy dręczące tamte narody. Dlatego nawiązując do podobnego apelu sprzed 10 laty, także z Wagadugu, stolicy Burkina Faso, wezwał do solidarności z krajami Sahelu, którym grozi wchłonięcie przez pustynię. Wówczas apel ten sprawił, że w 1984 r. powstała fundacja na rzecz krajów Sahelu, nazwana imieniem Jana Pawła II. Poruszeni głosem Ojca Świętego katolicy na całym świecie, przede wszystkim w Republice Federalnej Niemiec, pospieszyli z ofiarami, które pozwoliły między innymi sfinansować wiele projektów walki z suszami i pustynnieniem lądu.

Po 10 latach słowa Papieża wypowiedziane w obecności członków wielu międzynarodowych organizacji brzmiały równie dramatycznie. Zawierały zarazem uzasadnienie moralnego obowiązku krajów zamożnych niesienia pomocy społeczeństwom znajdującym się w krańcowej potrzebie i zagrożonym zagładą. „W imię sprawiedliwości wzywam: nie zapominajcie o ludziach głodujących!" –

Jan Paweł II szczególnie umiłował kontynent afrykański

apelował Jan Paweł II i zaraz pytał: „Jak historia sądziłaby pokolenie, które mając do dyspozycji środki, wystarczające do wyżywienia ludności całej planety, w bratobójczym zaślepieniu uchylałoby się od tego obowiązku? Jakiego pokoju mogą się spodziewać narody, które nie wypełniają obowiązku solidarności? Jaką pustynią stałby się świat, gdyby naprzeciw ubóstwu nie wychodziła życiodajna miłość?".

Przemówienie Ojca Świętego wzbudziło ogromne zainteresowanie opinii światowej. Równie wstrząsające były słowa, jakie wypowiedział w leprozorium w Gwinei Bissau, gdzie przekazał orędzie na Światowy Dzień Chorych na Trąd.

Mimo szczególnego okresu, na jaki przypadła ta pielgrzymka, kiedy w Europie Środkowo-Wschodniej upadał komunizm, Papieżowi najwyraźniej zależało, by tamte wydarzenia nie odwróciły uwagi od ogromu problemów milionów ludzi zamieszkujących Afrykę. „Moim celem było stwierdzenie wobec całej wspólnoty międzynarodowej, że solidarność nie zna granic, że ogromne przemiany, jakie dokonują się we wschodniej Europie, nie mogą odwrócić naszej uwagi od Południa, szczególnie od kontynentu afrykańskiego" – przypomniał raz jeszcze przesłanie tej podróży na zakończenie pielgrzymki.

PIELGRZYMKA 46.
21–22 kwietnia 1990 r.

CZECHOSŁOWACJA: Praga, Welehrad, Bratysława

Praga. Zamek Hradczany

Pielgrzymka odbyła się dwa dni po nawiązaniu stosunków dyplomatycznych między Czechosłowacją a Stolicą Apostolską i choć była bardzo krótka, to Watykan ocenia ją jako jedną z ważniejszych podróży duszpasterskich Jana Pawła II. Papież odwiedził bowiem kraj, w którym jeszcze do niedawna Kościół podlegał szczególnie ciężkim represjom. Historycy nazywają tę podróż kolejnym etapem długiej pielgrzymki do wolności.

Ojciec Święty bez najmniejszej zwłoki zapragnął wskazać Kościołowi czeskiemu i słowackiemu drogę odrodzenia. Hierarchia została odbudowana kilka miesięcy wcześniej, a zakony, istniejące przez wiele lat w ukryciu, mogły się ujawnić. Podczas Mszy św. na praskim wzgórzu Letna Jan Paweł II, w homilii skierowanej do ponad 200 tys. zgromadzonych, podkreślał ze szczególną mocą zasługi świadków wiary w czasach prześladowań oraz wielu tych, „którzy choć znajdują się poza Kościołem, uczciwie szukali prawdy, gotowi dla niej cierpieć i ponosić ofiary". Msza św. na Letnej była pierwszą w historii odprawioną przez Papieża na ziemi czeskiej.

Ojciec Święty nawiedził kolebkę misyjnej posługi świętych – Cyryla i Metodego, apostołów Słowian oraz patronów Europy. W Welehradzie pozostało niewiele pamiątek po świętych, ale ciągle dla dziejów Kościoła i ludów słowiańskich pozostaje on miejscem wielkiego początku, na trwałe zapisanego w dziejach chrześcijańskiej Europy. Welehrad był więc najwłaściwszym miejscem do ogłoszenia Synodu Biskupów Europy, który miałby wskazać drogę Kościoła w trzecim tysiącleciu.

Proroczo musiały wtedy brzmieć słowa Papieża, który w drodze powrotnej do Rzymu powiedział: „Ufamy, że na nowo będzie można zbudować stosunki pomiędzy Wschodem i Zachodem w zjednoczonej Europie, w tym nowym wzajemnym zbliżeniu Kościołów lokalnych".

PIELGRZYMKA 47.
6–14 maja 1990 r.

MEKSYK (6–13 V): Mexico City, Guadalupe, Veracruz, Aguascalientes, San Juan de los Lagos, Durango, Chihuahua, Monterrey, Tuxtla Gutiérrez, Villahermosa, Zacatecas, Bracho

CURACAO (13 V): Willemstad

Pierwszy raz Papież odwiedził Meksyk w 1979 r. podczas swej pierwszej w ogóle apostolskiej podróży. Tym razem spotkał się ze znacznie większą przychylnością i życzliwością najwyższych władz państwowych. Ojciec Święty odwiedził 9 miast rozsianych po całym kraju, ale najważniejsze wydarzenia związane były ze stolicą i sanktuarium Matki Boskiej w Guadalupe, gdzie beatyfikował 5 sług Bożych: trzech młodych męczenników z Tlaxcala – Cristobala, Antonia i Juana, oraz kapłana Jose Marię de Yermo y Parres i Indianina Juana Diego. Szczególną radość sprawił Meksykanom fakt, że został zatwierdzony kult tego ostatniego, ściśle związanego z początkami nabożeństwa do Matki Bożej w sanktuarium Guadalupe.

Jan Paweł II wszędzie witany był niezwykle entuzjastycznie, a na spotkania z nim przybywały ogromne rzesze ludzi. Po 2 mln wiernych uczestniczyło w Mszach św. w Durango i Monterrey, milion ludzi było w Veracruz, w miejscu, gdzie w Wielki Piątek 1519 r. wylądował Hernan Cortes i towarzyszący mu pierwsi misjonarze, 800 tys. Meksykanów modliło się z Papieżem w Zacatecas. Gdzie tylko pojawił się Ojciec Święty, wierni śpiewali mu „Sto lat", w przekonaniu, że to polski hymn i – podobnie jak podczas pierwszej pielgrzymki – wołali po hiszpańsku „Niech żyje Lolek!".

Oprócz kwestii związanych z ewangelizacją, Jan Paweł II powracał wielokrotnie do problemów społecznych, z którymi borykał się Meksyk. W Guadalupe wołał: „To jest nasz krzyk – życie w godności dla wszystkich! Nigdy więcej wyzysku słabych, dyskryminacji rasowej lub gett biedy!".

Z zainteresowaniem oczekiwano wizyty Papieża w Villahermosa, w stanie Chiapas, gdzie mieszkają potomkowie Majów. Znajdują się tam obozy uchodźców z Gwatemali i Salwadoru. Niepokoiło też zjawisko prozelityzmu uprawianego przez sekty. Jan Paweł II zwrócił się także do tych, którzy „oddalili się od Kościoła", wzywając ich, by ponownie rozważyli motywy odejścia i powrócili „bez lęku". „Nic nie sprawiłoby większej radości Papieżowi podczas tej pasterskiej wizyty w Meksyku niż powrót na łono Kościoła tych, którzy od niego odeszli" – mówił.

W noc poprzedzającą wyjazd Papieża z Meksyku, pod siedzibą Delegatury Apostolskiej, gdzie mieszkał, gromadziły się niezliczone tłumy. Wielokrotnie ukazywał się na balkonie i pozdrawiał zebranych. Pewien meksykański robotnik nazwał Jana Pawła II „Chrystusem pośród nas". „Daj nam swoje błogosławieństwo, módl się za nas, zachowaj nas w swojej pamięci" – prosił.

PIELGRZYMKA 48.
25–27 maja 1990 r.

MALTA: Gozo, Floriana, La Valetta, Mellieha, Rabat, Mdina, Cottonera

Była to pielgrzymka do miejsc związanych z osobą św. Pawła, który znalazł się na maltańskiej ziemi po zatonięciu okrętu, wiozącego go jako więźnia do Rzymu. Uwięziony w Cezarei za podburzanie swych ziomków, korzystając z prawa, które przysługiwało mu jako obywatelowi rzymskiemu, odwołał się do cesarza Rzymu i pod eskortą został wysłany do stolicy cesarstwa. Istnieją opisy sceny burzy morskiej, podczas której statek wiozący Pawła rozbił się u brzegów Malty, gdzie marynarze i podróżnicy znaleźli schronienie. Ojciec Święty podążył jego śladami. Odwiedził między innymi grotę w Rabacie, w której Apostoł spędził trzy miesiące. Znajdująca się tam figura św. Pawła została wzniesiona w 1743 r.

Podróż na Maltę stała się też okazją do poruszenia uniwersalnych treści, zapisanych w społecznej nauce Kościoła. Na Gozo, w sanktuarium maryjnym w Ta' Pinu, Jan Paweł II mówił na temat rodziny; we Florianie, podczas obchodów święta Wniebowstąpienia rozważania dotyczyły jedności jako podstawowej wartości ludzkiej i chrześcijańskiej; w La Valetta i Mellieha słuchano o roli pracy misyjnej we współczesnym świecie; w kościele św. Juliana przemówienie poświęcone było moralnym i religijnym implikacjom dokonujących się przemian, a w zabytkowej katedrze Mdiny doszło do spotkania ekumenicznego, w którym uczestniczyli przedstawiciele wspólnot muzułmańskich, żydowskich, hinduskich, prawosławnych i protestanckich.

Być jak najbliżej Ojca Świętego

PIELGRZYMKA 49.
1–10 września 1990 r.

TANZANIA (1–5 IX):	Dar es-Salaam, Songea, Mwanza, Tabora, Moshi
BURUNDI (5–7 IX):	Bujumbura, Gitega
RUANDA (7–9 IX):	Kigali, Kabgayi
WYBRZEŻE KOŚCI SŁONIOWEJ (9–10 IX):	Jamusukro

Kolejne 3 kraje afrykańskie wpisał Papież na listę odwiedzanych krajów. W Wybrzeżu Kości Słoniowej był już dwukrotnie. Była to zarazem siódma pielgrzymka papieska na Czarny Ląd i druga w 1990 r., który był rokiem przygotowań do Synodu Biskupów poświęconego problemom kontynentu.

Odwiedzając Ruandę i Burundi, gdzie trwał pochłaniający kilkaset tysięcy ofiar konflikt plemienny między Tutsi a Hutu, Ojciec Święty pragnął podpowiedzieć zwaśnionym stronom możliwość wyjścia z impasu. Mówił, że jedynie skutecznymi środkami zaradczymi są: międzynarodowa solidarność i pojednanie. Wyrażał troskę o wygnanych i bezdomnych, „pozbawionych godności i nadziei". Kiedy 5 lat później przybędzie do Republiki Południowej Afryki, do uchodźców z Ruandy i Burundi powie: „Nie jesteście sami, jest z wami Papież".

Papieskie wystąpienia także podczas tej wizyty skupione były wokół kilku zasadniczych dla kontynentu kwestii: postępu Afryki, plagi AIDS, relacji z islamem, chrześcijańskiej rodziny i daru życia, roli pracy misyjnej. Ojciec Święty wygłosił 40 oficjalnych przemówień i homilii, udzielił bierzmowania około 100 osobom i wyświęcił 98 nowych kapłanów, odwiedzał chorych, spotkał się jak zwykle z miejscowymi władzami i dyplomatami, biskupami, intelektualistami, niekatolickimi i niechrześcijańskimi przywódcami religijnymi. W Jamusukro w Wybrzeżu Kości Słoniowej konsekrował monumentalną bazylikę pw. Matki Bożej Pokoju, równie imponującą, jak świątynia na 9 tys. wiernych w Abidżanie, którą poświęcił 5 lat wcześniej.

Oczywiście przy każdej okazji, na największym – zdawałoby się – „odludziu" Jan Paweł II spotkał rodaków. W Tanzanii, Burundi i Ruandzie pracują polscy misjonarze. W tanzańskiej Mwanzie pojawił się na koncelebrowanej przez Papieża Mszy św. ks. Karol Szlachta, wysłany na misje jeszcze przez kard. Karola Wojtyłę. W nuncjaturze w Bujumburze (Burundi) spotkali się starzy znajomi z nart – Karol Wojtyła i prof. Witold Kieżun – przed 40 laty razem wyprawiali się w góry. Profesor Kieżun zajmował się wówczas z ramienia ONZ reformą burundyjskiej administracji państwowej i kształceniem dla niej przyszłych kadr w duchu filozofii „Solidarności".

PIELGRZYMKA 50.
10–13 maja 1991 r.

PORTUGALIA: Lizbona, Angra do Heroismo, Ponta Delgada,
　　　　　　　　Funchal, Fatima

„**P**rzybywam tu, by podziękować Matce Bożej za opiekę nad Kościołem w latach naznaczonych szybkimi i głębokimi przemianami społecznymi, napełniającymi nowymi nadziejami liczne kraje ciemiężone przez ideologie ateistyczne. (...) Przybywam, by raz jeszcze uklęknąć u stóp Matki Bożej Fatimskiej. I by podziękować Jej za troskę o drogi ludzi i narodów" – mówił Ojciec Święty, rozpoczynając swoją drugą dziękczynną pielgrzymkę do słynnego sanktuarium w 10. rocznicę zamachu na jego życie. Potem odmówił różaniec wraz z milionem ludzi, trzymających w ręku zapalone świece.

U stóp figury Matki Boskiej Fatimskiej złożył jako wotum wdzięczności pierścień biskupi z wizerunkiem Matki Boskiej Częstochowskiej, który otrzymał od kard. Stefana Wyszyńskiego na krótko po wyborze na Stolicę Piotrową.

Prasa przypominała raz po raz zdarzenie sprzed 10 lat, spekulując, jak to było możliwe, że Papież przeżył śmiertelny strzał. Wyjaśnienia szukali w słowach sprawcy zamachu, Ali Agcy, który w rozmowie z Janem Pawłem II w więzieniu w Rebibbi powiedział: „Jak to się stało, że Ojciec Święty ocalał? Ja wiem, że dobrze celowałem. Wiem, że strzał był zabójczy, śmiertelny... a pomimo to nie zabił. Dlaczego? Co to jest, co wszyscy powtarzają – Fatima?".

Związki z tym, co się wydarzyło na placu św. Piotra w 1981 r., a tym w Fatimie w 1917 r. nasuwają się same. Siostrę Łucję, karmelitankę z Coimbry, naocznego świadka objawień w Cova da Iria, Papież przyjął na prywatnej 20-minutowej audiencji. Dwójka jej kuzynów – Franciszek i Hiacynta, z którymi doświadczała objawień, została już wyniesiona na ołtarze.

Klamrą spinającą papieską pielgrzymkę było odnowienie aktu zawierzenia rodzaju ludzkiego Niepokalanemu Sercu Maryi: „Potrzebuje Ciebie Europa, która od Wschodu do Zachodu nie może odnaleźć swojej prawdziwej tożsamości bez odkrycia na nowo wspólnych chrześcijańskich korzeni".

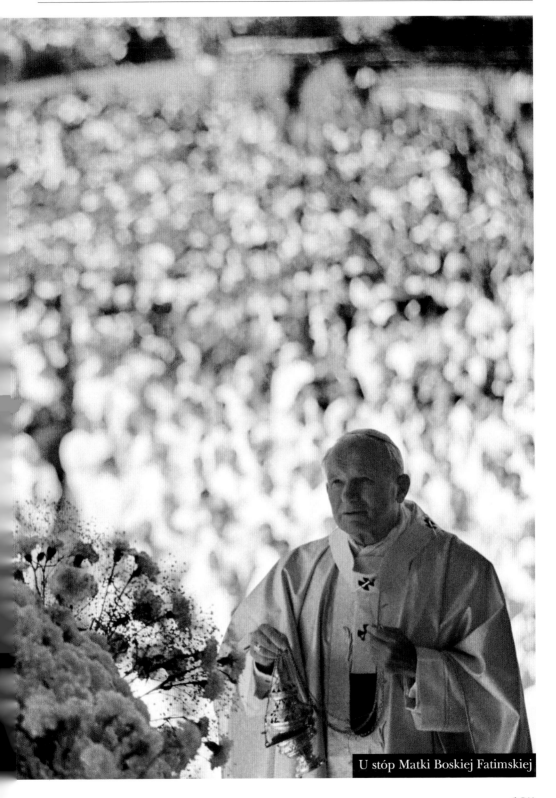

U stóp Matki Boskiej Fatimskiej

PIELGRZYMKA 51.

1–9 czerwca 1991 r.

POLSKA: Koszalin, Rzeszów, Przemyśl, Lubaczów, Kielce,
Radom, Łomża, Białystok, Olsztyn, Włocławek,
Płock, Warszawa

P o dziękczynnej pielgrzymce do Fatimy, kilkanaście dni później Jan Paweł II pojechał do Polski, by również dziękować – za to, co zostało zapoczątkowane w jego ojczyźnie w 1989 r. Ustalenia Okrągłego Stołu doprowadziły do pierwszych po wojnie częściowo wolnych wyborów parlamentarnych. W ich wyniku do władzy doszedł obóz „Solidarności". Skończył się komunizm – pokonany bez przelewu krwi – i fakt ten zadecydował o losach całej Europy Wschodniej.

Podczas swej czwartej podróży do Polski Ojciec Święty beatyfikował w Rzeszowie Józefa Sebastiana Pelczara, w Białymstoku Bolesławę Lament i w Warszawie Rafała Chylińskiego. Wizyta przypadła w 200. rocznicę Konstytucji 3 Maja.

Dni wielkiej radości i euforii Papież zmącił nieco trudną katechezą, opartą na Dekalogu. Zamiast spodziewanych słów tłumaczących wiktorię, mówił o pułapkach i zagrożeniach, jakie niosła nowa rzeczywistość. Nie bez przyczyny jednak – coraz silniej wszak zaczął narastać konflikt w obozie „Solidarności". Jedną z kwestii spornych była obecność Kościoła i religii w życiu publicznym. Kontrowersje budziło nauczanie religii w szkołach, udział duchownych w uroczystościach państwowych i agitacji politycznej, a sprawa ustawy antyaborcyjnej podzieliła naród. Przybywał więc do kraju niczym Mojżesz, który staje na czele dopiero co wyzwolonego, ale wciąż błądzącego narodu, by dać mu przykazania i poprowadzić ku ziemi obiecanej. Oto jego przesłania, zapisane w kolejne etapy tej bodaj najtrudniejszej z podróży do ojczyzny:

• Nie będziesz miał bogów cudzych przede mną (na placu przed kościołem Świętego Ducha w Warszawie): „Stworzenie (...) bez Stworzyciela zanika – głosi sobór. Bez Boga pozostają ruiny ludzkiej moralności. Każde prawdziwe dobro dla człowieka – a to jest sam rdzeń moralności – jest tylko wówczas możliwe, kiedy czuwa nad nim ten Jeden, który sam jest dobry".

• Nie będziesz brał imienia Pana Boga twego nadaremno (w Rzeszowie i w Przemyślu, gdzie doszło do pierwszego w historii polskich pielgrzymek spotkania z wiernymi i duchowieństwem Kościoła obrządku bizantyjsko-ukraińskiego): „Bądź chrześcijaninem naprawdę, nie tylko z nazwy, nie bądź chrześci-

Przed Mszą św. na placu przy kościele
Miłosierdzia Bożego w Łomży

janinem byle jakim. Nie każdy, który mówi mi Panie, Panie! (...), lecz ten, kto spełnia wolę mojego Ojca".

• Pamiętaj, abyś dzień święty święcił (w Lubaczowie): „(...) państwo powinno chronić wolność sumienia wszystkich swoich obywateli, niezależnie od tego, jaką religię lub światopogląd oni wyznają".

• Czcij ojca swego i matkę swoją (w Kielcach, gdzie wierni słuchali kazania podczas burzy i w strugach ulewnego deszczu): „Chrystus przyszedł, aby przywrócić ludzkości, ogromnej ludzkiej rodzinie, Ojcostwo Boga. Tylko On jeden mógł tego dokonać w sposób pełny".

• Nie zabijaj (w Radomiu, gdy mówił między innymi o aborcji): „Do tego cmentarzyska ofiar ludzkiego okrucieństwa w naszym stuleciu dołącza się inny jeszcze wielki cmentarz: cmentarz nienarodzonych, cmentarz bezbronnych, których twarzy nie pozna nawet własna matka, godząc się lub ulegając presji, aby zabrano im życie, zanim jeszcze się narodzą".

• Nie cudzołóż (w Łomży): Papież, mówiąc o wierności małżeńskiej, wzywał do nieuległości wobec złej mody i niemoralnej propagandy wszechobecnej w mediach, „które igrają z naszą słabością". Przestrzegał przed „złym, który pod różnymi ukrywa się postaciami".

• Nie kradnij (w Białymstoku): „Kiedy słyszymy «nie kradnij», to rozumiemy, że jest rzeczą moralnie złą przywłaszczać sobie cudzą własność. Ta prosta oczywistość wypisana jest zarazem w świadomości moralnej, czyli w sumieniu człowieka".

• Nie mów fałszywego świadectwa przeciw bliźniemu swemu (w Olsztynie): „Niewiele daje wolność mówienia, jeśli słowo wypowiadane nie jest wolne. Jeśli jest spętane egocentryzmem, kłamstwem, podstępem, może nawet nienawiścią lub pogardą dla innych – dla tych na przykład, którzy różnią się narodowością, religią albo poglądami".

• Nie pożądaj żony bliźniego twego (we Włocławku, gdzie licznie przybyli pielgrzymi z Kazachstanu i Litwy): „Nie tylko «nie cudzołóż», ale też «nie pożądaj». Nie daj się uwikłać wszystkim tym siłom pożądania, które drzemią w tobie jako «zarzewie grzechu»".

• Nie pożądaj żadnej rzeczy bliźniego twego (w Płocku): „Pieniądz, bogactwo i różne inne wygody tego świata przemijają, a zatem nie mogą być naszym celem ostatecznym. (...) Dusza ludzka jest ważniejsza niż ciało, toteż nigdy nikomu nie wolno dążyć do dóbr materialnych z pogwałceniem prawa moralnego, z pogwałceniem praw drugiego człowieka".

• Przykazanie miłości (w Warszawie, gdzie Papież odbył szereg spotkań ekumenicznych): z reprezentacją wspólnoty żydowskiej – „Do kultury polskiej Żydzi wnieśli wielki wkład. (...) Nie żałowali również krwi w obronie niepodległości wspólnej Ojczyzny"; z przedstawicielami Kościołów: prawosławnego, metodystycznego, ewangelicko-reformowanego, ewangelicko-augsburskiego, starokatolickiego, polsko-katolickiego, baptystów i mariawitów – wspólnie odśpiewał „Boże, coś Polskę". Papieska pielgrzymka skończyła się jedynie symbolicznym pożegnaniem, bo już za 75 dni Jan Paweł II znów powitał ojczystą ziemię.

PIELGRZYMKA 52.
13–20 sierpnia 1991 r.

POLSKA (13–16 VIII): Kraków, Wadowice, Częstochowa
WĘGRY (16–20 VIII):   Ostrzyhom, Budapeszt, Pecs, Mariapocs,
                       Debreczyn, Szombathely

Zanim Ojciec Święty dotarł na uroczyście obchodzony tym razem w Częstochowie Światowy Dzień Młodzieży, odbył sentymentalną podróż po miejscach najbliższych jego sercu. Pomodlił się przy grobie rodziców na krakowskim cmentarzu na Rakowicach, poświęcił nowo otwarte Centrum

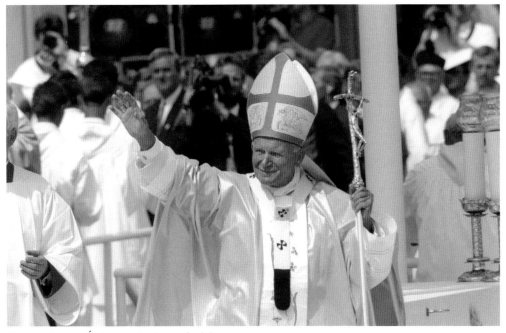

Częstochowa. Światowy Dzień Młodzieży

133

Częstochowa. Światowy Dzień Młodzieży

Podczas poświęcenia Centrum Ambulatoryjnego w Instytucie Pediatrii w Krakowie Prokocimiu

Ambulatoryjne w Instytucie Pediatrii w Prokocimiu, spotkał się z wykładowcami Papieskiej Akademii Teologicznej, a wieczorami rozmawiał z młodzieżą przez okno w pałacu biskupów. W drodze do Wadowic zatrzymał się na krótko w Kalwarii Zebrzydowskiej. W rodzinnym mieście konsekrował kościół pw. św. Piotra Apostoła. Jest on wotum dziękczynnym za ocalenie Jana Pawła II z zamachu 13 maja 1981 r.

W Częstochowie oczekiwało Papieża ok. miliona młodych ludzi z całego świata, w tym po raz pierwszy z krajów byłego ZSRR – Litwy, Łotwy, Estonii, Ukrainy, Rosji, Białorusi oraz państw powstałych po rozpadzie Jugosławii. Ojciec Święty pozdrowił młodzież w 21 językach. Podczas nocnego czuwania powstał nowy kościelny hit – „Abba, Ojcze". „Serce moje napełnia się radością, gdy widzę was razem, młodzi przyjaciele ze Wschodu i Zachodu, z Północy i Południa, gdy widzę was zjednoczonych wiarą w Chrystusa, który jest wczoraj i dziś, ten sam także na wieki. Wy jesteście młodością Kościoła, który stoi wobec wezwania nowego milenium. Jesteście Kościołem jutra, Kościołem nadziei" – mówił Jan Paweł II. Na lotnisku w Balicach żegnał Papieża prezydent Lech Wałęsa, który obiecał, że „uczynimy wszystko, aby to dzieło naprawy i uszlachetniania" realizowało się na co dzień.

Podczas poświęcenia Centrum Ambulatoryjnego w Instytucie Pediatrii w Krakowie Prokocimiu

Samolot z Ojcem Świętym na pokładzie po półtoragodzinnym locie wylądował na węgierskiej ziemi. Dla setek tysięcy rodaków św. Stefana wizyta głowy Kościoła w ich kraju była ogromnym przeżyciem. W głównych uroczystościach w Budapeszcie, Pecs, Debreczynie czy Szombathely uczestniczyli również licznie przybyli pielgrzymi z sąsiadujących krajów – Słowacji, Austrii, Chorwacji, Ukrainy, Słowenii, Rumunii, ale także Polski, Niemiec, Włoch. Sporo było podczas tych spotkań akcentów o wydźwięku historycznym i politycznym. Już na budapeszteńskim lotnisku Ferihegy, w powitalnej mowie prezydent Arpad Goncz podkreślał tradycyjną przyjaźń łączącą Węgrów z rodakami Jana Pawła II oraz mówił o podobnych powojennych losach obu narodów. „Węgier, Polak, dwa bratanki" – do tych historycznych więzów nawiązał Papież podczas spotkania z przedstawicielami węgierskiej Polonii.

Kulminacyjnym punktem pięciodniowego pobytu w Siedmiogrodzie była Msza św. odprawiona przez Ojca Świętego w uroczystość św. Stefana, króla i patrona Węgier. Na stołecznym placu Bohaterów, na który w 1948 r. siłą spędzano ludzi, teraz dobrowolnie przyszło ponad pół miliona wiernych, przyciągniętych osobowością następcy Sylwestra II, który 990 lat wcześniej przysłał koronę św. Stefanowi. Równie kapitalne znaczenie zarówno dla miejscowych chrześcijan, jak i pielgrzymów z Rusi Zakarpackiej, Ukrainy i Rumunii miała sprawowana w obrządku bizantyjskim Eucharystia w Mariapocs, głównym ośrodku kultu maryjnego grekokatolików węgierskich. Głośnym echem odbiło się też ekumeniczne nabożeństwo w kościele kalwińskim w Debreczynie. „Jestem świadom, że w dawniejszych czasach spotkanie to nie byłoby możliwe. Papież odwiedzając Węgry nie przybyłby do Debreczyna. Mieszkańcy Debreczyna nie życzyliby sobie jego obecności... Jakież to radosne i krzepiące, kiedy w społeczeństwie, gdzie wielu jest ludzi pozbawionych wiary w Boga i nadziei, spotykamy się z tymi, z którymi – by sparafrazować słowa św. Pawła – jesteśmy pojeni jednym Duchem" – mówił w swym wystąpieniu Jan Paweł II.

Biskup Rzymu zrealizował wreszcie – jak powiedział – swe specjalne życzenie spotkania się z reprezentantami wspólnoty żydowskiej, liczącej na Węgrzech ok. 80 tys. osób.

W czasie swego pobytu na Węgrzech Ojciec Święty miał swą rezydencję w siedzibie prymasów Węgier w Ostrzyhomiu, który jest kolebką chrześcijaństwa w tym kraju. Swe homilie i przemówienia wygłaszał po angielsku, francusku lub włosku, ale również i po węgiersku, co – jak przyznał – nie było dla niego sprawą prostą. To język przypominający ową „ciasną bramę", przez którą trzeba przedostać się do królestwa Bożego – próbował się usprawiedliwiać.

PIELGRZYMKA 53.
12–21 października 1991 r.

BRAZYLIA: Natal, Sao Luis, Brasilia, Goiania, Cuiaba, Campo Grande,
Florianopolis, Vitória, Sao Salvador da Bahia

B yła to pielgrzymka ze wszech miar gigantyczna, na miarę wielkiego kraju, jakim jest Brazylia. W ciągu 10 dni Papież przebył ponad 23 tys. km, odwiedził 10 diecezji, wygłosił 31 przemówień, wszędzie spotykał się z setkami tysięcy ludzi. Nic dziwnego, bo w Brazylii mieszka aż 130 mln katolików, więcej niż w jakimkolwiek kraju na świecie. Ale i skala nękających ten kraj problemów społecznych jest ogromna. Znalazły się one w posłaniu Ojca Świętego, które w czasie swej drugiej podróży do Brazylii – pierwsza miała miejsce w 1980 r. – zostawił tamtejszemu Kościołowi.

Najwięcej troski Jan Paweł II poświęcił najuboższym, bezradnym, najbardziej potrzebującym pomocy, chorym, dzieciom, samotnym. Gazety na całym świecie publikowały zdjęcia ukazujące spotkanie Papieża z najbiedniejszymi mieszkańcami faveli na peryferiach Vitórii. Na tym „śmietniku nędzy" żyje ok. 150 tys. osób. Ojca Świętego powitała jedna z pierwszych mieszkanek faveli, Maria das Graca Andreatta, wręczając mu swą wstrząsającą książkę o dziejach tej społeczności.

Niemniej dramatyczny w wymowie był przekazany Papieżowi przed rozpoczęciem liturgii w Sao Luis dokument Komisji Duszpasterstwa Rolników. Ten swoisty raport opisywał akty przemocy wobec ludności wiejskiej Brazylii: 6 mln rolników pozbawionych ziemi, prawie 45 mln mieszkańców żyjących w skrajnej nędzy, kilka milionów porzuconych dzieci. Komunię świętą z rąk Jana Pawła II przyjęły między innymi trzy wdowy po przywódcach rolników, zamordowanych w regionie Amazonii.

Głównie stamtąd przyjechali do Cuiaby, by zamanifestować swój trudny los, przedstawiciele 36 plemion indiańskich. W Brazylii żyje ponad 200 plemion, mówiących 170 różnymi językami i narzeczami, liczących razem blisko 250 tys. osób. Niektórzy obecni na spotkaniu mieli na koszulkach wypisane nazwiska zamordowanych w ostatnich latach Indian i daty ich śmierci. Opowiadali oni Papieżowi o przemocy, jakiej doznają od czasu przybycia na ich ziemie Europejczyków. Oni nie przyłączali się do obchodów 500-lecia, bo dla nich odkrycie Ameryki było początkiem ich zagłady.

Brazylia, Vitória, Papież całuje 10-letnią Girelly Aceveto

Wyrazem wrażliwości Ojca Świętego na cierpienie ludzkie było również odwiedzenie przez niego szpitala w Campo Grande, gdzie blisko pół tysiąca pacjentów stanowili dotknięci trądem. W samej Brazylii cierpiało na niego na początku lat 90. minionego stulecia ok. 250 tys. osób. Na całym świecie liczba ta sięgała 15 mln, z czego tylko jedna piąta objęta była leczeniem. Pozostali cierpieli w opuszczeniu, spychani na margines społeczny, choć stosunkowo niewielkie środki pozwoliłyby trąd ostatecznie zwalczyć. Fakt ten – mówił Papież – „przynosi wstyd całej międzynarodowej społeczności".

Z opieką nad chorymi korespondowało wyniesienie przez Ojca Świętego na ołtarze m. Pauliny od Serca Jezusa Konającego, założycielki Zgromadzenia Małych Sióstr Niepokalanego Poczęcia (wówczas liczyło ono ok. 600 zakonnic, skupionych głównie w domach na terenie Brazylii). „Wszystkie swoje siły i zdolności poświęciła ona opiece nad chorymi i ubogimi, stając się dla Kościoła wzorem życia, który mamy podziwiać i naśladować" – mówił Jan Paweł II w czasie Mszy św. na nadmorskich błoniach Aterro da Baia Sul w Florianopolis. Na uwagę zasługuje fakt, że była to pierwsza beatyfikacja dokonana na ziemi brazylijskiej.

W całej swej wędrówce po Brazylii, niemal w każdym miejscu, gdzie się znalazł, Papież nawiązywał do właściwie pojmowanej „opcji preferencyjnej" dla ubogich, przedstawionej w encyklice „Sollicitudo rei socialis". W programie piel-

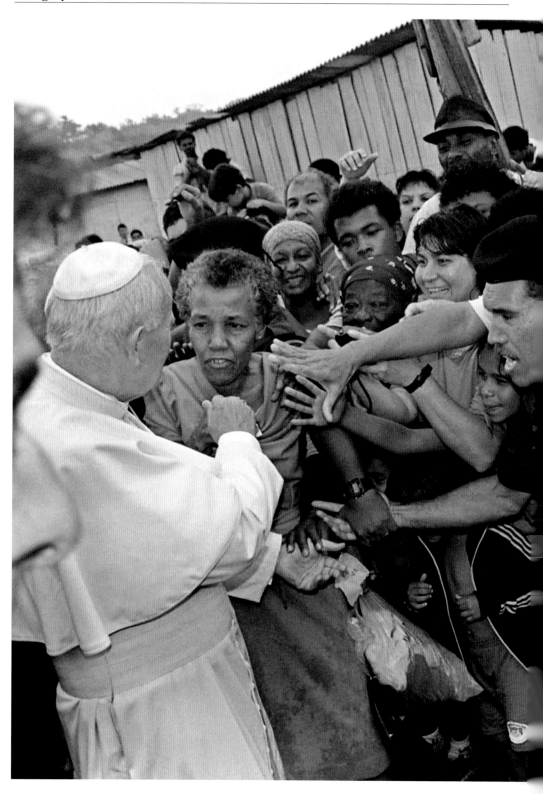

Vitória – dzielnica nędzy
Lixao de Sao Pedro

Cuiaba: i w takim stroju miejscowych Indian Papieżowi do twarzy

grzymki znalazły się też spotkania o charakterze ekumenicznym – z przedstawicielami innych Kościołów chrześcijańskich oraz miejscowej wspólnoty żydowskiej.

Kiedy 16 października, na zakończenie Mszy św. w Cuiaba, abp Bonifacio Piccinini SDB przypomniał o mijającej właśnie 13. rocznicy pontyfikatu Jana Pawła II, rozległy się niekończące oklaski.

PIELGRZYMKA 54.
19–26 lutego 1992 r.

SENEGAL (19–22 II): Dakar, Ziguinchor, Poponguine, Goree
GAMBIA (23–24 II):   Banjulu
GWINEA (24–26 II):   Konakri

Rozwijanie dialogu międzyreligijnego i tolerancji – to najistotniejsze przesłanie ósmej papieskiej pielgrzymki na kontynent afrykański, którego zachodnie wybrzeże zamieszkują w zdecydowanej większości wyznawcy islamu. Służyły temu wspólne spotkania z katolikami, mahometanami oraz wyznawcami religii tradycyjnych. Szczególną wymowę miały zwłaszcza audiencje dla przedstawicieli islamu w Dakarze oraz Konakri.

Pierwsi chrześcijanie dotarli tam około XV w., lecz prawdziwa działalność misyjna zaczęła się dopiero w połowie XIX stulecia. Dzisiaj wspólnoty katolickie w Senegalu, Gambii i Gwinei są wprawdzie nadal procentowo nieliczne – stanowią ok. 15 proc. – ale bardzo aktywne. Papież podkreślał szczególną rolę świeckich katechistów w okresie prześladowań i po wypędzeniu europejskich misjonarzy.

Podobnie jak podczas swych wcześniejszych podróży do Afryki, również i teraz niezwykłym przeżyciem była barwna, pełna tradycyjnych, narodowych symboli, ceremonia odprawianych Mszy św.: w Ziguinchorze, w sanktuarium maryjnym w Poponguine, Dakarze, Banjulu, Konakri. „Budujcie dom otwarty dla wszystkich" – nawoływał Papież, zwracając uwagę na fakt, że będący w mniejszości chrześcijanie tych krajów „są powołani bardziej niż inni Afrykanie do dialogu i zrozumienia".

Pobyt w Gambii, jednym z najmniejszych krajów afrykańskich, zamieszkiwanej przez ok. 800 tys. ludzi, gdzie tylko niespełna 20 tys. stanowią katolicy, Jan Paweł II nazwał świętem wiary.

Wzruszające było spotkanie Ojca Świętego z kilkudziesięciotysięczną rzeszą młodzieży senegalskiej, zarówno katolickiej, jak i muzułmańskiej. Przybrało ono charakter swoistej konferencji prasowej, bowiem przemówienie Papieża przedzielone było serią pytań kierowanych do niego przez uczestników spotkania. Nie sposób nie wspomnieć też o krótkiej wizycie Jana Pawła II na bazaltowej wyspie Goree, nazywanej „afrykańskim sanktuarium bólu". To odległe zaledwie o 4 km od Dakaru miejsce było w minionych wiekach ośrodkiem handlu niewolnikami. Stamtąd też wyruszali w głąb kraju pierwsi misjonarze. Ojciec Święty znalazł też czas, by odwiedzić dom dziecka, prowadzony przez siostry franciszkanki misjonarki Maryi.

Najważniejszym wydarzeniem podróży do Gwinei była pontyfikalna Msza św., odprawiona na stołecznym stadionie w Konakri. Podczas niej Jan Paweł II udzielił święceń kapłańskich trzem diakonom urodzonym w Gwinei. To również znak czasu, zmian dokonujących się na kontynencie afrykańskim, którego narody wciąż z trudem stawiają czoło starym wyzwaniom, takim jak ubóstwo, głód, epidemia AIDS, ekspansja narkotyków.

Także i tej papieskiej wizycie towarzyszyło duże zainteresowanie. Uroczystości gromadziły rzesze wiernych, ale – co również charakterystyczne – w czasie przejazdów wzdłuż ulic i dróg pozdrawiały Biskupa Rzymu tysiące ludzi: chrześcijan, muzułmanów oraz przedstawicieli tradycyjnych religii plemiennych. Tak budowany jest dialog międzyreligijny...

PIELGRZYMKA 55.
4–10 czerwca 1992 r.

ANGOLA (4–5, 7–9 VI): Luanda, Huambo, Lubango,
Cabinda, Mbanza Kongo, Benguela

WYSPY ŚW. TOMASZA
I KSIĄŻĘCA (6 VI):   Sao Tome

Dziewiąta podróż Jana Pawła II do Afryki związana była z jubileuszem 500-lecia misji ewangelizacyjnej Kościoła na tym kontynencie. Misja ta dotarła rok przed odkryciem Ameryki do Angoli, która była głównym celem tej pielgrzymki. W 1491 r. ówczesny władca Angoli przyjął chrzest, a dzieło szerzenia Ewangelii przejął po nim syn Mvemba-Nzinga, który otrzymał imię Alfons. Okres jego 40-letnich rządów uważa się za złotą epokę ewangelizacji królestwa Kongo. Syn Alfonsa – Henryk był pierwszym afrykańskim biskupem. Chrześcijaństwo w następnych stuleciach napotkało na wiele trudności, ale nowym impulsem jego rozwoju jest od połowy XIX w. praca misjonarzy. Dzisiaj ponad połowa z ok. 10 mln mieszkańców Angoli należy do Kościoła katolickiego, a na suwerennych Wyspach św. Tomasza i Książęcej (120 tys. mieszkańców) ponad 80 proc. to katolicy. Tam też znajduje się najstarsza diecezja Afryki na południe od Sahary, ustanowiona przez papieża Pawła III bullą 3 listopada 1534 r.

Papieska podróż do tych byłych kolonii portugalskich, które odzyskały niepodległość dopiero w 1975 r., kryła w sobie nie tylko wątki historyczne – jak choćby przewodnictwo Liturgii Słowa w miejscowości Mbanza Kongo, gdzie znajdują się ruiny pierwotnej katedry, ufundowanej przez pierwszych misjonarzy z Zakonu Jezuitów w 1548 r. – ale przyjmowana była jako znak wpisujący się w proces demokratyzacji życia w tych państwach. Wojna wyzwoleńcza, która miała położyć kres sytuacji kolonialnej, przeobraziła się z kolei pod rządami marksistowskimi w wyniszczającą wojnę domową. W Angoli spowodowała ona ogromne straty: zginęło co najmniej 300 tys. osób, 70 tys. okupiło ten czas kalectwem, a blisko pół miliona znalazło się na uchodźstwie. Okrucieństwa nie ominęły także kapłanów. Rozejm, który stworzył sposobność do odwiedzin Papieża, nastąpił dopiero pod koniec maja 1991 r. Nic dziwnego więc, że Jan Paweł II wielokrotnie mówił o „budowaniu lepszego jutra", apelował do wspólnoty międzynarodowej o pomoc, bez której afrykańskie kraje nie unikną głodu i nie wytrwają na drodze rozwoju i demokracji. Tę odbudowę – podkreślał Papież – należy zacząć od uzdrowienia rodziny, zranionej długoletnią wojną i osłabionej wpływami obcej ideologii. Rodzina, sprawiedliwość, pokój, prawa człowieka, jak również potępienie niewolnictwa – to właśnie z Wysp św. Tomasza i Książęcej wyruszały pierwsze transporty czarnych niewolników do obu Ameryk – stanowiły główne tematy homilii i wystąpień Ojca Świętego.

Niezwykłym przeżyciem były Msze św., którym Papież przewodniczył. Liturgię uświetniał wspaniały śpiew, taniec, malownicze stroje ludowe. Ojciec Święty znakomicie wczuwał się w egzotyczny klimat wspólnot afrykańskich. Pozdrawiał wiernych w ich językach – nyaneka i umbundu. Swej fascynacji nie krył w drodze powrotnej do Watykanu, którą odbył na pokładzie samolotu angolijskich linii lotniczych. Zanim pożegnał się z towarzyszącymi mu dziennikarzami, krótko wyjaśnił powody, dla których tak często odwiedza kraje afrykańskie: „Chciałbym wam zaproponować, byście się zastanowili chwilę nad tym, cośmy wspólnie przeżywali każdego dnia, a co się nazywa Mszą afrykańską czy afrykańską liturgią. Spróbujcie przeanalizować wszystkie jej elementy. Może słowo inkulturacja nie wystarczy, by wytłumaczyć tę rzeczywistość, to doświadczenie, jakiego doznajemy podczas liturgii afrykańskiej. Dla mnie jest to jednym z powodów, że powracam tam, gdzie rodzą się wartości, gdzie ujawnia się to, co stanowi kulturę w jej sensie – można powiedzieć – pierwotnym, oryginalnym. Być może my, ludzie Zachodu, tak polegający na postępie nauki i techniki, oddalamy się czasem od tych znaczeń, od tych pierwotnych, ale fundamentalnych wartości".

PIELGRZYMKA 56.
9–14 października 1992 r.
DOMINIKANA: Santo Domingo, Higuey

D nia 12 października 1992 r., w 500. rocznicę odkrycia przez Krzysztofa Kolumba nowego lądu, Jan Paweł II znalazł się w miejscu, gdzie podróżnicy osadzili krzyż, będący jednocześnie znakiem początku ewangelizacji nowego kontynentu. Było to jedno z najdonioślejszych wydarzeń w dziejach ewangelizacji świata, które można porównać tylko z chrztem Rusi Kijowskiej.

Jubileuszową Mszę św. koncelebrował Papież na centralnym placu Santo Domingo, nie opodal okazałego pomnika wzniesionego ku czci Kolumba. Autorem projektu budowli był angielski architekt J. L. Gleave, któremu w pracy przyświecały słowa odkrywcy Ameryki: „Postawcie krzyże na wszystkich drogach i ścieżkach, ażeby Bóg wam błogosławił; ziemia ta należy do chrześcijan; pamięć o tym niech trwa na wieki". Trzypiętrowa budowla powstała na planie krzyża o długości 210 m i szerokości 40 m, a wznosi się na wysokość 31 m. W budynku znajdują się muzea, a także mauzoleum, w którym przechowywana jest urna z prochami Kolumba. Na dachu budowli zainstalowano ponad 150 reflektorów, które po zmierzchu tworzą na niebie świetlisty krzyż. We Mszy św., którą koncelebrowało z Papieżem blisko 40 kardynałów i 250 biskupów, uczestniczyło ok. 200 tys. wiernych. Pod koniec Eucharystii, podczas której Ojciec Święty kanonizował bł. Euzegiela Moreno (1848–1906), modlono się za dusze dwóch osób zabitych podczas demonstracji przeciwko obchodom rocznicy odkrycia Ameryki przez Kolumba.

Pielgrzymka do Santo Domingo miała charakter dziękczynny, ale Papież jeszcze podczas konferencji prasowej, jaka odbyła się w trakcie lotu z Rzymu, nawiązał do zarzutów stawianych pierwszym kolonizatorom. Mówił: „Uznajemy wszystkie oskarżenia i krytyki, dotyczące przeszłości i teraźniejszości ewangelizacji. Pamiętamy o słowach Jezusa: «Słudzy nieużyteczni jesteśmy, ale nie możemy nie dziękować Bogu za to, że przez nasze ludzkie słabości i zbrodnie stajemy zawsze wobec dzieł Bożych, przez które dokonuje się zbawienie i uświęcenie»". A mówiąc o znaczeniu tej podróży, powiedział: „Pragniemy równocześnie przebłagać nieskończoną Świętość Bożą za wszystko, co w procesie przenikania na kontynent amerykański było naznaczone piętnem grzechu, przestępstwa i zbrodni...".

Była to trzecia podróż apostolska Ojca Świętego do Dominikany, która tym razem przebiegała śladami Krzysztofa Kolumba i pierwszych misjonarzy. Jednak jej wymiar duchowy objął wszystkie kraje kontynentu, na którym żyje niemal połowa katolików świata. W trakcie pobytu w Santo Domingo Papież spotykał się – czasem łamiąc wcześniej zaplanowany program podróży – z przedstawicielami różnych grup etnicznych tego regionu, a nade wszystko jego obecność wśród tych narodów była żywa poprzez uczestnictwo w pracach obradującej w tym czasie IV Konferencji Ogólnej Episkopatu Ameryki Łacińskiej. Niezwykle wzruszające było spotkanie z biskupami i wiernymi przybyłymi z Haiti, najbiedniejszego kraju na kontynencie. Gdy zaś przed sanktuarium maryjnym w Higuey, słynącym z czczenia od pięciu wieków obrazu Matki Bożej Altagracia, pojawiła się grupa uchodźców kubańskich, Papież wezwał zebranych o modlitwę za ich kraj: „Proszę o modlitwę za Kubę. Pragnę zapewnić Kubańczyków, że codziennie modlę się za nich, jak również za wszystkie kraje kontynentu amerykańskiego. Odmówmy modlitwę za Kubę!".

Przejawem wielkiej wrażliwości Jana Pawła II były odwiedziny, w przedostatnim dniu pobytu w Santo Domingo, szpitala pediatrycznego im. Roberta Reida Cabrala. Duża część leczących się w nim dzieci to nosiciele wirusa HIV. Papież zatrzymał się w kilku salach, błogosławił dzieci i ich matki, rozmawiał z lekarzami i pielęgniarkami. W darze na potrzeby szpitala przekazał 100 tys. dolarów.

PIELGRZYMKA 57.
3–10 lutego 1993 r.

BENIN (3–5 II):   Cotonou, Parakou
UGANDA (5–10 II): Kampala, Gulu, Namugongo, Kasese, Soroti
SUDAN (10 II):   Chartum

Jest niewątpliwe, że dziesiąta już podróż Jana Pawła II na kontynent afrykański była kolejną próbą uświadomienia opinii publicznej, jak wielką odpowiedzialność za losy Czarnego Lądu ponoszą kraje rozwinięte. Pielgrzymka głowy Kościoła katolickiego miała raz jeszcze ukazać światu rozliczne problemy, z jakimi borykają się afrykańskie państwa, nękane bratobójczymi wojnami i konfliktami społecznymi, ciągle jeszcze noszącymi w pamięci bolesny dramat niewolnictwa. Była to także okazja do zwrócenia uwagi na czyhające zagrożenia, wśród których tragiczny plon zbiera wirus HIV.

„Jestem przekonany – mówił Papież w jednym ze swych wystąpień – że należało tu być. Niewątpliwie było to potrzebne… Mam obowiązek zachęcać i umacniać w wierze moich braci i siostry, gdziekolwiek żyją, zwłaszcza tam, gdzie wiara wymaga odwagi i wytrwałości. Gdzie ludzie są słabi, ubodzy i bezbronni, muszę przemawiać w ich imieniu…".

Na szlaku 15 331 km, jakie Ojciec Święty przebył w czasie ośmiu dni swej podróży, znalazły się miejsca upamiętniające afrykańskich świętych i błogosławionych. Papież odwiedził okolice ugandyjskiej Kampali, gdzie w latach 1885–1887 poniosło śmierć za wiarę ok. 200 chrześcijan – katolików i anglikanów. W miejscowości Nakiyanja poddano torturom 13 katolików, 9 anglikanów i kilku muzułmanów, a w pobliskim Namugongo poniósł męczeńską śmierć młody neofita Karol Lwanga. Dzisiaj znajdują się tam dwa sanktuaria. Idąc w ślady swego poprzednika Pawła VI, który nawiedził je w 1966 r., swe kroki skierował do nich również Jan Paweł II. Wpierw odwiedził Sanktuarium Męczenników Kościoła anglikańskiego, a następnie udał się do świątyni wzniesionej ku czci św. Karola Lwangi oraz jego dwudziestu jeden towarzyszy, którzy byli katolikami. Tak jedni, jak i drudzy wyznali heroicznie swą wiarę i zostali skazani na śmierć przez spalenie żywcem, jak w czasach rzymskich „pochodnie Nerona".

Szczególnej wymowy nabrało też nawiedzenie przez Papieża największego szpitala w Kampali, w którym co trzeci pacjent choruje na AIDS. Zarażona śmiertelnym wirusem kilkuletnia dziewczynka wręczyła mu bukiet kwiatów. Podczas spotkania z 60-tysięczną rzeszą młodzieży wstrząsające świadectwo dała 13-letnia Weronika, ofiara gwałtu, która zarażona wirusem HIV, została skazana przez rówieśników na samotność, izolację i cierpienie.

Ostatni dzień swej pielgrzymki Papież spędził w Chartumie. Na trasie przejazdu z lotniska do katedry Ojca Świętego witały tysiące ludzi, trzymających w rękach jego portrety, krzyże i obrazy bł. Giuseppiny Bakhity – sudańskiej dziewczyny sprzedanej jako niewolnica, która po wykupieniu i uwolnieniu wstąpiła do Zgromadzenia Sióstr Kanosjanek. Podczas Mszy św. odprawionej na placu defilad Greek Square modliło się ponad 100 tys. osób. A warto wiedzieć, że w Sudanie, który jest krajem w większości muzułmańskim, katolicy stanowią zaledwie niewiele ponad 5,5 proc. mieszkańców, a w samym Chartumie niespełna 3 proc. Do ewangelizacji tego kraju w połowie XIX w. przyczynił się polski jezuita o. Maksymilian Ryłło, misjonarz z Bliskiego Wschodu, jeden z twórców Uniwersytetu św. Józefa w Bejrucie.

Na zakończenie wspomnianej Mszy św. na Greek Square w Chartumie Papież przypomniał postać swego przyjaciela Jerzego Ciesielskiego, profesora Politechniki Krakowskiej. Wraz z dziećmi – Katarzyną i Piotrem – zginął on w katastrofie statku na Nilu w 1970 r. „Był człowiekiem głęboko wierzącym, celem swego życia uczynił świętość, dążył do niej jako mąż, ojciec i profesor uniwersytetu. Jego proces beatyfikacyjny został już otwarty" – wspominał Ojciec Święty.

PIELGRZYMKA 58.
25 kwietnia 1993 r.
ALBANIA: Tirana, Szkodra

A lbania – niewielki kraj położony niemal w samym środku Europy, którą z Włochami dzielą wody Adriatyku. Mimo takiego położenia, to kraj biedny, by nie powiedzieć opóźniony w rozwoju w stosunku do swoich sąsiadów. Kraj o burzliwej, ale i tragicznej historii. To stamtąd wywodził się bohater narodowy albański – Gjerg Kastrioti Skënderben, polski – Jerzy Kastriota Skandenberg, dzielnie broniący kraju przed inwazją turecką w XV w. Długo oczekiwaną wolność Albańczycy odzyskali w 1912 r., lecz druga wojna światowa przyniosła narodowi kolejne bolesne doświadczenia, zaś jej zakończenie nie oznaczało kresu zniewolenia. Nastąpił okres szczególnie bezlitosnej dyktatury i ucisku wprowadzonego przez ateistyczny system totalitarny. Odrzucenie Boga posunięto do ostatecznych granic: prawo wolności sumienia i religii było deptane w sposób najbardziej brutalny, za udzielenie chrztu i jakiekolwiek praktyki religijne groziła kara śmierci. Próba wykorzenienia z serc wiernych imienia Boga okazała się jednak daremna. Na fali wydarzeń zapoczątkowanych w 1989 r. również Albania otrzymała wreszcie swą szansę suwerennego rozwoju. Wróciła wolność, odradza się Kościół, którego początki sięgają czasów apostolskich.

Jednodniowa podróż papieska do Tirany i Szkodry, gdzie mieszka najwięcej katolików, natychmiast została oceniona jako przełomowe, historyczne wydarzenie, jako znak nowych czasów. Nikt wówczas nie przypuszczał, że Albańczyków – szczególnie tych zamieszkujących Kosowo – czeka niebawem kolejna wojenna gehenna.

„Podróż Papieża jest wyzwoleniem duchowym, które zbliża nas do demokratycznych narodów Europy. Jest wielkim zaszczytem dla Albańczyków wszystkich wyznań religijnych i wielką radością, która pozwala nam uczestniczyć we wspól-

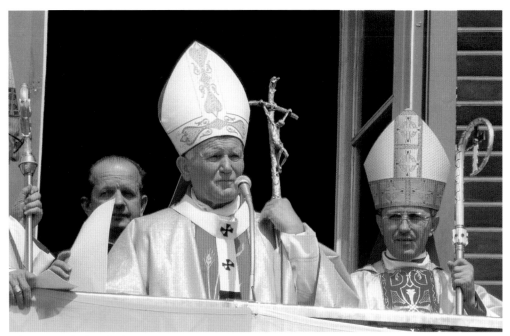

Tirana, 25 kwietnia 1993 r.

nym święcie. Modlitwa Papieża uszlachetnia, oświeca i przenika duszę każdego człowieka, napełniając ją pokojem. Jego błogosławieństwo ogarnia wszystkich ludzi tej ziemi i daje im szczęście. Jego Świątobliwości Janowi Pawłowi II ofiarujemy zalety i cechy narodu albańskiego oraz prosimy, aby pomógł nam przezwyciężyć słabości. Witamy Papieża – zgodnie z naszą narodową tradycją – chlebem, solą i sercem" – napisał albański miesięcznik „Urtia", podkreślając wagę tej wizyty.

Niezwykle istotnym punktem programu pobytu w Albanii była Msza św. odprawiona w katedrze pw. Najświętszego Serca Jezusowego w Szkodrze, podczas której Papież konsekrował czterech nowych biskupów. Był wśród nich wówczas 75-letni Frano Lilia, skazany w 1968 r. na karę śmierci, zamienioną później na 25 lat ciężkiego łagru. W uroczystości święceń uczestniczyło ponad 100 tys. wiernych, a więc znacznie więcej niż Szkodra liczy mieszkańców. Wiele grup pielgrzymowało z sąsiadujących terenów Czarnogóry i Kosowa. Obecni też byli przedstawiciele Cerkwi prawosławnej i muzułmanów, a także ówczesny prezydent Sali Berisha z małżonką oraz Albanka z pochodzenia – Matka Teresa z Kalkuty. Przed końcowym błogosławieństwem Papież poświęcił kamień węgielny pod nowe sanktuarium Matki Bożej Dobrej Rady w Szkodrze, któremu podarował kopię Jej wizerunku. Według tradycji obraz ten został przywieziony do Włoch ze Szkodry w 1467 roku, w przeddzień inwazji tureckiej. „Albanio, patrz w przyszłość i nie lękaj się, bo jesteś bogata w ludzkie talenty – mówił Ojciec Święty. – Jakże nie wspomnieć tutaj, jako przykładu, wybranej córki narodu albańskiego, siostry Teresy z Kalkuty, matki tak wielu ubogich pośród najuboższych świata".

W orędziu do narodu albańskiego, wygłoszonym podczas wieczornego spotkania na placu Skënderbeu w Tiranie, Papież mówił o potrzebie współpracy oraz budowaniu solidarności i pokoju w ich ojczyźnie, o konieczności umacniania młodej demokracji. Zaapelował też do społeczności międzynarodowej o pomoc Albanii, bo „tylko w ten sposób można będzie zbudować pokój w regionie Bałkanów, wykrwawionym przez bratobójcze walki, haniebne i bezsensowne".

Niestety, wołanie to zostało opacznie zrozumiane przez ludzi, którym pokój wciąż był obcy. Ileż jeszcze trzeba wysiłków Ojca Świętego, by odmienić świat...

PIELGRZYMKA 59.
12–17 czerwca 1993 r.

HISZPANIA: Sewilla, Dos Hermanas, Huelva, Moguer,
Palos de la Frontera, La Rabida, El Rocio, Madryt

Jan Paweł II po raz czwarty zawitał do Hiszpanii. W ciągu 5 dni odwiedził 7 miejscowości, pokonując blisko 3,5 tys. km. Szlak wiódł od Sewilli, gdzie uczestniczył w zakończeniu XLV Międzynarodowego Kongresu Eucharystycznego, poprzez miejsca szczególnie związane z życiem Krzysztofa Kolumba, jego wyprawą do Ameryki i początkiem ewangelizacji tego kontynentu, aż na Plaza de Colon w Madrycie, gdzie w tle znajdującego się tam pomnika Kolumba dokonał kanonizacji Henryka de Osso y Cervello.

Papieżowi towarzyszył w czasie całego pobytu niesłychany entuzjazm. Na trasach przejazdu, pod siedzibami rezydencji, a przede wszystkim w trakcie uroczystości i nabożeństw, którym przewodniczył, gromadziły się niezliczone rzesze wiernych. Szczególnie miłe owacje zgotowała Ojcu Świętemu młodzież, która nie opuszczała go ani na moment. Nie chciała być gorsza od krakowskiej i licznie przybywała pod okna siedziby arcybiskupiej. Na jednym z transparentów widniał napis: „Z Tobą w Częstochowie, z Tobą w Sewilli, z Tobą w Denver, z Tobą na całym świecie". Młodzież śpiewała, tańczyła, wznosiła okrzyki: „Jak cudownie, że papież jest w Sewilli". Swoje przemówienie Ojciec Święty kończył błogosławieństwem i stwierdzeniem, że: „Papież też musi odpocząć".

W Statio Orbis – uroczystej Mszy św., odprawionej na zakończenie Kongresu Eucharystycznego w Sewilli, uczestniczyło ponad 700 tys. wiernych. Ponad milion wiernych zgromadziło się na placu Krzysztofa Kolumba w Madrycie, gdzie odprawił Mszę św. i kanonizował bł. Henryka de Osso y Cervello, kapłana, który dla Hiszpanów jest przykładem wiary „działającej przez miłość". Żyjący w XIX w. św. Henryk de Osso y Cervello założył Zgromadzenie Sióstr św. Teresy od Jezusa, poświęcających się głównie wychowaniu dzieci i młodzieży.

Jan Paweł II podążył śladami Krzysztofa Kolumba: odwiedził małe miasteczka, w których podróżnik przebywał przed wyruszeniem w swą historyczną podróż przed 500 laty. Podczas Mszy św. w miejscowości Huelva, oddalonej o 90 km od Sewilli, Papież złożył hołd hiszpańskim misjonarzom, którzy brali udział w wielkiej epopei misyjnej, odgrywając w tym dziele rolę kluczową.

W La Rabina, podczas koronacji cudownej figury Matki Bożej z Dzieciątkiem, Ojciec Święty dziękował Bogu za pięć wieków ewangelizacji Nowego Świata. „Tutaj rozpoczął się nowy rozdział w dziejach świata, naszego świata, Nowego Świata, całego świata – kuli ziemskiej. Tutaj również rozpoczęła się historia zbawienia i ewangelizacji kontynentu amerykańskiego" – mówił Papież w zaimprowizowanym wystąpieniu do zgromadzonych wiernych.

Wzruszających i podniosłych momentów podczas tej pielgrzymki było znacznie więcej. Na długo zapewne utkwi w pamięci widok ściskanego przez Jana Pawła II jednego z niepełnosprawnych diakonów, który na wózku inwalidzkim w grupie kilkudziesięciu innych przyjmował kapłańskie święcenia. Niezwykłe emocje towarzyszyły konsekracji wznoszonej od ponad stu lat madryckiej katedry pod wezwaniem Matki Bożej „Real de la Almudena". W uroczystej Mszy św. wzięła udział rodzina królewska. Budowa świątyni rozpoczęła się jeszcze w 1883 roku, ale napotkała później na wiele przeszkód – m.in. śmierć trzech kolejnych architektów, wojna domowa, problemy biurokratyczne – opóźniały zakończenie prac. Na pamiątkę uroczystości Papież pozostawił w katedrze drogocenny kielich mszalny.

Przejmująca, choć o zupełnie innym charakterze, była też ceremonia otwarcia w Dos Hermanas, prowadzonego przez księży jezuitów, domu opieki dla ludzi w podeszłym wieku.

Dziennikarz „L'Osservatore Romano" w redakcyjnym komentarzu tak oceniał plon papieskiej pielgrzymki: „Byliśmy świadkami pięknych wydarzeń, które osiągnęły swój szczyt w przejmującym spotkaniu eucharystycznym na Plaza de Colon w Madrycie, gdzie wyraziła się w pełni chrześcijańska dusza Hiszpanii. Była to radosna manifestacja odpowiedzialności wobec narodu i całego świata".

PIELGRZYMKA 60.
9–16 sierpnia 1993 r.

JAMAJKA (9–10 VIII):   Kingston
MEKSYK (11–12 VIII):   Merida, Izamal
STANY ZJEDNOCZONE (12–16 VIII): Denver

S łowa Chrystusa z przypowieści o dobrym pasterzu: „Ja przyszedłem po to, aby mieli życie i mieli je w obfitości" (J 10,10), były mottem VIII Światowego Dnia Młodzieży w Denver. W drodze do tego leżącego u stóp Gór Skalistych miasta Jan Paweł II odwiedził Jamajkę i już po raz trzeci za swego pontyfikatu Meksyk.

Tematy spotkań Papieża z młodzieżą – nowa ewangelizacja, życie w Chrystusie, pełnia życia – miały wymiar uniwersalny, zwracając uwagę opinii publicznej na fundamentalne problemy, które rodzą się w sercach nie tylko katolików, ale wszystkich ludzi bez względu na wyznanie, kulturę czy religię. Ojciec Święty ukazał rozległą i wielowymiarową wizję tajemnicy życia, mówiąc równocześnie o jego wielkim zagrożeniu we współczesnym świecie. Na postawione pytania: skąd pochodzę?, po co żyję?, jak mam postępować w życiu?, muszą odpowiedzieć sobie wszyscy, nie tylko ludzie młodzi.

Wieczorem 11 sierpnia nastąpiło otwarcie obchodów Dnia Młodzieży, a przez trzy następne dni kardynałowie i biskupi wygłaszali katechezy do kilkuset tysięcy uczestników spotkania, reprezentujących wszystkie kontynenty. Z Polski przybyła do Denver grupa ok. 300 osób. W piątek 13 sierpnia 80 tys. osób uczestniczyło w Drodze krzyżowej na Mile High Stadium, a rozważania prowadzili br. Roger z Taizé i w zastępstwie Matki Teresy z Kalkuty jedna z sióstr z jej zgromadzenia. Młodzież jednak przede wszystkim była pod wrażeniem bezpośrednich spotkań z Papieżem, jego komunikatywności i znajomości jej problemów. „Kościół – mówił do niej – potrzebuje waszej energii, waszego entuzjazmu, waszych młodzieńczych ideałów, aby przeniknąć całą tkankę społeczną Ewangelią Życia, która przekształci ludzkie serca i struktury społeczne, tak aby powstała cywilizacja prawdziwej sprawiedliwości i miłości. Dzisiaj bardziej niż w przeszłości, w świecie często pozbawionym światła i wyzutym z odwagi, jaką dają szlachetne ideały, ludzie potrzebują nowej, ożywczej duchowości Ewangelii".

Szerokim echem odbiły się wypowiedziane przez Ojca Świętego słowa: „Papież nie przemawia przeciwko wolności, zwłaszcza przeciwko wolności amerykańskiej. Przemawia za wolnością, za właściwym używaniem wolności…".

Z prezydentem USA Billem Clintonem

Jak wielkim wydarzeniem były obchody VIII Światowego Dnia Młodzieży świadczy chociażby wypowiedź gospodarza spotkania abp. Jamesa F. Stafforda: „Było to największe zgromadzenie w historii Colorado i regionu Gór Skalistych. Obecność Ojca Świętego uczyniła więcej dla ewangelizacji w imię Chrystusa niż jakiekolwiek inne wydarzenie w dziejach naszego Kościoła... Jan Paweł II zostawił nam wezwanie do nadziei, do miłości, byśmy budowali cywilizację sprawiedliwości i miłości. To jest ostateczne przesłanie papieskiej wizyty".

Wizyta w USA stała się też okazją do spotkania i ponad godzinnej prywatnej rozmowy z prezydentem Billem Clintonem, podczas której poruszono najistotniejsze problemy współczesnego świata.

Nieco w cieniu głównego celu tej pielgrzymki Papieża do Denver były jego odwiedziny Jamajki i Meksyku. Podczas dwudniowego pobytu w Kingston, stolicy tego 2,5-milionowego państwa położonego na jednej z wysp Morza Karaibskiego, szczególnie wzruszająca była wizyta w Domu Ubogich, prowadzonym przez siostry Matki Teresy z Kalkuty. Jan Paweł II nie mógł nie odnieść się do współczesnej sytuacji Jamajki, kraju niepodległego od 1961 r., który w przeszłości był kolonią hiszpańską i brytyjską, a jej pierwotni mieszkańcy – Indianie z plemienia Arawaków – zostali niemal w całości wytępieni. Ich miejsce zajęli kolonizatorzy europejscy i niewolnicy sprowadzani z Afryki. Potomkowie tych drugich stanowią obecnie ok. 70 proc. mieszkańców. „Prośmy Boga, by zagoiły się wreszcie rany zadane przez doświadczenia przeszłości i by wszyscy zgodnie pracowali, w duchu pełnego poszanowania ludzkiej godności, budując przyszłość, w której sprawiedliwość, pokój i solidarność nie pozostawią już miejsca na nienawiść i dyskryminację" – wzywał Papież już podczas powitania go na lotnisku w Kingston.

Problem dyskryminacji, wyzysku i poniżenia aktualny był też podczas pobytu Ojca Świętego w meksykańskim Jukatanie. W oddalonym o 60 km od Meridy 20-tysięcznym mieście Izamal znajduje się wzniesione na fundamentach piramidy Majów sanktuarium maryjne Królowej i Patronki Jukatanu. Tam oczekiwało na Jana Pawła II ponad 4 tys. przedstawicieli społeczności indiańskich przybyłych z całej Ameryki Łacińskiej. W jej imieniu zwrócił się do Papieża z przejmującą prośbą Primitivo Cuxin Caamala, ojciec wielodzietnej rodziny, zaangażowany w życie swojej parafii i w działalność stowarzyszeń katolickich: „Mówią, że pomogłeś swojemu krajowi być wolnym i że pomogłeś wielu innym żyć tak, jak chcą. Dlatego myślę, że dzisiaj nadszedł dzień, żebyś nam pomógł powiedzieć, że mamy prawo żyć w spokoju, zdobywać pożywienie, wychowywać dzieci, uprawiać naszą ziemię, mówić naszym językiem i nosić nasze stroje; ty możesz nam pomóc zrozumieć, że mamy prawo być inni, bo jesteśmy równi".

Na koniec obchodów 500-lecia ewangelizacji Ameryki prośba biednego Indianina nabrała szczególnej wymowy.

PIELGRZYMKA 61.
4–10 września 1993 r.

LITWA (4–7 IX):   Wilno, Kowno, Szawle i Wzgórze Krzyży, Szydłów
ŁOTWA (8–9 IX):   Ryga, Agłona
ESTONIA (10 IX):   Tallin

Wizyta Papieża w krajach bałtyckich stanowiła wraz z publikacją encykliki „Veritatis splendor" symboliczną klamrę, zamykającą 15 lat jego pontyfikatu. Podróż ta nabrała dodatkowo wymiaru ze wszech miar epokowego, wszak po raz pierwszy po upadku systemu komunistycznego w Europie Środkowowschodniej Ojciec Święty odwiedził kraje znajdujące się na terenie byłego Związku Radzieckiego, gdzie marksistowski reżim odmawiał prawa do publicznego wyznawania wiary, tożsamości narodowej i autonomii politycznej. „Stał się cud" – takimi słowami witał Papieża w Kownie kard. Vincentas Sladkevicius.

Odwiedziny w krajach bałtyckich miały charakter wybitnie ekumeniczny. O ile bowiem kraje te są miejscem, gdzie zbiegały się 2 szlaki ewangelizacji na kontynencie europejskim – szlak z Rzymu i szlak z Konstantynopola – to są one też miejscem, na którym należy szukać zbliżenia i zjednoczenia podzielonych chrześcijan. Różnie więc były rozłożone akcenty pobytu Papieża w 3 krajach, w których katolicyzm obecny jest w niejednakowym stopniu – na Litwie kościół katolicki skupia znaczną część narodu (75 proc.), na Łotwie jest to Kościół liczącej się mniejszości (25 proc.), a w Estonii katolicy stanowią liczbowo znikomą mniejszość (0,3 proc.). Wszystkie te kraje łączy natomiast fakt wychodzenia z okresu prześladowań i ucisku, wszystkie muszą odrabiać poniesione straty, także w zakresie ewangelizacji.

„Pięćdziesiąt lat ateizmu i wymuszonego milczenia o Ewangelii pozostawiło w wielu ludziach i w całym społeczeństwie głębokie ślady, które będzie można zatrzeć jedynie poprzez ponowne odkrycie Boga i Jego słowa w życiu osobistym i społecznym" – mówił Papież w ostatnim swym wystąpieniu na Litwie.

Do rangi symbolu urosły spotkania Papieża z przedstawicielami różnych wspólnot religijnych w tych krajach. Drugi dzień pobytu w Wilnie rozpoczął się od spotkania w miejscowej nuncjaturze, dokąd przybyli między innymi przedsta-

157

Wzgórze Krzyży: symbole cierpień
udręczonego i zastraszonego narodu litewskiego.
Niezwykłe sanktuarium powstałe
podczas Powstania Styczniowego

wiciele miejscowej gminy żydowskiej i wysłannik Patriarchy Moskiewskiego. W Tallinie natomiast, na zakończenie pielgrzymki, w modlitewnym spotkaniu z Papieżem w protestanckim kościele św. Mikołaja uczestniczyli prawosławni, luteranie, metodyści, baptyści oraz przedstawiciele innych wyznań. „Kościół musi być jeden, ponieważ jeden jest Chrystus" – podkreślał w swym wystąpieniu Jan Paweł II.

Ważnym też wydarzeniem ekumenicznym było spotkanie w ryskiej świątyni luterańskiej, wzniesionej pierwotnie jako katolicka katedra pw. Najświętszej Maryi Panny, w której znajdują się relikwie św. Meinharda. Tam też luterański arcybiskup Rygi Janis Vangas podkreślił, że Jan Paweł II, który przez 40 lat dzielił los wszystkich narodów wschodniej Europy, jest w stanie naprawdę zrozumieć rzeczywistość Łotwy i jej problemy, zwłaszcza te dotyczące „udręczonej i zastraszonej ludzkiej duszy".

Szczególnie wiele radości sprawiła wizyta polskiego Papieża rodakom żyjącym w tym kraju. W Wilnie liczącym ok. 600 tys. mieszkańców, stanowią oni 19 proc. ludności. Niezwykle ciepłe przyjęcie przygotowała mu litewska Polonia w wileńskim kościele Świętego Ducha. Sporo polskich podtekstów miało też spotkanie z wiernymi w Ostrej Bramie, gdzie Papież przewodniczył modlitwie różańcowej i wygłosił rozważanie po litewsku, polsku i białorusku.

W drodze powrotnej do Rzymu, przelatując nad terytorium Polski, Ojciec Święty skierował telegram do prezydenta RP Lecha Wałęsy, w którym napisał: „(...) przesyłam Panu, Panie Prezydencie, i całemu mojemu Narodowi słowa serdecznego pozdrowienia i wyrazy duchowej łączności. Polecam Bogu i Jego Matce wszystkich moich rodaków. Niech wzrasta w sercach ludzkich to, co dobre, wartościowe, szlachetne i sprawiedliwe, na pożytek obecnych i przyszłych pokoleń mojej Ojczyzny".

PIELGRZYMKA 62.
10–11 września 1994 r.

CHORWACJA: Zagrzeb

To kolejna podróż Ojca Świętego z serii pielgrzymek pokoju. Papież odwiedził kraj, który był jedną ze stron tragicznego konfliktu bałkańskiego. Przybył tam – jak sam powiedział podczas powitania na lotnisku w Zagrzebiu – „jako bezbronny pielgrzym Ewangelii Jezusa, który głosi miłość, pojednanie i pokój".

Pokojowym celom miała służyć planowana wcześniej, na 8 września, papieska wizyta w Sarajewie, ale ze względu na bezpieczeństwo i stanowczy sprzeciw władz Bośni i Hercegowiny, Watykan musiał z niej zrezygnować. Kilkakrotnie zresztą podczas krótkiego pobytu w Zagrzebiu Papież z żalem przypominał o tym. Nie szczędził jednak słów pozdrowień dla sąsiadujących z Chorwacją narodów.

Obecność Papieża w Chorwacji miała także mocną wymowę eklezjalną. Ta wizyta miała umocnić prastare więzi narodu chorwackiego ze Stolicą Apostolską, które zyskały nowy status dzięki powstaniu suwerennego państwa chorwackiego i nawiązaniu przez nie stosunków dyplomatycznych z Watykanem. Chorwacja to kraj o najsilniejszej na Bałkanach tożsamości katolickiej. Na ok. 4,5 mln mieszkańców, 3,6 mln stanowią katolicy. Na ulicach i placach oczekiwały Ojca Świętego tysiące wiernych.

Podczas odprawionej na podmiejskim hipodromie uroczystej Mszy św. dla uczczenia 900-lecia archidiecezji zagrzebskiej, zgromadziło się ponad milion ludzi z całego kraju. Widoczne były również grupy pielgrzymów z Bośni i Hercegowiny, Słowenii, Węgier, Austrii, Niemiec. W pierwszych rzędach przy ołtarzu wydzielono miejsce dla 3 tys. inwalidów wojennych, wdów, osieroconych dzieci i ludzi, którzy stracili swoich bliskich w czasie wojny. Wraz z Papieżem Mszę św. koncelebrowali kardynałowie: Franjo Kuharić, Angelo Sodano, Franciszek Macharski, Jean-Marie Lustiger, Joachim Meisner, Laszlo Paskai i Hans Hermann Groer, oraz wszyscy członkowie Konferencji Episkopatu Chorwacji, biskupi Bośni i Hercegowiny wraz z metropolitą Sarajewa Vinko Puljiciem, a także biskupi Słowenii. Symboliczne były dary złożone na Ofiarowanie przez zagrzebską archidiecezję – złoty krzyż i pieniądze zgromadzone przez wiernych dla ofiar wojny domowej w Ruandzie. To wyraz solidarności z innym narodem dotkniętym wojennym dramatem. Przed udzieleniem błogosławieństwa Papież pozdrowił wiernych w językach: chorwackim, włoskim, niemieckim, słoweńskim, węgierskim i albańskim. Nie omieszkał też zwrócić się do Serbów mieszkających w Chorwacji i do uchodźców z Bośni i Hercegowiny.

W swoich wystąpieniach – podczas powitania, spotkań z miejscowym duchowieństwem, na uroczystej Mszy św., a także w przesłaniu do młodzieży – Ojciec Święty nawiązywał do wspólnej przeszłości narodów, żyjących niegdyś w przykładnej zgodzie i wzajemnym poszanowaniu. „Pokój jest zawsze możliwy, jeśli się go pragnie" – głosił Papież na chorwackiej ziemi.

Podczas przemówienia w zagrzebskiej katedrze Wniebowzięcia Najświętszej Maryi Panny Ojciec Święty wspomniał kard. Alojzego Stepinaca, który w okresie komunistycznym był dotkliwie prześladowany za swą wierność Kościołowi i Stolicy Apostolskiej, a którego w 1998 r., podczas swej kolejnej wizyty w Chorwacji, beatyfikował.

Nie zabrakło też i podczas tej podróży polskiego akcentu. Wywołał go już podczas powitania na lotnisku w Zagrzebiu ówczesny prezydent Chorwacji Franjo Tudjman, który wspomniał, że istnieje taka historyczna hipoteza, mówiąca o tym, iż Chorwaci przybyli na obecne swe ziemie z okolic Krakowa. Tam miała jakoby istnieć tak zwana Biała Chorwacja. „Jasne jest teraz, dlaczego Papież z Krakowa przybył na 900-lecie katedry w Zagrzebiu. W ten sposób zamyka się koło łączące «Białą Chorwację», dzisiejszą Chorwację i Papieża z «Białej Chorwacji», który przybywa do Chorwacji" – powiedział Jan Paweł II do chorwackich biskupów.

„Dziękuję Opatrzności za ten dzień spędzony w Zagrzebiu: niewiele ponad dwadzieścia cztery godziny, ale przeżyte bardzo intensywnie. Od wielu lat trwały próby zorganizowania wizyty w byłej Jugosławii, a zwłaszcza w Zagrzebiu i Chorwacji: po tylu latach, nareszcie" – podsumował swą pierwszą podróż do Chorwacji Ojciec Święty. Cztery lata później z jeszcze większą ochotą pielgrzymował do tej ziemi.

PIELGRZYMKA 63.
11–21 stycznia 1995 r.

FILIPINY (12–16 I):	Manila
PAPUA-NOWA GWINEA (16–18 I):	Port Moresby
AUSTRALIA (18–20 I):	Sydney, Melbourne
SRI LANKA (20–21 I):	Kolombo

Udając się na X Światowy Dzień Młodzieży, Papież wspominał o pięknych chwilach, jakie spędził podczas poprzednich spotkań z młodymi. Zwłaszcza bliska jego sercu była Częstochowa. Ale to, co się stało w Manili, przeszło najśmielsze oczekiwania. Najpierw podczas Mszy św. odprawionej z okazji 400-lecia ustanowienia na Filipinach pierwszej prowincji kościelnej uczestniczyło 2 mln wiernych. Następnego zaś dnia na Mszy św. z okazji Światowego Dnia Młodzieży w Riazal Park padł absolutny rekord – 4 mln osób ze 105 krajów! Liturgia rozpoczęła się z ponad godzinnym opóźnieniem, gdyż rzesze młodych zgromadzone na ulicach stolicy Filipin zablokowały trasę przejazdu i Ojciec Święty musiał skorzystać z helikoptera.

Kolejnym rekordem tej pielgrzymki było nadanie papieskiego orędzia przez Radio Veritas, które dotarło do 2 mld słuchaczy w 21 krajach Azji. Papież mówił w nim do chińskich katolików: „Nie lękajcie się. Chrystus zwyciężył świat. On jest z nami zawsze".

Dziennikarze towarzyszący Janowi Pawłowi II podczas podróży zauważyli, że po raz pierwszy w Manili Ojciec Święty nie ukrywał, że korzysta z laski i ku zgorszeniu otoczenia rozbawiał młodzież, wymachując nią od czasu do czasu.

Misyjny charakter pielgrzymki wyraził się w dalszych jej etapach, które wiodły do Papui-Nowej Gwinei, Australii i Sri Lanki. W każdym z tych krajów Papież wyniósł do chwały ołtarzy osobę zasłużoną na polu działalności misyjnej, podkreślając że „pierwszą i najskuteczniejszą formą nauczania prawd i wartości Ewangelii zawsze pozostanie świętość". W Papui-Nowej Gwinei, którą kard. Karol Wojtyła odwiedził w 1973 r. Ojciec Święty beatyfikował katechistę Piotra To Rota, świeckiego Papuasa, syna czarownika, którego zamordowali w czasie wojny japońscy żołnierze-okupanci. Sceneria liturgii była niezwykła, towarzyszyło jej dudnienie bębnów, barwna procesja ludzi z buszu i fantazyjne tańce. Przez 7 miesięcy poprzedzających tę wizytę, w Papui-Nowej Gwinei nie spadła nawet kropla deszczu. Kiedy więc w czasie pielgrzymki zaczęło padać, Biskup Rzymu został okrzyknięty mianem Piri-Piri Man, co oznacza człowieka, który przynosi deszcz. Papież wygłosił kazanie w języku pidgin, co wzbudziło wielki entuzjazm. W zamian Papuasi zaśpiewali bezbłędną polszczyzną „Czarną Madonnę".

Na Sri Lance Jan Paweł II dokonał beatyfikacji zmarłego w 1711 r. o. Józefa Vaza, kapłana z Kongregacji Oratorium św. Filipa Neri. Wśród miliona uczestników Eucharystii było bardzo wielu wyznawców innych religii, w tym także grupa mnichów buddyjskich, należących do miejscowej wspólnoty koreańskiej. Buddyści stanowią w tym kraju ok. 70 proc. mieszkańców, ale zbojkotowali oni międzyreligijne spotkanie z Papieżem, podczas którego wzywał do „skupienia uwagi na tym, co jednoczy wierzących, a nie na tym, co ich dzieli". Za to został wysłuchany apel Ojca Świętego o pokój, bo na czas jego wizyty na Sri Lance zawarto rozejm z antyrządową partyzantką, tak zwanymi Tamilskimi Tygrysami. Jan Paweł II mówił: „Do każdego wyciągam rękę w geście przyjaźni, przypominając piękne słowa Dhrammapady (buddyjski kanon etyki): «Lepsze niż tysiąc słów daremnych jest jedno słowo, które daje pokój»".

Pierwszą błogosławioną otrzymała także Australia. O Marii MacKillop (1842––1909) – założycielce Zgromadzenia Sióstr św. Józefa od Najświętszego Serca Pana Jezusa – Papież powiedział do Australijczyków: „(...) wasza rodaczka ukazuje wam drogę do odnowy moralnej i duchowej; była kobietą odważną, która umiała postawić duchowe i materialne dobro innych ponad wszystkimi ambicjami osobistymi czy własną korzyścią". Istotę papieskiego przesłania do katolików laicyzującej się Australii stanowiła nowa ewangelizacja: „W wielu częściach współczesnego świata nie chodzi już o głoszenie Ewangelii ludziom, którzy nigdy o niej nie słyszeli. Dzisiaj istnieje problem nawiązania kontaktu z tymi, którzy już ją poznali, lecz przestali na nią odpowiadać". W Melbourne natomiast Jan Paweł II pytał młodzież: „Czy marzycie o takiej Australii, w której do biednych i uciśnionych, upośledzonych i samotnych, ślepych duchowo i tych, którzy walczą o nadanie sensu swojemu życiu, wyciągną się pomocne ręce kochającego Boga? I czy zdajecie sobie sprawę z tego, że Bóg nie ma innych rąk prócz waszych, aby je wyciągnąć do tych, którzy są w potrzebie?".

PIELGRZYMKA 64.
20–22 maja 1995 r.

CZECHY (20–21 V): Praga, Ołomuniec
POLSKA (22 V):   Skoczów, Bielsko-Biała, Żywiec

Była to pierwsza wizyta papieska w Czechach po rozpadzie Czechosłowacji w 1993 r.; Pragę odwiedził Ojciec Święty w 1990 r. Głównym motywem tej podróży stała się kanonizacja bł. Jana Sarkandra i bł. Zdzisławy z Lemberku. Kanonizacja, której dokonał Papież w Ołomuńcu, wywołała sprzeciw i protesty Czeskobraterskiego Kościoła Ewangelickiego. Wystosowali list do Jana Pawła II, w którym napisali że „Jan Sarkander należał do najbardziej agresywnej grupy morawskich katolików, która żarliwie dążyła do wytępienia wiary ewangelickiej".

Ojciec Święty w odpowiedzi do bp. Pawła Smetany, seniora Kościoła braci czeskich, wypowiedział się krytycznie w kwestii XVII-wiecznych wojen religijnych i zapewniał, że „nigdy nie ośmielimy się popełnić podobnych grzechów przeciw chrześcijańskiej miłości". Tłumaczył też cel kanonizacji Jana Sarkandra: „Kanonizacja ta nie chce otwierać bolesnych ran, (...) zamiarem jej jest bowiem powierzyć jedność chrześcijan opiece sławnego męczennika". W tym też duchu wypowiadał wiekopomne słowa podczas ceremonii kanonizacyjnej: „Ja, Papież Kościoła rzymskokatolickiego, w imieniu wszystkich katolików proszę o wybaczenie wszystkich krzywd, wyrządzonych niekatolikom w ciągu minionej historii tych ludów, i jednocześnie zapewniam o przebaczeniu ze strony Kościoła katolickiego wszelkiego zła, które wycierpieli jego synowie".

Spotkanie z młodzieżą w Pradze

Nawiązał też do obchodzonych 18 maja swoich 75. urodzin. „Cieszę się bardzo, że mogę to wszystko uczynić na początku 76. roku życia. Ja już powinienem się liczyć za emeryta, ale zachęca mnie do działania metropolita prawosławny, ortodoksyjny, który ma 82 lata" – żartował.

Łączona pielgrzymka do Czech i Polski miała swoje uzasadnienie nie tylko w tak chętnych powrotach do ojczyzny, lecz nade wszystko wiązała się z faktem narodzin kanonizowanego Jana Sarkandra w podcieszyńskim Skoczowie. Pobyt Jana Pawła II na rodzinnej ziemi trwał tym razem zaledwie kilka godzin, ale poruszył głęboko serca Polaków. Podobnie jak poprzednia, ta pielgrzymka odbyła się w nowych okolicznościach: od blisko 2 lat w Polsce rządzili postkomuniści. Rok wcześniej apogeum osiągnął konflikt o konkordat, podpisany ze Stolicą Apostolską ostatecznie przez rząd Hanny Suchockiej. Spekulowano, że Ojciec Święty nie chce oficjalnie gościć w ojczyźnie, która odmawia ratyfikacji traktatu. Postkomuniści i część środowisk liberalnych odłożyli decyzję o ewentualnej ratyfikacji do czasu uchwalenia nowej konstytucji.

Tuż po przybyciu do Skoczowa Papież udał się do ewangelicko-augsburskiego kościoła Trójcy Świętej, gdzie witał go biskup diecezji cieszyńskiej tego wyznania Paweł Anweiler: „Co prawda przeszłość we współżyciu ewangelików i katolików bywała różna, ale uważam, że współczesność daje liczne dowody ekumenicznego otwarcia. Dobrze charakteryzuje to przykład ewangelickiego kościoła w Między-rzeczu koło Bielska-Białej, w którym katolicy zbierają się na niedzielnych Mszach od czasu tragicznej straty swojej świątyni".

Ojciec Święty odpowiadając wyraził nadzieję, że „jeżeli w roku 2000 nie będziemy jeszcze całkiem zjednoczeni, to przynajmniej mniej podzieleni".

Punktem kulminacyjnym pobytu na ziemi cieszyńskiej była Msza św. na wzgó-rzu Kaplicówka, na którym został zbudowany duży drewniany ołtarz przypomi-nający góralski szałas. Nad wzgórzem dominował ogromnych rozmiarów żelazny krzyż, ten sam, przy którym modlił się już Jan Paweł II w czerwcu 1983 r. na kato-wickim lotnisku. Na Papieża czekało ponad 300 tys. wiernych oraz przedstawi-ciele najwyższych władz państwowych, z prezydentem Lechem Wałęsą i premie-rem Józefem Oleksym. Z wielkim oddźwiękiem spotkały się słowa Ojca Świętego wypowiedziane podczas homilii: „Nasza Ojczyzna stoi dzisiaj przed wieloma trud-nymi problemami społecznymi, gospodarczymi, a także politycznymi. Trzeba je

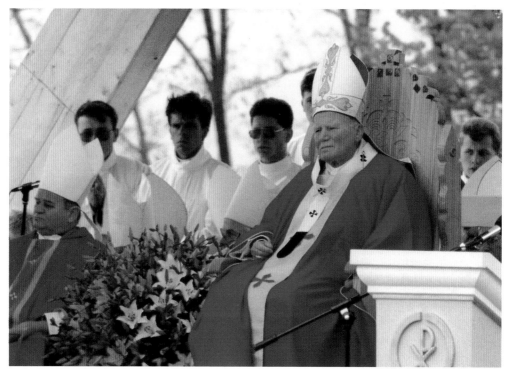

Skoczów. Kanonizacja bł. Jana Sankandra

rozwiązywać mądrze i wytrwale. Jednak najbardziej podstawowym problemem pozostaje zawsze sprawa ładu moralnego, który jest fundamentem życia każdego człowieka i każdego społeczeństwa. Dlatego Polska woła dzisiaj nade wszystko o ludzi sumienia".

Na zakończenie uroczystości na Kaplicówce prezydent Lech Wałęsa wręczył Janowi Pawłowi II najwyższe odznaczenie państwowe – Order Orła Białego, które zostało mu nadane 3 maja 1993 r. jako pierwszemu Polakowi III Rzeczypospolitej.

Natomiast w Bielsku-Białej, dokąd Ojciec Święty udał się ze Skoczowa, otrzymał tytuł honorowego obywatela miasta. Rozmarzył się sentymentalnymi wspomnieniami. „Po tylu latach widzę, jak bardzo zmieniło się wasze miasto, jak bardzo się rozwinęło" – mówił do zebranych na placu dworca PKS. „Jest ważnym centrum gospodarczym i kulturalnym u stóp Szyndzielni i Magurki, które często przemierzałem w pieszych wędrówkach". Opowiadał też, jak walczył z władzami komunistycznymi o wybudowanie kościoła parafii św. Józefa na osiedlu Złote Łany.

W czasie wizyty w Bielsku-Białej Papież pobłogosławił marmurową tablicę, upamiętniającą przedwczesną śmierć jego starszego brata Edmunda, lekarza, który pracując w bielskim szpitalu zaraził się szkarlatyną od jednego z pacjentów i zmarł w wieku zaledwie 26 lat. Na pamiątkowej tablicy znajduje się napis: „Pamięci dr. med. Edmunda Wojtyły – 1906–1932 – wybitnego, ofiarnego lekarza, sekundariusza powszechnego szpitala miejskiego w Bielsku. Dr Edmund Wojtyła był starszym bratem i opiekunem Karola Wojtyły, Papieża Jana Pawła II. Radni Rady Miejskiej w Bielsku-Białej, 22 maja 1995 r."

Ostatni etap podróży do Polski wiódł do Żywca, którego mieszkańcy długo nie mogli się nadziwić, że Ojciec Święty wybrał na wizytę właśnie ich miasto. Mówili, że do niedawna mniej by się zdziwili, gdyby w mieście wylądowało UFO. Mobilizacja mieszkańców na przyjęcie dostojnego gościa była wyjątkowa. Zachęcał do niej burmistrz Żywca, który przekonywał: „Nie wybiorą już papieża Polaka. Inny do Żywca nie przyjedzie. Ten Papież też już nas nigdy nie odwiedzi". Poskutkowało. Przedłużono asfaltową drogę, którą Jan Paweł II miał przejechać na Osiedle 700-lecia, wymalowano nowe pasy, zbudowano nowe rondo, a na Rynku, gdzie odbyło się nabożeństwo, ułożono nową kostkę i odnowiono elewacje kamieniczek. Zarówno miasto, jak i całą trasę przejazdu pięknie udekorowano. Na Rynku Ojciec Święty wystąpił mocno przeciw dyskryminacji wierzących: „Pamiętamy, jak często doświadczaliśmy tego w przeszłości! Muszą więc budzić niepokój również i dzisiaj dające się zauważyć w mojej Ojczyźnie tendencje zmierzające do programowej laicyzacji, ataki na Kościół oraz ośmieszanie wartości chrześcijańskich". Krótka wizyta – długie rozstanie: zebrani nieustannie śpiewali „Sto lat!" i krzyczeli co sił: „Niech żyje Papież!". Po kilkunastu minutach niesamowitej owacji, Papież w swoim stylu rozładował sytuację żartem: „Może przenieść Stolicę św. Piotra z Rzymu do Żywca?".

PIELGRZYMKA 65.
3–4 czerwca 1995 r.
BELGIA: Bruksela

D ruga pielgrzymka Jana Pawła II do Belgii miała pierwotnie odbyć się rok wcześniej, ale została wówczas odwołana, ponieważ Papież przebywał w szpitalu. Nowy program podróży znacznie skrócono, a cała wizyta na ziemi belgijskiej trwała tylko 26 godzin. Główny cel wyznaczała uroczystość beatyfikacji o. Damiana de Veustera (1840–1889) ze Zgromadzenia Najświętszych Serc Jezusa i Maryi, który oddał swoje życie, służąc trędowatym na wyspie Molokai, położonej w archipelagu hawajskim. Msza św. beatyfikacyjna została odprawiona na placu przed brukselską bazyliką Najświętszego Serca Pana Jezusa na Koekelbergu. Uczestniczyło w niej, mimo ulewnego deszczu i zimna, ok. 30 tys. wiernych, wśród nich pielgrzymi z innych krajów, a także delegacja z wyspy Molokai, która zabrała relikwie misjonarza do swej ojczyzny. Z Ojcem Świętym Mszę św. koncelebrowało ponad 500 kapłanów przybyłych ze wszystkich diecezji Belgii i z wysp Oceanu Spokojnego. W homilii wygłoszonej w kilku językach: po francusku, flamandzku, angielsku, niemiecku i hawajsku, Papież wyjaśniał znaczenie połączenia beatyfikacji z przypadającą akurat uroczystością Zesłania Ducha Świętego: „To właśnie Duch Święty jest przede wszystkim źródłem świętości człowieka i nieustającym sprawcą naszego uświęcenia".

Wspomniał też o zmarłym 2 lata wcześniej królu Baudouinie, z którym spotykał się kilkakrotnie. Nazwał go „chrześcijaninem, który (…) umiał służyć swoim współobywatelom z prawdziwie ewangelicznym poświęceniem". W towarzystwie Fabioli, wdowy po królu, znalazł też czas na krótką modlitwę przy grobie Baudouina.

Na zamku Laeken Papież spotkał się z rodziną królewską. Obecna też była wdowa po królu Baudouinie, która towarzyszyła później Ojcu Świętemu podczas odwiedzin kościoła Matki Bożej z Laeken, gdzie znajduje się grób zmarłego króla.

Już po zakończeniu pielgrzymki Papież, raz jeszcze wspominając błogosławionego o. Damiana, zwrócił uwagę na przemożny wpływ jego życia na postawę wielu naśladowców, wśród nich polskiego jezuity o. Jana Beyzyma, który również poświęcił swoje życie trędowatym na Madagaskarze. Ojca Beyzyma Jan Paweł II beatyfikował w sierpniu 2002 r. podczas dziewiątej pielgrzymki do Polski.

PIELGRZYMKA 66.
30 czerwca–3 lipca 1995 r.

Słowacja: Bratysława, Nitra, Sastina, Koszyce, Preszów, Lewocza, Wielicki Staw

Była to pierwsza wizyta Papieża w suwerennej Słowacji. Wprawdzie Jan Paweł II odwiedził już ziemię słowacką w kwietniu 1990 r., ale wówczas Słowacja wchodziła jeszcze w skład federacji czechosłowackiej.

Do państwa, które odzyskało samodzielność w 1993 r., Ojciec Święty przybył kanonizować Marka Križa, Stefana Pongracza i Melchiora Grodzieckiego, trzech koszyckich męczenników z XVII w. Błogosławiony Križ był Chorwatem, kanonikiem katedralnym z Ostrzyhomia, bł. Grodziecki był Polakiem pochodzącym ze Śląska, a bł. Pongracz – Węgrem. Kanonizacja była równocześnie ważnym wydarzeniem ekumenicznym – Papież spotkał się z przedstawicielami wyznań protestanckich, a także nawiedził miejsca upamiętniające śmierć grupy protestantów, którzy zostali skazani za wierność Kościołowi.

Dzieje narodu słowackiego sięgają czasów Cyryla i Metodego oraz ich misji w ramach Państwa Wielkomorawskiego. Z tamtych czasów pochodzi też powstałe w 880 r. biskupstwo w Nitrze, pierwsza stolica biskupia w Europie Wschodniej. Słowacy najpierw żyli w obrębie Państwa Wielkomorawskiego, a później – aż do końca pierwszej wojny światowej – byli częścią Królestwa Węgier. W 1918 r. powstała Republika Czechosłowacka, która pomijając okres drugiej wojny światowej, przetrwała do 1993 r. Wtedy dokonał się bezkrwawy rozłam Czechosłowacji na dwie niepodległe republiki: Czeską i Słowacką. Kościół słowacki, gromadzący ponad 60 proc. mieszkańców, przetrwał dotkliwe prześladowania ze strony władz komunistycznych: prawie wszystkich biskupów pozbawiono możliwości sprawowania swych funkcji, wielu przeszło przez ciężkie więzienia, niektórzy oddali życie, jak bp Jan Vojtassak ze Spisza i greckokatolicki bp Parol Gojdić z Preszowa.

Jan Paweł II odwiedził na Słowacji 2 najsłynniejsze sanktuaria maryjne – w Sastinie i Lewoczy, których nawet w najtrudniejszym okresie prześladowań Kościoła nie zaniechano nawiedzać. To one, jak podkreślał w swych homiliach

Sanktuarium Maryjne w Sastinie

Papież, były oparciem dla wiary narodu słowackiego. Podczas Mszy św. w Lewoczy zgromadziło się ponad milion wiernych, również z Polski, Ukrainy, Węgier, Mołdawii i Rumunii. Ojciec Święty podążał do Spisza, położonego u stóp Tatr, z podwójną radością. Nie ukrywał, relaksując się podczas krótkiego spaceru nad Wielickim Stawem, że mógł w ten sposób przypomnieć sobie góry tak bliskie jego sercu.

PIELGRZYMKA 67.
14–20 września 1995 r.

KAMERUN (14–16 IX): Jaunde
RPA (16–18 IX):   Pretoria, Johannesburg
KENIA (18–20 IX):   Nairobi

Zasadniczym celem jedenastej podróży Jana Pawła II do Afryki było przekazanie tamtejszemu Kościołowi posynodalnej adhortacji „Ecclessia in Africa". Odbyło się to w ramach tak zwanej fazy celebracyjnej synodu biskupów, której program obejmował 3 uroczyste sesje synodalne w krajach leżących na trasie podróży: w Kamerunie, Republice Południowej Afryki i Kenii. Ale była to w dużej mierze podróż raz jeszcze ukazująca rozmiar problemów, z jakimi borykają się w postkolonialnych czasach narody afrykańskie.

„Uważam, że mam obowiązek mówić o Afryce, apelując do sumienia świata – świata żyjącego w dostatku, który bez skrupułów odbiera ubogim środki do życia, aby inwestować je w śmiercionośną broń. Oczy afrykańskich dzieci osądzają nas!" – tak tłumaczył przesłanie tej pielgrzymki Ojciec Święty. W tym kontekście podpisana w Jaunde posynodalna adhortacja znajduje ważne miejsce, będąc wskazaniem do praktycznych działań Kościoła wcielenia wiary w kulturę tego kontynentu.

Warto przy okazji wspomnieć o długiej historii ewangelizacyjnej Afryki. Na północy kontynentu sięga czasów pierwszych pokoleń chrześcijan, gdzie jeszcze dzisiaj żywa jest tradycja wywodząca się od św. Marka. Ale dopiero w ostatnich stuleciach dotarła ona do prawie wszystkich regionów kontynentu. Znakiem rozkwitu tamtejszego Kościoła są setki diecezji kierowanych przez biskupów urodzonych w Afryce.

Każdej z uroczystości we wszystkich 3 krajach towarzyszyły rzesze wiernych. Wszędzie witano Papieża z wielką serdecznością, charakterystycznymi pięknymi rytmami pieśni, tańcami i barwnymi strojami. Na Msze celebrowane zarówno

Msza św. – bogactwo liturgii afrykańskiej

w Jaunde, Johannesburgu, jak i Nairobi przybywało wielu pielgrzymów z okolicznych państw – Ugandy, Etiopii, Sudanu, Tanzanii, Erytrei, Malawi, Madagaskaru, oraz uchodźcy z Ruandy i Burundi, krajów, które stały się teatrem tragicznych konfliktów wojennych, pochłaniających tysiące ofiar. „Drodzy uchodźcy, wiedzcie, że bardziej niż kiedykolwiek jestem dzisiaj z wami i dzielę wasz ogromny ból. To, co dzieje się w waszych krajach, jest ogromną tragedią, której należy położyć kres. Wiedzcie, że nie jesteście sami, Papież i Kościół są przy was" – to słowa z papieskiej homilii wygłoszonej podczas Mszy św. odprawionej w Uhuru Park w Nairobi.

O nowej Afryce i jej pokojowej przyszłości Papież rozmawiał z przywódcami odwiedzanych państw. Ze szczególnym zaś zainteresowaniem przyglądano się spotkaniom Ojca Świętego z Nelsonem Mandelą, laureatem pokojowej Nagrody Nobla, który jest symbolem wieloletniej, zwycięskiej walki z apartheidem w Południowej Afryce.

PIELGRZYMKA 68.
4–9 października 1995 r.

STANY ZJEDNOCZONE: Newark, Nowy Jork, East Rutherford, Yonkers, Baltimore

Jan Paweł II po raz drugi za swego pontyfikatu spotkał się ze Zgromadzeniem Ogólnym ONZ. Pierwszy raz odwiedził ONZ podczas swej trzeciej zagranicznej podróży w październiku 1979 r. Przed nim był tam tylko Paweł VI w październiku 1965 r., wygłaszając historyczne przemówienie skierowane do narodów świata. Tym razem głowa Kościoła katolickiego została zaproszona na obchody jubileuszu 50-lecia istnienia tej instytucji.

Czterdziestominutowe wystąpienie Ojca Świętego na forum Zgromadzenia Ogólnego przyjęto z wielką uwagą, analizując dokładnie jego treść w każdym niemal zakątku globu. Papież przemawiał w czterech językach: po angielsku, francusku, rosyjsku i hiszpańsku. Na końcu, wzbudzając gorący aplauz przekazał pozdrowienia także po arabsku i chińsku. W swym wystąpieniu odniósł się do wszystkich najważniejszych problemów współczesnego świata i do roli międzynarodowych organizacji w czasach, kiedy jednocześnie zachodzi proces swobodnego jednoczenia się lub łączenia w federacje całych grup narodów lub krajów, ale również gwałtownego odradzania się partykularyzmów etnicznych.

Nowy Jork, październik 1995

Ojciec Święty mówił więc: o niekwestionowanych prawach narodów, deptanych także po drugiej wojnie światowej; o poszanowaniu odmienności kulturowych; o wolności, która jest miarą godności i wielkości człowieka; o roli Narodów Zjednoczonych, stających wobec wyzwań przyszłości, która powinna się jawić jako era cywilizacji miłości. Papieskie przemówienie było swoistym wezwaniem do działania, skierowanym do polityków i dyplomatów, wezwaniem do stworzenia nowego stylu współistnienia. Papież wskazał na czyhające wciąż zagrożenia, których wówczas chyba nie chciano docenić, a które w tak tragicznym wymiarze dotknęły 11 września 2001 r. akurat Nowy Jork i Amerykę.

W czasie swego pobytu w USA Ojciec Święty miał swą rezydencję w siedzibie stałego obserwatora Stolicy Apostolskiej przy ONZ. Prywatnie spotkał się między innymi z prezydentem Stanów Zjednoczonych Billem Clintonem oraz sekretarzem generalnym ONZ Boutrosem Boutros-Ghalim. To były najistotniejsze cele tej podróży papieskiej. Ale w jej programie znalazły się również odwiedziny diecezji Newark, Nowy Jork, Brooklyn i Baltimore. Na spotkanie z nim przybywały wielotysięczne rzesze wiernych. Podczas Mszy św. na Giants Stadium nie odstraszyły ich ulewny deszcz i porywisty wiatr, na trawnikach Central Parku zjawiło się ponad 200 tys. Amerykanów i – co godne podkreślenia – w głównej mierze byli

175

to ludzie młodzi. Uroczysty i radosny charakter liturgii, odprawianej w niedalekim sąsiedztwie Statuy Wolności, uświetniły specjalnie na tę okazję skomponowane pieśni, wykonywane przez liczne chóry; pieśń „Panis angelicus" wykonał światowej sławy tenor Placido Domingo. Ojciec Święty zaskoczył wszystkich, kiedy podczas homilii zaintonował polską kolędę „Wśród nocnej ciszy"... Polski akcent miała też Msza św. sprawowana w Baltimore, w koncelebrze której towarzyszył Papieżowi, między innymi mający nadwiślańskie korzenie emerytowany już wtedy, arcybiskup Filadelfii kard. John Król.

Niezwykle wymownym momentem pielgrzymki po amerykańskich diecezjach był obiad, który Jan Paweł II spożył wspólnie z ubogimi, podopiecznymi ośrodka prowadzonego przez Caritas.

PIELGRZYMKA 69.
5–12 lutego 1996 r.

GWATEMALA (5–7 II): Gwatemala, Esquipulas
NIKARAGUA (7 II):   Managua
SALVADOR (8 II):   San Salwador
WENEZUELA (9–12 II): Caracas, Coromoto

To była jedna z bardziej wyczerpujących podróży papieskich. W ciągu 12 dni Jan Paweł II odwiedził 4 kraje Ameryki Łacińskiej, przemierzył 24 tys. km, wygłosił 22 oficjalne przemówienia. W Gwatemali, Nikaragui i Salvadorze był w 1983 r. Od tamtego czasu w krajach tych dokonały się głębokie przemiany społeczno-polityczne. W Gwatemali i Salvadorze przestały rządzić prawicowe junty wojskowe, w Nikaragui zaś upadł marksistowski rząd sandynistów, który w czasie pierwszej pielgrzymki Papieża do tego kraju między innymi nie zezwolił swoim obywatelom witać gościa na trasach przejazdu. Ta wizyta przebiegała w zupełnie innej atmosferze – całkowicie swobodnego kontaktu i spontanicznej serdeczności. Demokratyzacja życia widoczna była na każdym kroku.

Nieco inna była sytuacja w Wenezueli, kraju o długich tradycjach demokratycznych i wysokim poziomie życia. Ale akurat druga wizyta Papieża w Caracas przypadła bodaj na apogeum kryzysu ekonomicznego.

Choć zmieniły się uwarunkowania społeczno-polityczne w tych krajach, społeczna wymowa misji kolejnego pielgrzymowania Ojca Świętego skupiona była wokół problemów, które nadal czekały na rozwiązanie. Najpełniej papieskie orędzie wyrażały słowa wypowiedziane na lotnisku w Managui: „W naszej epoce coraz powszechniejsza jest świadomość ludzkiej godności oraz dążenie do bardziej sprawiedliwego podziału dóbr i do ustanowienia takiego ładu politycznego, społecznego i gospodarczego, który będzie coraz lepiej służył człowiekowi. Jednakże tych aspiracji nie można w pełni zaspokoić, nie przestrzegając prawa Bożego i fundamentalnych zasad etycznych".

Od momentu wylądowania na lotnisku stolicy Gwatemali aż do zakończenia podróży w Wenezueli towarzyszyła Papieżowi atmosfera sympatii i serdeczności. Gorąco przyjmowano go też w Esquipulas, gdzie podążył do narodowego sanktuarium Gwatemalczyków, które od ponad czterech wieków jest ośrodkiem kultu „Czarnego Chrystusa" (ciemną barwę wizerunkowi nadał na przestrzeni lat dym świec), jak i w Nikaragui, gdzie na Mszę św. odprawianą w stołecznym parku Malecon przybyło ponad pół miliona wiernych. Po Eucharystii odbyła się symboliczna ceremonia, podczas której park otrzymał imię Jana Pawła II, a w miejscu, gdzie znajdował się ołtarz, wzniesiono wielki krzyż na znak pojednania wszystkich Nikaraguańczyków.

Biskupa Rzymu entuzjastycznie witano również w San Salvador, gdzie na „Błoniach XXI wieku" modliło się o pokój ponad milion osób. „Chciałbym raz jeszcze wyrazić radość, że mogłem po trzynastu latach powrócić do waszego pięknego kraju i że zastałem tu klimat pokoju. Nie zatraćcie go nigdy!" – apelował Ojciec Święty do zgromadzonych.

Wreszcie niezwykle uroczysty i podniosły charakter miały spotkania Papieża z Wenezuelczykami. We Mszy św. w intencji nowej ewangelizacji na lotnisku La Carlota w Caracas uczestniczyły nieprzebrane rzesze wiernych. Nie sposób też nie wspomnieć o nawiedzeniu sanktuarium maryjnego w Coromoto w centralnej części kraju, gdzie Ojciec Święty dokonał oficjalnego otwarcia nowej bazyliki, wzniesionej w miejscu objawień Matki Bożej w 1652 r. Ale zanim Jan Paweł II modlił się przed cudownym wizerunkiem patronki Wenezueli, wpierw odwiedził wielkie więzienie w Caracas. Pozdrawiając i błogosławiąc odsiadujących kary, zaapelował do władz wymiaru sprawiedliwości, aby system więziennictwa kierował się zawsze zasadą poszanowania człowieka, „aby starano się resocjalizować i formować więźniów, a nie dopuszczano nigdy do nieludzkiego ich traktowania".

PIELGRZYMKA 70.
14 kwietnia 1996 r.

TUNEZJA: Tunis, Kartagina

To był krótki, trwający niespełna 12 godzin „wypad" do kraju sąsiadującego przez Morze Śródziemne z Sycylią. Tunezja – dzisiaj w zdecydowanej większości muzułmańska (99 proc. mieszkańców, tylko ok. 20 tys. katolików) – już w II w. była miejscem dynamicznego rozwoju chrześcijaństwa. Mimo trwających prześladowań, w 220 r. było tam już ok. 100 biskupstw. Najwcześniej w tej części Afryki językiem kościelnym stała się łacina; tam też powstało jedno z pierwszych łacińskich tłumaczeń Pisma Świętego oraz najstarsze formy liturgii przekazane przez Tertuliana, św. Cypriana, św. Augustyna, które niemal w całości przejęte zostały przez liturgię rzymską. Ten rozkwit chrześcijaństwa został zahamowany przez najazd Wandalów w V w. oraz później przez podboje arabskie. Obecna diecezja Tunis, która jest częścią Łacińskiego Patriarchatu Jerozolimskiego, liczy ok. 20 tys. wiernych, reprezentujących ponad 40 narodowości.

W czasie swej podróży Ojciec Święty odwiedził między innymi ruiny rzymskiego teatru w Kartaginie, gdzie męczeńską śmierć za wiarę poniosły święte Felicyta i Perpetua. Zginęły one za panowania Septymiusza Sewera na przełomie II i III w., skazane na pożarcie przez dzikie zwierzęta. W Kartaginie męczeńską śmierć poniósł także św. Cyprian, ścięty mieczem w czasie prześladowań waleriańskich (253–260 r.).

Mszę św. dla wiernych z 14 parafii tunezyjskich Papież odprawił w katedrze, która została zbudowana na miejscu cmentarza, gdzie w XVIII w. chowano niewolników chrześcijańskich. Wspólną celebrę sprawowali z nim biskupi Regionalnej Konferencji Episkopatu Afryki Północnej z Maroka, Algierii, Tunezji i Libii. „Wy stanowicie tutaj Kościół Chrystusa – mówił Ojciec Święty w homilii. – To prawda, że jesteście małą trzódką, ale różnorodność języków, kultur i krajów pochodzenia sprawia, że jesteście też wymownym obrazem Kościoła powszechnego".

Nawiązując zaś do faktu oddawania czci Matce Bożej przez wyznawców islamu, wezwał do modlitwy w intencji owocnej współpracy „w duchu wzajemnego zrozumienia i dla dobra wszystkich ludzi". Akcenty ekumeniczne miało również wystąpienie Papieża podczas spotkania z przedstawicielami władz państwowych Tunezji oraz przywódcami religijnymi i miejscowymi intelektualistami, kiedy wymienił on wiele inicjatyw gospodarczych, naukowych i kulturalnych, będących owocem wspólnych wysiłków muzułmanów i chrześcijan.

PIELGRZYMKA 71.
17–19 maja 1996 r.

SŁOWENIA: Lublana, Breje, Brdo, Postojna, Maribor

Papieska wizyta dla państwa liczącego zaledwie 2 mln mieszkańców (blisko 90 proc. katolików) była znaczącym wydarzeniem. Tym ważniejszym, że w obecnym kształcie, po rozpadzie Federacji Jugosławii, istniało zaledwie 5 lat.

Polityczna historia tego kraju sięga jeszcze okresu wczesnego średniowiecza, czasów Księstwa Karantanii, pierwszego państwa Słoweńców. Początki ewangelizacji na tych ziemiach datowane są na VI i VII w. Prowadzili ją benedyktyni irlandzcy ze świętymi Kolumbanem i Amandem na czele. Cały naród słoweński przyjął chrzest w VIII w., kiedy Księstwo Karantanii uległo wpływom Bawarów.

Ta trzydniowa pielgrzymka miała między innymi upamiętnić 1250. rocznicę ewangelizacji, podczas której naród słoweński wielokrotnie doświadczał surowych prób. Najtragiczniejsze związane były z czasami nazistowskiego i komunistycznego reżimu. W okresie drugiej wojny światowej zginęło między innymi ponad 120 kapłanów słoweńskich. Po wojnie zaś ponad 200 duchownych trafiło do więzień. W 1952 r. komuniści dokonali nawet zamachu na życie arcybiskupa Lublany Antona Vovka, oblewając go benzyną i podpalając. Arcybiskup cudem przeżył, ale zdrowia w pełni już nie odzyskał. Jak się szacuje, z rąk komunistów zginęło ok. 15 tys. żołnierzy słoweńskiego podziemia.

Ojciec Święty w swych wystąpieniach odnosił się często do heroiczności narodu. Nawiązywał też do wojny domowej – krótszej niż na innych terenach byłej Jugosławii – w wyniku której Słowenia stała się suwerennym państwem. Ale Jan Paweł II nie mówił tylko o problemach jednego kraju, lecz poruszał sprawy kluczowe dla obywateli całego kontynentu: sens życia i historii, więź między wiarą a kulturą, wartość wolności, niebezpieczeństwo utraty własnej tożsamości w świecie, któremu zagraża uniformizacja i płaska jednolitość. Szczególnie doniosłe te słowa zabrzmiały podczas spotkania z intelektualistami w Mariborze oraz podczas spontanicznego spotkania z 60-tysięczną rzeszą młodych na płycie sportowego lotniska w Postojnej.

Dnia 18 maja gospodarze nie zapomnieli o 76. urodzinach Papieża. Wśród licznych życzeń i darów, największą niespodziankę zrobiła mu liczna grupa dzieci, która z samego rana śpiewem powitała Jubilata na podwórzu lublańskiej rezydencji.

PIELGRZYMKA 72.
21–23 czerwca 1996 r.
NIEMCY: Paderborn, Berlin

To już trzeci raz Jan Paweł II odwiedził niemiecką ziemię, lecz ta wizyta miała wymiar bezprecedensowy. Po raz pierwszy bowiem przyjechał do Niemiec po zjednoczeniu kraju i był tam – wbrew prognozom niektórych mediów – przyjmowany niezwykle spontanicznie i serdecznie.

Papież otrzymał zaproszenia z wielu miast niemieckich, ale odwiedził tylko dwa – Paderborn i Berlin, gdzie do rangi prawdziwego symbolu urosła pożegnalna ceremonia pod Bramą Brandenburską. Ojciec Święty, pozdrawiany przez tysiące berlińczyków, przejechał papamobile aleją Unter den Linden. Następnie w towarzystwie przewodniczącego Konferencji Episkopatu i burmistrza Berlina przeszedł przez Bramę Brandenburską, która w czasie zimnej wojny była zamurowana, teraz zaś stała się symbolem odzyskanej jedności i wolności miasta.

Nieprzypadkowo też na miejsce spotkania ekumenicznego wybrano Paderborn, historyczną stolicę Westfalii. Tam w 799 r., podczas spotkania Karola Wielkiego z papieżem Leonem III, doszło do zawarcia układu, który na przestrzeni wieków kształtował rozwój wydarzeń w Niemczech i na całym kontynencie europejskim. Współczesny Paderborn, zamieszkały w 40 proc. przez katolików, w kontekście historycznego spojrzenia na burzliwe dzieje zarówno narodu niemieckiego, jak i tamtejszego Kościoła, a szczególnie tego wszystkiego, co wydarzyło się po reformacji luterańskiej, był miejscem wyjątkowym. Najbardziej wymownym wydarzeniem była wspólna modlitwa Biskupa Rzymu z greckoprawosławnym metropolitą Niemiec, superintendentem Kościoła reformowanego i biskupem luterańskim.

W Berlinie, na stadionie olimpijskim, pamiętającym okres rządów hitlerowskich, Ojciec Święty ogłosił błogosławionymi dwóch kapłanów: Bernharda Lichtenberga i Karola Leisnera. Obaj otwarcie przeciwstawili się dyktaturze nazistowskiej i za to zapłacili życiem. Na zakończenie liturgii Papież wykonał wymowny gest – udzielając błogosławieństwa, wziął do ręki drewniany pastorał, którym

Berlin. Brama Brandenburska z Kanclerzem Helmutem Kohlem

posłużył się francuski biskup Gabriel Piquet, gdy 17 grudnia 1944 r. w obozie koncentracyjnym w Dachau udzielił święceń kapłańskich diakonowi Karolowi Leisnerowi.

„To wydarzenie przypieczętowało etap historii, którego zaledwie sześć lat temu nikt nie mógł przewidzieć: chrześcijańskie męczeństwo umieszczone na piedestale historii na stadionie olimpijskim, zbudowanym przez tych, którzy zbezcześcili historię" – tak komentował berlińskie uroczystości „L'Osservatore Romano".

PIELGRZYMKA 73.
6–7 września 1996 r.

WĘGRY: Pannonhalma, Györ

D ruga podróż papieska na Węgry – pierwsza odbyła się w sierpniu 1991 r. – uświetniła obchody jubileuszu 1000-lecia opactwa benedyktyńskiego Pannonhalma, ważnego centrum duchowości w tej części Europy, a zarazem narodowego sanktuarium Węgrów. To najstarszy klasztor węgierski, wybudowany w 996 r. przez księcia Gezę, ojca św. Stefana, pierwszego króla

Györ 1996 r.

Węgier, który właśnie tam przyjął koronę przysłaną mu przez Sylwestra II. Od samego początku klasztor był ośrodkiem kultury i nauki oraz ostoją chrześcijaństwa nie tylko na Węgrzech, ale i w całej wschodniej Europie. Podobnie było w okresie najazdów mongolskich i tureckich, a także w okresie komunizmu, kiedy to Pannonhalma jako jeden z niewielu ośrodków mogła przyjmować grupy pielgrzymkowe, jak również gościć starszych kapłanów i osoby zakonne ze zgromadzeń zniesionych przez reżim. Opactwo słynie ze zbiorów swej biblioteki, w której przechowywanych jest ok. 350 tys. woluminów zabytkowych inkunabułów i manuskryptów.

Centralną uroczystością w Pannonhalmie była liturgia Nieszporów Tysiąclecia, której Ojciec Święty przewodniczył. Cała ceremonia, której wzniosłość potęgowała gotycka sceneria bazyliki i śpiew mnichów, nawiązywała do jedności pierwszych chrześcijan.

Papież odwiedził też chorych i osoby w podeszłym wieku w miejscowym hospicjum św. Wojciecha, które zostało utworzone w 1950 r. dla zakonników prześladowanych przez reżim komunistyczny. Tak mówił do zebranych: „Choroba ma podwójne znaczenie: z jednej strony na różne sposoby upośledza człowieka, każąc mu zaznać własnej ograniczoności i kruchości, z drugiej zaś zbliża go bardziej do krzyża Chrystusa i wzbogaca o nowe możliwości".

Jan Paweł II odwiedził także Györ, jedno z najstarszych miast Węgier. Mszę św. koncelebrowało z nim wielu kapłanów, którzy cierpieli prześladowania minionego reżimu. Dużą część homilii – podobnie jak wystąpienie w Pannonhalmie – Papież wygłosił w języku węgierskim. Nawiązał w niej do postaci biskupa Vilmosa Apora, który w 1945 r. zapłacił życiem za to, że próbował bronić przed żołnierzami Armii Czerwonej kilku kobiet ukrywających się w siedzibie biskupiej. W katedrze w Györ znajduje się grób bohaterskiego biskupa, przed którym teraz ukląkł Ojciec Święty. Modlił się też przed szczególnie czczonym wizerunkiem Matki Bożej, obrazem mającym niezwykłą historię. Został on przywieziony do Györ przez irlandzkiego biskupa Waltera Lyncha, który w 1649 roku schronił się na Węgrzech przed prześladowaniami katolików w swej ojczyźnie. W czasie kolejnej fali prześladowań, w dniu św. Patryka, 17 marca 1697 r. na oczach wiernych wizerunek Matki Bożej zalał się łzami.

Pielgrzymowanie do Pannonhalmy było początkiem papieskiej podróży po „ścieżkach czasu Kościoła". Klasztor pannonhalmski stoi na górze, na której – jak głosi tradycja – modlił się żyjący w IV w. św. Marcin z Tours, wywodzący się z Panonii, prowincji rzymskiej rozciągającej się wzdłuż brzegów Dunaju. Nic dziwnego więc, że dwa tygodnie później Papież będzie się modlił w Tours, oddając hołd świętemu z okazji 1600. rocznicy jego śmierci.

PIELGRZYMKA 74.
19–22 września 1996 r.

FRANCJA: Tours, Saint-Laurent-sur-Sevre, Sainte-Anne d'Auray,
Tours, Reims

Program szóstej podróży Jana Pawła II do Francji wiązał się z rocznicami historycznych wydarzeń oraz postaciami, które wywarły wielki wpływ na dzieje chrześcijaństwa we Francji i w całej Europie Zachodniej.

Podczas pielgrzymki Papieża rozpoczęły się obchody Roku św. Marcina, upamiętniające 1600-lecie jego śmierci. Ten były legionista cesarza Konstantyna i uczeń Hilarego z Poitiers stał się prekursorem życia monastycznego. Był biskupem Tours.

Wielkim wydarzeniem były też uroczystości w Reims, gdzie Jan Paweł II celebrował Mszę św. z okazji 1500. rocznicy chrztu Chlodwiga, pierwszego króla Francji, który właśnie w Reims przyjął sakrament chrztu z rąk arcybiskupa św. Remigiusza. W tamtejszej katedrze byli koronowani kolejni królowie Francji. Tam także odbywały się lokalne synody, a 13 spośród biskupów Reims Kościół wyniósł do chwały ołtarzy. W jubileuszowej uroczystości na pobliskim lotnisku, mimo deszczowej pogody, uczestniczyło ponad 200 tys. wiernych.

Swą podróż śladami chrześcijaństwa Papież rozpoczął jednak od nawiedzenia małego miasteczka Saint-Laurent-sur-Sevre, zwanego „świętym miastem Wandei". Rolniczy region Wandei zasłynął z heroicznego powstania w latach 1793–1796, kiedy to francuskie rządy rewolucyjne starały się zaprowadzić w całym kraju tak zwaną cywilną konstytucję kleru. Podczas krwawo stłumionego powstania męczeńską śmierć poniosło również wielu duchownych, a diecezja Wandei została na pewien czas rozwiązana. W Saint-Laurent-sur-Sevre pracował i zmarł wielki mistyk francuski św. Ludwik Maria Grignion de Montfort (1673–1716), który zasłynął z krzewienia kultu maryjnego.

Ze świętego miasta Wandei Papież udał się do Sainte-Anne d'Auray – portowej miejscowości na Półwyspie Bretońskim. Historia tego miejsca sięga jeszcze pierwszej ewangelizacji Bretanii w V i VI w., kiedy to została wybudowana tam pierwsza kaplica pw. św. Anny – matki Najświętszej Panny. Budynek wkrótce uległ zniszczeniu, ale w XVII w. wzniesiono tam nową świątynię dla upamiętnienia objawień św. Anny, która w latach 1623–1625 ukazała się kilkakrotnie miejscowemu wieśniakowi Yves'owi Nicolazicowi. Obecnie sanktuarium odwiedza ponad milion pielgrzymów rocznie. Na spotkanie z Janem Pawłem II przybyło ponad 150 tys. osób.

Wagę papieskiego pielgrzymowania docenił podczas oficjalnego spotkania z Ojcem Świętym prezydent republiki Jacques Chirac. Powiedział między innymi: „W roku 50-lecia swojego kapłaństwa Wasza Świątobliwość nie przestaje być niestrudzonym pielgrzymem Absolutu. Zawsze i wszędzie odwołuje się do człowieka, do jego godności, wielkoduszności i wielkości, nie szczędząc sił dla budowania pokoju".

PIELGRZYMKA 75.
12–13 kwietnia 1997 r.

BOŚNIA I HERCEGOWINA: Sarajewo

„Zamiar odwiedzenia Sarajewa zrodził się w moim sercu kilka lat temu, w czasie kiedy trwały jeszcze działania wojenne w tym regionie. Pragnąłem bardzo wtedy przybyć do tego miasta i czyniłem wszystko, by to osiągnąć. A kiedy starania te okazały się płonne, organizowałem wielokrotnie w Rzymie, w Castel Gandolfo i w Asyżu spotkania poświęcone modlitwie błagalnej i przebłagalnej, wołając o pokój dla tej umęczonej ziemi. (…) Pod znakiem takiej właśnie błagalnej modlitwy o pokój przebiegały odwiedziny pasterskie w Sarajewie" – tak tłumaczył Ojciec Święty powód i cel swej kolejnej pielgrzymki do miejsc, w których jakże świeże były jeszcze ślady straszliwej bratobójczej wojny.

Początki chrześcijaństwa na tych terenach sięgają czasów poapostolskich, kiedy przynieśli tu Ewangelię misjonarze z pobliskiej Dalmacji i Panonii. W wyniku politycznych i doktrynalnych konfliktów późnego średniowiecza doszło tam do podziału Kościoła lokalnego na Kościół rzymski, związany z duszpasterstwem dominikanów i franciszkanów, oraz tak zwany Kościół bośniacki o charakterze narodowym i schizmatyckim. Całkowitego spustoszenia dokonała jednak inwazja turecka w drugiej połowie XV w., która spowodowała masową emigrację katolików bośniackich do Chorwacji, Austrii i na Węgry. Odradzanie się Kościoła i wzrost liczby katolików nastąpił dopiero po upadku imperium otomańskiego w końcu XIX w. Kolejne załamanie nastąpiło po drugiej wojnie światowej za panowania komunistycznej władzy byłej Jugosławii oraz na skutek konfliktu bałkańskiego, który wybuchł w 1992 roku. Liczba katolików w wyniku działań wojennych drastycznie spadła na terenach obecnej republiki – z 530 tys. do zaledwie 200 osób. Dwa sarajewskie kościoły i jeden klasztor zostały całkowi-

Sarajewo – „Nigdy więcej wojny, nigdy więcej nienawiści..."

cie zniszczone, a kilkanaście innych, w tym katedra, były poważnie uszkodzone. W całej Bośni i Hercegowinie zniszczono blisko sto kościołów, 6 klasztorów i kilkadziesiąt ośrodków parafialnych. Ocenia się, że ok. pół miliona osób, w większości katolików, zostało zmuszonych do opuszczenia republiki.

Na znak nieustannej modlitwy o pokój na Bałkanach Jan Paweł II przywiózł ze sobą lampę oliwną, którą zapalono w Bazylice Watykańskiej 23 stycznia 1994 r. Wspomnienia wojny przewijały się w każdym punkcie programu papieskiej podróży. Szczególnie były one żywe podczas celebrowanej Mszy św. na stadionie w Kosevie, w pobliżu cmentarzy, na których pochowano tysiące ofiar konfliktu – chrześcijan i muzułmanów. Przed rozpoczęciem liturgii został przed ołtarz wniesiony uszkodzony krucyfiks, wydobyty z ruin kościoła parafialnego w Kupres, oraz wizerunek Maryi z nadal wówczas okupowanego sanktuarium maryjnego w Komusinie. Papieska homilia, w której raz po raz pojawiały się nawoływania o pokój, przerywana była częstymi oklaskami. Na zakończenie Mszy św. Papież poświęcił 23 kamienie węgielne dla pierwszych odbudowujących się kościołów w Bośni i Hercegowinie, a po błogosławieństwie Ojciec Święty wypuścił dwa białe gołębie jako znak pokoju dla republiki.

Papieska wizyta w Sarajewie stała się też okazją do uroczystego przekazania Międzynarodowej Nagrody Pokoju im. Jana XXIII przedstawicielom czterech działających na terenie Bośni i Hercegowiny organizacji charytatywnych: katolickiej Caritas, serbskoprawosławnej Dobrotvor, muzułmańskiej Merhamet i żydowskiej Benevolencija. Także i tę uroczystość Jan Paweł II wykorzystał, by powtórzyć słowa: „Nigdy więcej wojny, nigdy więcej nienawiści i nietolerancji! Tego uczy nas stulecie i tysiąclecie zbliżające się już ku końcowi".

PIELGRZYMKA 76.
25–27 kwietnia 1997 r.
CZECHY: Praga, Hradec Kralove

Trzecia podróż Ojca Świętego do Czech (poprzednie odbyły się w latach 1990 i 1995) związana była z 1000. rocznicą męczeńskiej śmierci św. Wojciecha – pierwszego Czecha na stolicy biskupiej w Pradze i patrona Polski. Święty Wojciech urodził się w 956 r. w Libicach, na terytorium dzisiejszej diecezji Hradec Kralove. Jako biskup w habicie benedyktyńskim, z Pragi wyruszył do pracy misyjnej, najpierw na dzisiejsze ziemie węgierskie,

Praga. Wspólna modlitwa przedstawicieli wszystkich Kościołów chrześcijańskich

a następnie na zaproszenie króla Bolesława Chrobrego do Polski. Z Gniezna zaś podążył na północ, w kierunku wybrzeży Morza Bałtyckiego, gdzie głosząc Chrystusa w pogańskich Prusach poniósł śmierć męczeńską. Bolesław Chrobry sprowadził jego relikwie do Gniezna, dzięki czemu została utworzona w roku 1000 pierwsza polska metropolia. Obecnie relikwie świętego znajdują się nie tylko w Gnieźnie, ale także w praskiej katedrze świętych Wita, Wacława i Wojciecha. „Było rzeczą słuszną, ażebym – zanim będę mógł spełnić zaproszenie biskupów polskich do Gniezna – udał się naprzód do Czech" – wyjaśniał powody tej podróży Papież.

Okrągła rocznica śmierci świętego męczennika stała się okazją do wspólnej modlitwy przedstawicieli wszystkich czeskich Kościołów chrześcijańskich. Jan Paweł II mówił do nich: „Jesteśmy podzieleni na skutek różnych wzajemnych nieporozumień, spowodowanych często brakiem zaufania, jeśli nie wręcz nienawiścią. Zgrzeszyliśmy. Oddaliliśmy się od ducha Chrystusa".

Głównymi jednak wydarzeniami tej wizyty były Msza św. odprawiona na rozległych praskich błoniach Letna nad Wełtawą oraz spotkanie z młodzieżą w Hradec Kralove. Letna to miejsce-symbol dla Czechów. Tam znajdował się pomnik Stalina, wysadzony w powietrze podczas „praskiej wiosny" w 1968 r., tam też odbyła się w 1989 r. wielka manifestacja, podczas której świętowano upadek reżimu komunistycznego. „Ten wielki misjonarz słowiańskich narodów Europy

Środkowej jest znakiem harmonii i współpracy, jaka winna istnieć między Kościołem a społeczeństwem oraz znakiem więzi między narodami czeskim i polskim" – mówił Papież w homilii do 200 tys. wiernych. Około 65 tys. młodych ludzi słuchało słów Jana Pawła II w Hradec Kralove, gdzie wzywał młodzież do budowania nowej Europy w wierności Chrystusowi: „Tylko On może nadać pełny sens życiu, wokół Niego toczy się historia".

Ojciec Święty, podobnie jak podczas swoich poprzednich wizyt w Czechach, był serdecznie przyjmowany przez prezydenta Vaclava Havla. Była też okazja do sentymentalnych spotkań – z bp. Karelem Otcenaskiem oraz arcyopatem benedyktyńskiego klasztoru na Brzewnewie (założonego w 992 r. przez św. Wojciecha) 85-letnim Anastazem Opaskiem. Biskup Otcenasek, potajemnie wyświęcony w 1950 r., kilka miesięcy później na wiele lat został uwięziony, a o. Opasek w latach 1950–1990, kiedy jego klasztor był jedyny raz w 1000-letniej historii zamknięty, również spędził kilkadziesiąt lat w komunistycznych więzieniach.

PIELGRZYMKA 77.
10–11 maja 1997 r.
LIBAN: Bejrut, Bkerke

N a terenie dzisiejszego Libanu, w okolicach Tyru i Sydonu oraz w granicach tak zwanego Dekapolu – jak opisuje Ewangelia – przebywał Jezus. Tam nauczał i czynił cuda, uzdrowił choćby córkę niewiasty kananejskiej. Papież planował wyruszyć Jego śladami wcześniej, ale niespokojna sytuacja wewnętrzna w kraju i zamach bombowy w lutym 1994 r., podczas którego zginęło 10 osób modlących się w maronickim kościele Notre Dame de la Delivrande, spowodowały wówczas odwołanie podróży.

Kiedy sytuacja unormowała się, Ojciec Święty udał się do Libanu, pragnąc właśnie tam podpisać posynodalną adhortację, dokument poświęcony przyszłości tego kraju. Liban zamieszkują obecnie wyznawcy kilku wschodnich Kościołów katolickich – melechici, ormianie, syryjczycy, chaldejczycy, łacinnicy, a przede wszystkim maronici, najściślej związani z tradycją chrześcijaństwa w Libanie. Ale nie tylko oni witali Jana Pawła II niezwykle entuzjastycznie. Na trasach przejazdu pozdrawiały go też tysiące muzułmanów, szyitów i sunnitów. Podpisanie adhortacji miało szczególną wymowę z uwagi na dokonanie tego podczas spotkania z młodzieżą w znajdującym się w Bkerke sanktuarium Matki Bożej Libańskiej, najważniejszym na Bliskim Wschodzie, które nawiedzają tłumnie również muzułmanie. „Wręczając młodym dokument posynodalny pragnąłem uwydatnić, że w znacznej mierze od nich zależeć będzie realizacja zadań ukazanych przez Synod Biskupów. Od nich zależy jutrzejszy dzień Kościoła i narodu w Libanie" – Papież tłumaczył znaczenie okoliczności tego wydarzenia.

Uroczystym zamknięciem Synodu była Eucharystia sprawowana na historycznym placu Męczenników w Bejrucie. Uczestniczyło w niej ponad pół miliona ludzi, przybyłych nie tylko z całego Libanu, ale także z Syrii i Jordanii. Ołtarz zbudowany był z kamieni pochodzących ze starożytnej świątyni fenickiej, ambona zaś została wzniesiona z resztek chrześcijańskich kościołów z IV i V w. Również bizantyjska ikona Matki Bożej, sprowadzona ze starożytnego klasztoru Świętego Zbawiciela, symbolizowała wielowiekowe dzieje kultury tego kraju. Podczas homilii Ojciec Święty wezwał do modlitwy za Liban, by mógł on „spełniać swoje posłannictwo na Bliskim Wschodzie, pośród narodów ościennych i pośród narodów całego świata".

Podczas spotkania ekumenicznego w nuncjaturze w Harissie Papież wyraził pragnienie odbycia pielgrzymki śladami Abrahama – ojca w wierze trzech wielkich religii monoteistycznych – oraz śladem apostoła Pawła z Damaszku. Czas pokazał, że dla Jana Pawła II nie ma na tym świecie rzeczy niemożliwych...

PIELGRZYMKA 78.
31 maja–10 czerwca 1997 r.

POLSKA: Wrocław, Legnica, Gorzów Wielkopolski, Gniezno, Poznań, Kalisz, Częstochowa, Zakopane, Ludźmierz, Kraków, Dukla, Krosno

„Każdy powrót do Polski to tak jak powrót pod znajomą strzechę domu rodzinnego, gdzie każdy najdrobniejszy przedmiot przypomina nam (...) to, co sercu jest najbliższe, najdroższe" – takimi słowami podczas oficjalnego powitania na lotnisku Okęcie Jan Paweł II rozpoczął swoją szóstą apostolską podróż do ojczyzny.

To był prawdziwy pielgrzymkowy maraton. W ciągu 11 dni Papież odwiedził archidiecezje: wrocławską, gnieźnieńską, poznańską, krakowską i przemyską oraz diecezje: legnicką i zielonogórsko-gorzowską. We Wrocławiu uczestniczył w zamknięciu 46. Kongresu Eucharystycznego, w Gnieźnie przewodniczył obchodom millenium męczeńskiej śmierci św. Wojciecha, uświetnił obchody jubile-

Wrocław. Kongres Eucharystyczny

uszu 600-lecia Wydziału Teologicznego Uniwersytetu Jagiellońskiego. Ważkimi wydarzeniami pielgrzymki były także 2 beatyfikacje i 2 kanonizacje, których Ojciec Święty dokonał w Krakowie, Zakopanem i Krośnie. Niezwykle entuzjastycznie przyjmowany był przez setki tysięcy wiernych podczas spotkań w Legnicy, Gorzowie Wlkp., Poznaniu, Kaliszu, Częstochowie, Ludźmierzu i Dukli. Odbył kilka oficjalnych i prywatnych spotkań. Znalazł też czas na krótkie, wcześniej nieplanowane wycieczki w ukochane Tatry – do Morskiego Oka i kolejką linową na Kasprowy Wierch. Właśnie u stóp Kasprowego Wierchu i Giewontu góralska społeczność zgotowała Janowi Pawłowi II najbardziej żywiołowe przyjęcie i złożyła uroczysty hołd „Synowi gór, Największemu z rodu Polaków". Podczas powitania ówczesny burmistrz Zakopanego Adam Bachleda-Curuś, klęcząc przed Papieżem wyrażał wdzięczność niezapomnianymi słowami: „Dziękujemy, Ojcze Święty, żeś nas wydostał z czerwonej niewoli, a teraz chcesz i uczysz, jak dom ojczysty, polski, wysprzątać z tego, co hańbi, rujnuje, zniewala, gubi".

Jan Paweł II odpowiedział: „Dzisiaj dziękowałem Bogu za to, że wasi przodkowie na Giewoncie wznieśli krzyż. Ten krzyż patrzy na całą Polskę od Tatr aż do Bałtyku i ten krzyż mówi całej Polsce: Sursum corda! – W górę serca!".

Kraków nie chciał być gorszy od Podhala. Na Błoniach czekało na Ojca Świętego 2 mln wiernych, a pod oknami Pałacu Biskupiego przy ul. Franciszkańskiej bez przerwy czuwało kilka tysięcy ludzi. Wyjątkowo sentymentalny charakter

Wrocław. Katedra

Wrocław. Katedra

Gniezno, przy relikwiach św. Wojciecha

Kalisz

Jasna Góra

Ludźmierz

miała Msza św., którą Papież odprawił w krypcie św. Leonarda na Wawelu. Tam właśnie, przed ponad 50 laty, 2 listopada 1946 r. świeżo wyświęcony kapłan Karol Wojtyła sprawował swą prymicyjną Eucharystię.

Pod wrażeniem tej pielgrzymki byli wszyscy jej uczestnicy. Atmosferą zostało urzeczonych także wielu obserwatorów i komentatorów z całego świata. Ton publikacji prasowych z tamtego okresu najlepiej chyba oddaje relacja wysłannika „L'Osservatore Romano":

„Była to podróż angażująca duchowo. Podróż, która zadziwiła Papieża i naród. Podróż w granicach kraju nadzwyczaj katolickiego i poza jego granice. Podróż wymagająca odwagi i serca. Podróż do korzeni i poprzez korzenie. Podróż świętości: wystarczy wspomnieć św. Jadwigę. Podróż w przeszłość, w teraźniejszość i w przyszłość, które scaliły się i stały jednym w pamięci ludzkiej.

Urzeczywistniło się to poprzez gesty i nauczanie Papieża: zawsze serdecznego i pełnego życia, dumnego i ojcowskiego, nauczyciela i brata, przenikliwego katechisty i nieustraszonego przewodnika. Zawsze: podczas spotkań z ogromnymi tłumami i mniejszymi grupami; podczas «Statio Orbis» i spotkania – w imię św. Wojciecha – z przywódcami siedmiu państw; podczas słonecznej Eucharystii w Krakowie oraz spotkania z dziećmi pierwszokomunijnymi i ich rodzicami; podczas Mszy św. pośród górali w malowniczej scenerii Zakopanego i uroczystego spotkania ze światem uniwersyteckim w Krakowie.

Zawsze: również podczas licznych przejazdów samochodem panoramicznym historycznymi ulicami majestatycznego Krakowa i polnymi drogami, które wiodą do Dukli.

Obok Jana Pawła II swoją rolę przeżywał drugi, autentyczny współbohater tego wydarzenia: naród polski. Papież zdumiewa coraz bardziej. Zdumiewa również naród polski, który wielkim głosem wyznał wobec świata swą eucharystyczną i maryjną wiarę: wiarę katolicką, zakorzenioną w głębi duszy. To w perspektywie tej wiary widział on zawsze swoją misję dziejową. Ochrzczona dusza Polski pozostaje wierna i rodzi wielkich i pokornych strażników sumień, których dzieła budują świadomość narodu. Patrząc na ten naród, na ludzi starszych i na tak liczne dzieci i młodzież, przypominał się nam fragment kazania pewnego polskiego biskupa z XVIII w.: «Pozwól się kierować mądrością wyznaczającą regułę życia, która nie dopuszcza fałszu, która liczy się z ludzką ułomnością, która jest regułą starego narodu polskiego i dzięki której nie będziesz się nigdy wstydził, że jesteś chrześcijaninem». Spotkaliśmy ten naród i patrząc na jego uczestnictwo w Eucharystii, na adorowanie Chrystusa na klęczkach, wsłuchując się w jego ludowe pieśni, tak piękne i wzruszające, poczuliśmy się dumni, że jesteśmy chrześcijanami. Ten naród potrafi upaść na kolana. Ale tylko przed Jezusem-Eucharystią.

Nauczanie Ojca Świętego przekazane podczas podróży było nadzwyczajne w treści i oryginalne w formie, często dialogowanej, zawsze pełnej poezji. Jego kluczowe idee to: Eucharystia, ład wolności, międzyludzka solidarność, kochać i służyć, świadectwo, modlitwa, świętość, życie, «Alma Mater» Rodzicielka, korzenie i twórczość, wyzwanie, zadanie, pamięć, jubileusz.

Jest w tym nauczaniu duchowość i historia, duchowość i życie. Jednakże cztery momenty pozostawią trwały ślad w duszy, ponieważ wywarły na nas największe wrażenie: Biskup Rzymu na kolanach u stóp Pani Jasnogórskiej: Msza św. w kaplicy, w której ponad pięćdziesiąt lat temu neoprezbiter Karol sprawował prymicyjną Eucharystię; Następca Piotra klęczący przy grobie rodziców i brata; Ojciec Święty na kolanach przed tabernakulum, na marmurowym stopniu w nowo konsekrowanym sanktuarium zakopiańskim, oparty jedynie o pastorał. Długie, niekończące się minuty. Głębokie napięcie duchowe. Niemal mistyczne.

Ten, kto to wszystko widział i przeżył, nigdy nie zapomni"(„L'Osservatore Romano", Acta diurna, wyd. codzienne, 15 czerwca 1997 r.).

PIELGRZYMKA 79.
21–24 sierpnia 1997 r.

FRANCJA: Paryż, Chalo-Saint-Mars, Evry

Jak zwykle, z wielką radością i... młodzieńczym zapałem Jan Paweł II podążał na spotkanie z młodzieżą. To już po raz dwunasty młodzi ludzie z całego świata spotkali się na wspólnej modlitwie. Wbrew przewidywaniom komentatorów, do stolicy Francji zjechało ponad milion dziewcząt i chłopców z ok. 160 krajów, w tym 30-tysięczna grupa z Polski. Zapełnili oni paryskie kościoły, place i ulice, aby spotkać się ze „swoim" Papieżem, by go pozdrowić i utwierdzić w słuszności prowadzonego posłannictwa, w którym pragną odnajdywać własne ideały i spełniać swoje nadzieje.

Już podczas pierwszego spotkania na Polach Marsowych Ojciec Święty nawiązał z nimi znakomity kontakt. Tak mówił do nich na powitanie: „Wiemy teraz, po co inżynier Eiffel zbudował tę wieżę: żeby mogło się pod nią odbyć to wielkie zgromadzenie młodzieży, ten Światowy Dzień, który właśnie rozpoczęliśmy i który będzie jeszcze trwał jutro i pojutrze, aż do niedzieli. Daję wam jedną radę na dzisiejszy wieczór: wyśpijcie się dobrze".

Młodzież odpowiadała mu równie zaskakującymi gestami. Kiedy celebrował Mszę św. w kościele św. Stefana, setki tysięcy uczestników Dnia Młodzieży utworzyło 36-kilometrowy „łańcuch braterstwa", opasujący centrum Paryża. Wszyscy, trzymając się za ręce, odśpiewali kantatę „Ody do radości" Fryderyka Schillera z IX symfonii Ludwiga van Beethovena, po czym przez minutę zastygli w ciszy, wsłuchując się w dźwięk dzwonów wszystkich kościołów metropolii.

Podczas uroczystości na rozległym hipodromie w Longchamp Papież udzielił sakramentu chrztu i bierzmowania 10 katechumenom z Burkina Faso, Rosji, Hongkongu, Kenii, Haiti, USA, Kambodży, Francji, Boliwii i Kuby. Motywami przewodnimi tradycyjnego wieczornego czuwania były wiara, braterstwo, pojednanie i pokój – nawiązanie do przypadającej nazajutrz, 24 sierpnia, rocznicy krwawej rzezi protestantów, zwanej „nocą św. Bartłomieja", jakiej dokonano w 1572 r.

Eucharystię wieńczącą XII Światowy Dzień Młodzieży z udziałem ponad miliona osób koncelebrowało z Janem Pawłem II ok. 500 biskupów i arcybiskupów oraz ponad tysiąc kapłanów. W homilii Ojciec Święty odwołał się raz jeszcze do przesłania tego spotkania: „Nauczycielu – gdzie mieszkasz?" (J 1,38-39), pod-

Francja, Paryż – spotkania z młodzieżą

kreśląc że droga młodych nie kończy się w Paryżu, lecz ma ich prowadzić na cały świat, gdzie będą głosić Ewangelię.

W cieniu spotkania Papieża z młodzieżą znalazły się inne wydarzenia tej pielgrzymki. Przede wszystkim należy wspomnieć o wyniesieniu na ołtarze podczas Mszy św. w katedrze Notre Dame żyjącego w pierwszej połowie XIX w. Fryderyka Ozanama, apostoła świeckiego, założyciela Konferencji św. Wincentego à Paulo. W uroczystości wziął udział 72-letni Brazylijczyk, który w dzieciństwie doznał cudownego uzdrowienia za wstawiennictwem nowego błogosławionego.

W Chalo-Saint-Mars Jan Paweł II odwiedził też grób zmarłego w 1994 r. prof. Jerome'a Lejeune'a, genetyka i gorliwego obrońcy życia nienarodzonego.

Wagę szóstej już podróży Jana Pawła II do Francji podkreślił podczas oficjalnego pożegnania premier francuskiego rządu Lionel Jospin, mówiąc: „Ojcze Święty, także poza obrębem wspólnoty katolickiej jesteś ceniony jako jeden z wielkich świadków naszej epoki. Twoje oddanie sprawie pokoju, Twoja działalność na rzecz solidarności z ludźmi i narodami najbardziej upośledzonymi, Twoja walka o godność człowieka, a także energia, z jaką głosisz swoją naukę, przyciągają uwagę wszystkich i zasługują na szacunek".

PIELGRZYMKA 80.
2–6 października 1997 r.

BRAZYLIA: Rio de Janeiro

Na słynnym stadionie Maracana czekało na Jana Pawła II ponad 140 tys. wiernych z 205 krajów. Tak wielkie tłumy zgromadziły się tam ostatnio w 1950 r., kiedy piłkarze Brazylii walczyli – zresztą nieskutecznie – o mistrzostwo świata z Urugwajem. II Światowe Spotkanie Rodzin w Rio de Janeiro było największym rodzinnym zgromadzeniem w historii. Pierwsze odbyło się w Rzymie w 1994 r. Tym razem przebiegało ono pod hasłem: „Rodzina: dar i zobowiązanie, nadzieja ludzkości".

Spotkanie na Maracanie miało charakter „aktu świadectwa". Rodziny z różnych krajów dzieliły się swoimi doświadczeniami życia chrześcijańskiego. Jako pierwsza wystąpiła rodzina z Nazaretu, która poprosiła Papieża o poświęcenie kamienia węgielnego pod budowę ośrodka rekolekcyjnego w Nazarecie. W imieniu delegacji polskiej – na stadionie powiewały także biało-czerwone flagi – słowa wezwania wypowiedziała młoda kobieta: „Módlmy się, by rodzina stała się prawdziwym Kościołem domowym. Z radością odnawiamy zobowiązanie do wzrastania miłości małżeńskiej i macierzyńskiej, ojcowskiej, synowskiej, a także do dalszego zgłębiania słowa życia".

Ojciec Święty mówił o godności rodziny chrześcijańskiej i jej roli, jaką ma do odegrania w Kościele, społeczeństwie i w nowej ewangelizacji. Na zakończenie spotkania odbyły występy zespołów ludowych i pokazy sztucznych ogni. Atmosfera wielkiego święta na długie godziny przeniosła się na ulice Rio. „Człowiek jest drogą Kościoła. Ta droga najpełniej wyraża się w rodzinie. (...) Rodzina nie jest dla człowieka strukturą drugorzędną i zewnętrzną, która krępuje jego rozwój i wewnętrzną dynamikę. (...) U podstaw całego porządku społecznego znajduje się zasada jedności i nierozerwalności małżeństwa, zasada, na której opiera się instytucja małżeństwa i całe życie rodzinne" – Papież przypomniał fundamentalne prawdy, zwracając się do uczestników kongresu teologiczno-duszpasterskiego, obradujących w przypominającej piramidy Majów przepięknej katedrze św. Sebastiana.

Kulminacyjnym punktem II Światowego Spotkania Rodzin była niedzielna Msza św., odprawiona przez Jana Pawła II w asyście 14 kardynałów, ponad 500 arcybiskupów i biskupów oraz ponad 1000 kapłanów. Do parku „Aterro do Flamengo" nad Zatoką Guanabara przybyło ponad 2 mln wiernych. Wielu zajmowało sobie miejsce dwa, trzy dni wcześniej. Życząc zgromadzonym, by panował w ich domach duch Świętej Rodziny z Nazaretu, Papież raz jeszcze podkreślił: „Rodzina jest tą szczególną, a zarazem fundamentalną wspólnotą miłości i życia, na której opierają się wszystkie inne wspólnoty i społeczeństwa".

Przed rozstaniem Jan Paweł II zawierzył rodziny świata Świętej Rodzinie z Nazaretu.

PIELGRZYMKA 81.
21–26 stycznia 1998 r.

KUBA: Hawana, Camaguey, Santiago de Cuba

Historyczne znaczenie wizyty Jana Pawła II na Kubie można porównać tylko z jego pierwszą podróżą do Polski w 1979 r. Jeszcze kilka lat wcześniej nie do pomyślenia było, że wódz kubańskiej rewolucji z pełnymi honorami będzie witał na hawańskim lotnisku Biskupa Rzymu. A jednak siła papieskiego orędzia złamała kolejny bastion komunistycznego totalitaryzmu. Przygotowania do tej pielgrzymki rozpoczęto w listopadzie 1996 r., zaraz po wizycie, jaką złożył Papieżowi w Watykanie Fidel Castro.

Na ulicach Hawany rządzonej przez Fidela Castro

Spotkanie w Hawanie prasa porównywała do wizyty anioła u diabła, na co jednak Castro ripostował, że będzie to spotkanie dwóch aniołów, wszak obaj pomagają ubogim.

Ich kontakt nie ograniczył się tylko do oficjalnego powitania i pożegnania na lotnisku – Fidel Castro osobiście uczestniczył między innymi w spotkaniu Ojca Świętego z przedstawicielami kubańskiej nauki i kultury, w którym jego udział nie był pierwotnie przewidziany. Obecny był też na Mszy św., odprawionej w ostatnim dniu wizyty na placu Rewolucji. Doszło również do prywatnego spotkania i niemal godzinnej rozmowy. Na jej zakończenie Fidel Castro podarował Janowi Pawłowi II opublikowany w 1878 r. w Nowym Jorku egzemplarz pierwszego wydania biografii o. Feliksa Varelli. Ojciec Varella (1788–1853) to bohater narodowy, pisarz, intelektualista i wielki orędownik niepodległości Kuby. W 1985 r. został rozpoczęty jego proces beatyfikacyjny. Papież spotkał się także z rodziną kubańskiego dyktatora – jego dwiema siostrami i dwoma braćmi. To były doprawdy gesty absolutnie zaskakujące.

Od momentu przybycia do Hawany towarzyszyły Ojcu Świętemu wielkie rzesze ludzi, dających wyraz swej głębokiej sympatii, ale również oczekujących słów, których sami przez wiele lat nie mogli wypowiedzieć. Papież odważnie zażądał wolności dla Kościoła oraz upomniał się o niezbywalne prawa człowieka, stano-

Już najwyższy czas na demokrację dla Kuby...

wiące fundament każdej cywilizacji i każdego porządku społecznego. W specjalnej petycji domagał się ułaskawienia więźniów politycznych.

Naród kubański zgotował Ojcu Świętemu gorące przyjęcie. Na trasach przejazdu papamobile gromadziły się dziesiątki tysięcy ludzi, trzymających w rękach transparenty, portrety Jana Pawła II i watykańskie flagi. Homilie papieskie wielokrotnie przerywały niemilknące oklaski. W Santiago de Cuba we Mszy św. uczestniczyło ponad pół miliona ludzi, stadion w Santa Clara zapełnił się 150 tys. wiernych, ponad 300 tys. wzięło udział w Eucharystii w Camaguey, a plac Rewolucji w Hawanie wypełnił się ponad milionem Kubańczyków.

Kubańską pielgrzymkę śledzono z niezwykłą uwagą na całym świecie, podkreślano doniosłość każdego spotkania i gestu Papieża, dokładnie analizowano każde jego słowo.

Kiedy zapytano Ojca Świętego o spodziewane efekty spotkania z narodem kubańskim, odpowiadał dyplomatycznie: „Pożyjemy, zobaczymy. Nie jestem prorokiem". Niebawem miało się jednak okazać, że papieska misja na Kubę stanowiła milowy krok do rozpoczęcia procesu kończącego kilkudziesięcioletni okres izolacjonizmu kraju. Dała też znaczący impuls do odrodzenia się Kościoła, który mimo dramatycznych doświadczeń zrzesza blisko połowę mieszkańców Kuby.

Już po powrocie do Watykanu, podczas generalnej audiencji poświęconej pielgrzymce, Jan Paweł II, nie kryjąc wzruszenia, wspominał: „Na wielkim placu Rewolucji im. Jose Marii w Hawanie widziałem ogromny obraz przedstawiający Chrystusa z napisem: «Jezu Chryste, ufam Tobie!». Podziękowałem Bogu, ponieważ właśnie w tym miejscu, którego nazwa mówi o rewolucji, znalazł miejsce Ten, który przyniósł prawdziwą rewolucję – rewolucję miłości Bożej, wyzwalającej człowieka od zła i przynoszącej mu pokój i pełnię życia. (...) Znamienne jest, że wielka końcowa celebracja eucharystyczna na placu Rewolucji miała miejsce w dniu Nawrócenia św. Pawła, aby niejako wskazać, że nawrócenie wielkiego Apostoła jest głęboką, nieustanną i świętą rewolucją, znaczącą dla wszystkich czasów".

PIELGRZYMKA 82.
21–23 marca 1998 r.

NIGERIA: Abudża, Onitsha (Oba)

To już po raz trzynasty Jan Paweł II wyruszył z pielgrzymką na kontynent afrykański, a po raz drugi odwiedził najludniejszy w tym regionie kraj. Trasa 3-dniowej podróży wiodła do stolicy Abudży oraz do Onitshy w południowo-wschodniej części Nigerii, zamieszkiwanej przez katolicki w większości lud Ibo. Tam Papież beatyfikował pierwszego Nigeryjczyka, o. Cypriana Michała Iwene Tansi.

Niewątpliwie w działalności misyjnej Kościoła wiek XX to wiek Afryki. Na początku minionego stulecia zamieszkiwały na tym kontynencie zaledwie 2 mln katolików, pod koniec wieku ich liczba sięgała już 120 mln. Plon misyjnej działalności szczególnie widoczny jest właśnie w Nigerii. Nie dziwi więc troska, jaką Ojciec Święty darzy mieszkańców Czarnego Lądu. Ci zaś z wielką serdecznością manifestują dla Głowy Kościoła szacunek, oddanie i radość z możliwości goszczenia go.

Podobnie jak w 1982 r., także i tym razem wędrówce Papieża po Nigerii towarzyszyły miliony ludzi. Przemierzali za nim wiele kilometrów, po kilkanaście godzin oczekując go w nieznośnym upale. Tak było chociażby w miejscowości Oba, gdzie została odprawiona Msza św. beatyfikacyjna o. Cypriana. Na rozległej równinie, gdzie zamierzano kiedyś zbudować lotnisko, zgromadziło się ok. 2 mln wiernych, którzy cierpliwie znosili 45-stopniową spiekotę. W grupie osób przyjmujących Komunię św. z rąk Papieża znajdowała się Filomena Emeka, która w 1988 r. została cudownie uzdrowiona z nieuleczalnej choroby nowotworowej za wstawiennictwem bł. Cypriana.

Pobliska Onitsha to rodzinna miejscowość nowego błogosławionego. W wieku 47 lat o. Tansi udał się do Anglii, gdzie wstąpił do cysterskiego opactwa Góra św. Bernarda. Pragnął w swym kraju założyć wspólnotę monastyczną, ale przedwczesna śmierć nie pozwoliła mu zrealizować swego zamierzenia. Pozostał w pamięci jako gorliwy adorator Najświętszego Sakramentu, spędzający w kontemplacyjnym skupieniu długie godziny. Jego beatyfikacja była wielkim świętem nie tylko dla zamieszkujących kraj chrześcijan, ale dla całej 120-milionowej Nigerii.

Tradycją papieskich pielgrzymek stały się spotkania z wyznawcami innych religii. W Abudży doniosłym wydarzeniem była rozmowa Ojca Świętego ze zwierzchnikami islamu, który skupia w tym kraju ok. 45 proc. mieszkańców.

Warto też wspomnieć o tym, że wizytę w Nigerii i możliwość bezpośredniego kontaktu z najwyższymi władzami państwowymi Jan Paweł II wykorzystał do wstawienia się u sprawującego wówczas rządy gen. Sani Abacha za więzionymi w tym kraju z przyczyn politycznych, wśród których była grupa zagranicznych dziennikarzy. Stolica Apostolska, zwracając się z prośbą o rozpatrzenie możliwości ułaskawienia ich, przekazała listę ok. 60 nazwisk osób, znanych międzynarodowej opinii publicznej, która została sporządzona na podstawie informacji przekazanych przez krewnych, organizacje międzynarodowe i rządy innych krajów. W większości przypadków negocjacje te zakończyły się uwolnieniem uwięzionych.

PIELGRZYMKA 83.
19–21 czerwca 1998 r.

AUSTRIA: Salzburg, Sankt Poelten, Wiedeń

Swoją trzecią podróż do Austrii Jan Paweł II rozpoczął od świętującego Salzburga, stolicy najstarszej austriackiej archidiecezji, obchodzącej 1200-lecie istnienia. Ponad 600-tysięczne miasto zamieszkują w zdecydowanej większości katolicy. Jednak najważniejszym celem papieskiej pielgrzymki było wyniesienie na ołtarze troje duchownych: s. Marię Restytutę Kafkę, o. Jakuba Kerna i ks. Antoniego Marię Schwartza. Wszystkie swe wystąpienia Ojciec Święty poświęcił bohaterom Kościoła. W Salzburgu wskazywał na wielkie znaczenie pracy misyjnej, w Sankt Poelten wezwał do refleksji nad powołaniami kapłańskimi i zakonnymi, zaś na wiedeńskim placu – nomen omen – Bohaterów przypominał, że heroizm chrześcijanina wyraża się w codziennej świętości.

„Bohaterowie Kościoła to niekoniecznie ci, którzy w ludzkim mniemaniu wywarli decydujący wpływ na historię: to kobiety i mężczyźni, którzy być może w oczach wielu wydawali się maluczcy, ale okazali się wielcy przed Bogiem. Na próżno szukalibyśmy ich w szeregach możnych, ale w księdze życia zapisali się oni na trwałe wielkimi literami" – mówił Ojciec Święty w homilii podczas beatyfikacyjnej Mszy św.

Z uwagą także wsłuchiwano się w słowa Papieża wypowiedziane w cesarskim zamku Hofburg podczas spotkania z władzami państwa i przedstawicielami korpusu dyplomatycznego. Jan Paweł II, nawiązując do problemów zjednoczenia Europy i globalizacji gospodarki światowej, mówił o potrzebie odnowy duchowej, która musi towarzyszyć przemianom politycznym. Zwrócił uwagę na rolę Austrii w „nowej Europie", nawoływał do poszanowania praw człowieka, zwłaszcza prawa do życia i pracy, apelował wreszcie o globalną solidarność bogatych z biednymi.

Swoje „pięć minut" z Ojcem Świętym mieli Polacy, których ponad 3 tysiące zgromadziło się pod oknami papieskiej rezydencji w Wiedniu. Wspólnie odmówili modlitwę Anioł Pański, a później śpiewali polskie pieśni i piosenki. Jan Paweł II wspomniał zwycięstwo króla Jana III Sobieskiego pod Wiedniem w 1683 r. Jego rodaków nie zabrakło też podczas głównych uroczystości, zarówno w Wiedniu, jak i Sankt Poelten oraz Salzburgu.

Pielgrzymkę zakończyła wzruszająca wizyta Papieża w wiedeńskim hospicjum dla nieuleczalnie chorych, które prowadzą siostry ze zgromadzenia Caritas Socialis. Zgromadzenie zostało założone w 1919 r. przez Hildegardę Burjan, której proces beatyfikacyjny był już w toku. Jan Paweł II w rozmowie z chorymi przypomniał o chrześcijańskim sensie cierpienia i śmierci. Opiekującym się nimi wyraził wdzięczność i podziw, przypomniał, że nikt nie ma prawa do skracania choremu życia, ponieważ jest ono wyłącznym darem Boga.

PIELGRZYMKA 84.
2–4 października 1998 r.
CHORWACJA: Zagrzeb, Marija Bistrica, Split, Solina

Cztery lata od historycznej wizyty w Zagrzebiu Ojciec Święty ponownie odwiedził Chorwację. Tym razem program 3-dniowej podróży koncentrował się wokół dwóch wydarzeń: beatyfikacji kard. Alojzego Stepinaca (1898–1960) oraz obchodów 1700-lecia istnienia miasta Split. Tylko pozornie nie miały te dwa wydarzenia nic wspólnego ze sobą. Split był siedzibą cesarza Dioklecjana, jednego z najokrutniejszych prześladowców chrześcijan. Tam też znajduje się jego pałac i mauzoleum, zamienione z czasem w katedrę, w murach której złożono relikwie św. Dujama, biskupa Salony (Soliny) i męczennika.

Męczennikiem był też w drugiej połowie XX stulecia kard. Stepinac. Przyczyną prześladowań i pokazowego procesu, jaki mu wytoczyły komunistyczne władze ówczesnej Jugosławii, był stanowczy sprzeciw wobec nacisków reżimu, który żądał od niego, by oderwał się od Stolicy Apostolskiej i stanął na czele chorwackiego Kościoła narodowego. Nie przystał na taki dyktat, dlatego został publicznie oczerniony i skazany. Ojciec Święty wielokrotnie wskazywał na kontekst historyczny, łączący św. Dujama i beatyfikowanego 3 października 1998 r. w sanktuarium Marija Bistrica kard. Stepinaca. W ten sposób jakby zamykał się okres niemal 2 tys. lat historii: od męczenników z okresu rzymskich prześladowań aż po ofiary komunistycznych rządów.

W swej homilii w Marija Bistrica Papież tak mówił o beatyfikowanym kardynale: „W osobie nowego błogosławionego można dostrzec syntezę całej tragedii, jaka dotknęła naród chorwacki i Europę w ciągu tego stulecia, naznaczonego przez trzy wielkie plagi – faszyzm, nazizm i komunizm".

Grób bł. Alojza Stepinaca znajduje się w zagrzebskiej katedrze, ale wybór oddalonej od stolicy o 52 km Marija Bistricy na miejsce beatyfikacji nie był przypadkowy. To właśnie ów kardynał przyczynił się w dużej mierze do rozwoju związanego z sanktuarium kultu maryjnego, inicjując w 1934 r. praktykę corocznych pieszych pielgrzymek z Zagrzebia, aż do czasu, kiedy władze komunistyczne nie zakazały wszelkiego rodzaju manifestacji religijnych. W świątyni znajduje się cudami słynąca czarna drewniana figura Matki Bożej z Dzieciątkiem, pochodząca z XV w. W czasie inwazji tureckiej wierni ukryli ją, chroniąc przed kradzieżą i zniszczeniem. Dla Chorwatów figura ta symbolizuje bolesne doświadczenia, jakich naród doznawał przez ponad 1300 lat swego istnienia.

Podczas pożegnania Ojciec Święty nade wszystko podkreślił ostatnie wysiłki chorwackiego narodu w trudnym procesie demokratyzacji kraju: „Cena demokracji jest wysoka – trzeba ją opłacić monetą wybitą ze szlachetnego metalu uczciwości, rozsądku, szacunku dla bliźnich, poświęcenia, cierpliwości. Kto próbuje płacić innymi monetami, naraża się na ryzyko bankructwa".

PIELGRZYMKA 85.
22–28 stycznia 1999 r.

MEKSYK (22–26 I):   Mexico City, Guadalupe
STANY ZJEDNOCZONE (26–28 I): St. Louis

Mimo wyczerpującego programu każdej kolejnej zagranicznej podróży Jan Paweł II nie tracił entuzjazmu. Jeszcze w trakcie lotu z Rzymu do stolicy Meksyku, zapytany przez dziennikarza, jakie pragnie odwiedzić inne kraje, odpowiedział: „Te największe, to znaczy dawny Związek Radziecki, czyli obecną Rosję europejską i azjatycką, oraz Chiny. Papież jest oczywiście coraz starszy, ale jak na razie nie brak mu sił i ochoty".

W czasie przejazdów ulicami stolicy Meksyku panoramicznym papamobile owacyjnie pozdrawiały go miliony ludzi. Całą aleję przed bazyliką Matki Bożej w Guadalupe pokrywał imponująco kolorowy dywan ze świeżych kwiatów.

Na niedzielną Mszę św. na miejscowym autodromie podążali pielgrzymi przez całą noc. Organizatorzy przygotowali tylko 800 tys. miejsc, lecz ostatecznie zdecydowano się wpuścić wszystkich chętnych. Było ich ponad 2 mln. Wśród nich, w pobliżu ołtarza, znalazła się Luz Herlindy Torres Velasco, niepełnosprawna 9-letnia dziewczynka, która na swym wózku inwalidzkim przyjęła z rąk Jana Pawła II Pierwszą Komunię Świętą.

Stadion Azteków mógł pomieścić z trudem tylko 150 tys. chętnych na spotkanie z Papieżem. Ci, dla których brakło wejściówek, ustawili się wzdłuż 15-kilometrowej trasy przejazdu papieskiego samochodu. Ponad 6 mln osób pozdrawiało Jana Pawła II. Na stadionie przez kilka godzin trwała wielka feta okraszona barwnymi inscenizacjami widowisk, nawiązujących do historii i współczesności Ame-

Meksyk: „Dzisiaj mogę czuć się Meksykaninem"

ryki. Choreografia ich oparta była na tańcach indiańskich i hiszpańskich. Wystąpienia Papieża przeplatały satelitarne transmisje z różnych miejsc na kontynencie amerykańskim, które śledzono na umieszczonych na stadionie wielkich ekranach. Znane osobistości świata kultury, nauki i polityki wypowiadały się na temat wiary. Wraz z zapadnięciem zmroku na trybunach rozbłysły tysiące świateł, a kilkaset osób z zapalonymi świecami zbliżyło się do podium z Ojcem Świętym. Z tłumu niespodziewanie wybiegła mała dziewczynka. Dotarłszy do Jana Pawła II, ofiarowała mu pluszowego misia. „Juan Pablo, hermano, ya eres Mexicano – Janie Pawle, Bracie, już jesteś Meksykaninem" – skandowano. On odpowiedział: „Dzisiaj mogę czuć się Meksykaninem".

Drugi etap papieskiej pielgrzymki prowadził do amerykańskiego St. Louis. Na lotnisku przywitał go z należnymi głowie państwa honorami prezydent Bill Clinton. Swoje przemówienie prezydent zakończył po polsku życzeniami „stu lat i więcej". Ojciec Święty odparł: „Tak, sto lat, ale powoli".

Była to siódma wizyta Jana Pawła II w USA. Przewodnim mottem tej podróży były słowa zaczerpnięte z listu apostolskiego „Tertio millennio adveniente" – „Aby wszyscy mieli udział w zbawczej mocy". Na szczególną uwagę zasługują dwa spotkania Papieża: z młodzieżą oraz ze 100-tysięczną rzeszą wiernych podczas

Mszy św. odprawionej na stadionie Trans World Dome. Szczególnie serdeczna atmosfera towarzyszyła rozmowie Ojca Świętego z młodymi ludźmi. Na zakończenie spotkania podarowano dostojnemu gościowi koszulkę drużyny hokejowej St. Louis Jazz z numerem „1" oraz kij do gry w hokeja.

PIELGRZYMKA 86.
7–9 maja 1999 r.
RUMUNIA: Bukareszt

Jan Paweł II odwiedził kolejne wspólnoty wiernych, które zaznały komunistycznych prześladowań. Nie to jednak stanowiło o historycznym znaczeniu tej pielgrzymki, lecz fakt, że Papież udał się po raz pierwszy do kraju w zdecydowanej większości zamieszkałego przez chrześcijan prawosławnych. O tę podróż Ojciec Święty zabiegał od dawna, a przygotowania do niej przechodziły różne koleje. Najdłużej z wysłaniem stosownego zaproszenia zwlekał właśnie Kościół prawosławny. W końcu jednak osobiste zabiegi Jana Pawła II przełamały niechęć i 7 maja 1999 r. papieski samolot wylądował na bukareszteńskim lotnisku Baneasa. „To marzenie spełnia się dzisiaj" – całując ziemię rumuńską Ojciec Święty wypowiedział te słowa, które wprawiły w zdumienie witających. Moment ten odbił się szerokim echem w środkach społecznego przekazu na całym świecie.

Gestem mającym szczególne znaczenie na drodze do pełnej jedności była wspólna modlitwa Papieża z Teoktystem, patriarchą Rumuńskiego Kościoła Prawosławnego, oraz innymi biskupami prawosławnymi, którzy wzięli udział w sprawowanej przez Jana Pawła II Mszy św., a także asysta Ojca Świętego przy Służbie Bożej, której przewodniczył rumuński patriarcha. Co ciekawe, ze względu na ikonostas, zazwyczaj sprawowana w cerkwi Służba Boża tym razem została przeniesiona na otwartą przestrzeń, gdzie zgromadziło się ponad 70 tys. wyznawców obu siostrzanych Kościołów.

Wierni żywo reagowali na bezprecedensowe wydarzenia, które rozgrywały się na ich oczach. Kiedy przed wyznaniem wiary Patriarcha i Papież wymienili uścisk pokoju, zebrani na placu Unirii zaczęli spontanicznie klaskać. Kilka godzin później na Mszę św. na stołecznym placu Podul Izvor przybyło trzykrotnie więcej ludzi. Wśród nich byli katolicy z całej Rumunii (najwięcej z nich zamieszkuje Transylwanię i Mołdawię) oraz pielgrzymi z kilkunastu krajów. Tym razem Ojcu Świętemu przy ołtarzu asystował patriarcha Teoktyst. Obaj na zakończenie

Marzenia Ojca Świętego spełniły się – Jan Paweł II przybył do Rumunii

Eucharystii udzielili zgromadzonym błogosławieństwa. To były namacalne dowody na dokonujący się proces odtwarzania jedności Europy, przeciętej liniami podziałów między protestancką Północą, katolickim Południem i prawosławnym Wschodem.

Pobyt w Bukareszcie stał się dla Papieża okazją do złożenia hołdu męczennikom z czasów komunistycznego reżimu. Na miejskim cmentarzu Belu Biskup Rzymu modlił się przy grobach kard. Iuliu Hossu (1885–1970) i zamęczonego w więzieniu bp. Vasile Aftenie (1899–1950). Na cmentarzu zebrali się wszyscy biskupi obrządku wschodniego, a przy wejściu do kaplicy umieszczono fotografie 7 zamordowanych przez reżim biskupów, których proces kanonizacyjny rozpoczęto w 1996 r. Ojciec Święty pochylił też głowę na cmentarzu Bohaterów, gdzie pochowanych jest ok. 300 osób, które zginęły podczas powstania przeciwko reżimowi Ceauşescu w 1989 r.

W katolickiej katedrze pw. św. Józefa, gdzie sprawowana była Służba Boża, doszło do wzruszającego spotkania Jana Pawła II z przykutym do inwalidzkiego wózka 87-letnim kard. Alexandru Todeą. W 1950 r. potajemnie wyświęcony na biskupa w baptysterium katedry, został niebawem aresztowany i 14 lat spędził w więzieniu, a następne 25 lat pod policyjnym nadzorem, aż do upadku reżimu. Papież nazwał go „symbolem bohaterskiej wytrwałości rumuńskiego Kościoła".

PIELGRZYMKA 87.
5–17 czerwca 1999 r.

POLSKA: Gdańsk, Sopot, Pelplin, Elbląg, Licheń, Bydgoszcz, Toruń, Ełk, Wigry, Siedlce, Drohiczyn, Warszawa, Sandomierz, Zamość, Radzymin, Łowicz, Sosnowiec, Kraków, Stary Sącz, Wadowice, Gliwice, Częstochowa

Była to najdłuższa z dotychczasowych podróż apostolska Ojca Świętego do ojczyzny, podczas której odwiedził aż 22 miejscowości. Nie zabrakło podniosłych, ale także dramatycznych momentów, kiedy z powodu nagłej choroby Jan Paweł II nie pojawił się przy ołtarzu na krakowskich Błoniach, oraz bezprecedensowych zdarzeń, takich jak choćby zaproszenie prezydenta Aleksandra Kwaśniewskiego do papamobile. Hasłem siódmej z kolei pielgrzymki Papieża do rodzinnego kraju było przesłanie: „Bóg jest miłością", zaś tematem – osiem ewangelicznych błogosławieństw. Jan Paweł II uświetnił obchody 1000-lecia

Licheń

kanonizacji św. Wojciecha i milenium powstania pierwszych struktur kościelnych. Uczestniczył w zamknięciu II Synodu Plenarnego. Dokonał też beatyfikacji 108 męczenników z czasów drugiej wojny światowej, wyniósł do chwały ołtarzy ks. Stefana Wincentego Frelichowskiego, Edmunda Stanisława Bojanowskiego i Reginę Protmann oraz kanonizował bł. Kingę. W tych doniosłych uroczystościach uczestniczyło ponad 10 mln wiernych, nie sposób natomiast zliczyć tych, którzy towarzyszyli Papieżowi na każdym etapie jego podróży.

W niezwykle napiętym programie pielgrzymki dały o sobie znać zmęczenie i ślady pogłębiającej się choroby Ojca Świętego. W 11. dniu podróży z powodu niedyspozycji nie mógł on uczestniczyć na krakowskich Błoniach w uroczystej Mszy św. z okazji 1000-lecia istnienia tamtejszej diecezji oraz w zaplanowanym spotkaniu z wiernymi w Gliwicach. Niespodziewanie pojawił się na Śląsku dwa dni później, na krótko przed zakończeniem wizyty. W kilka godzin zorganizowano ponownie spotkanie, w którym uczestniczyło blisko pół miliona ludzi wdzięcznych mu za sprawienie tak niezwykłej niespodzianki.

Swą podróż, która – jak wielu twierdziło – miała być ostatnią do Polski, Jan Paweł II rozpoczął od Trójmiasta. „Raduję się, że to pielgrzymowanie rozpoczyna się w Gdańsku, mieście, które weszło na zawsze w dzieje Polski, Europy a może nawet i świata" – mówił podczas powitania na lotnisku w Rębiechowie. Na sopockim hipodromie zbudowano imponujący ołtarz według projektu prof. Mariana

Wystąpienie Ojca Świętego w Sejmie

Kołodzieja, przedstawiający symbolicznie Trójcę Świętą w postaci gołębicy. Po obu stronach ogromnej konstrukcji wyrastał las drewnianych kapliczek, świątków, krzyży wyrzeźbionych przez artystów ludowych z całego Pomorza. Już na początku homilii wygłoszonej do 700 tys. wiernych z ust Ojca Świętego padły słowa, które od razu zapadły w pamięć: „Nie ma solidarności bez miłości. Więcej, nie ma szczęścia, nie ma przyszłości człowieka i narodu bez miłości".

Gmach Sejmu stał się miejscem historycznej wizyty głowy Kościoła na forum narodowego parlamentu. Witany owacyjnie przez przedstawicieli obu izb, rząd oraz wszystkich żyjących prezydentów – Kaczorowskiego, Jaruzelskiego, Wałęsę i Kwaśniewskiego – Papież wezwał do odpowiedzialnego korzystania w życiu publicznym z odzyskanej wolności i powszechnej współpracy dla wspólnego dobra. Przypomniał, że „integracja Polski z Unią Europejską była od samego początku wspierana przez Stolicę Apostolską". Gdy na zakończenie sala zaintonowała „Marsz, marsz Dąbrowski, z ziemi włoskiej do Polski", Ojciec Święty zażartował: „Nikt nie przypuszczał, że w takim umundurowaniu...", a po gromkich brawach dodał: „Ale się nam wydarzyło!".

Podczas tej podróży wydarzyło się jeszcze niejedno.

Przed wizytą w parlamencie Jan Paweł II poświęcił 32-metrowy pomnik Polskiego Państwa Podziemnego i Armii Krajowej. Na Umschlagplatzu, z którego w czasie wojny Niemcy wywieźli na stracenie ponad 300 tys. Żydów z warszawskiego getta, Papież modlił się w skupieniu. Później rozmawiał z przedstawicielami społeczności żydowskiej, wśród których był przywódca powstania w getcie Marek Edelman. Były też modlitwy pod Pomnikiem Poległych i Pomordowanych na Wschodzie oraz w Radzyminie przy mogiłach z prochami około tysiąca żołnierzy – ofiar wojny polsko-bolszewickiej 1920 r. „Wiecie, że urodziłem się w roku 1920, w maju, w tym czasie, kiedy bolszewicy szli na Warszawę – mówił Jan Paweł II do zebranych, wśród których były między innymi córka marszałka Józefa Piłsudskiego Jadwiga Jaraczewska i wnuczka Joanna Onyszkiewicz. – I dlatego noszę w sobie od urodzenia wielki dług w stosunku do tych, którzy wówczas podjęli walkę z najeźdźcą i zwyciężyli, płacąc za to swoim życiem".

Udział niedysponowanego dzień wcześniej Ojca Świętego w kanonizacji bł. Kingi w Starym Sączu do ostatniej chwili stał pod znakiem zapytania. Ale gdy na błoniach beskidzkiego miasta stanął w złotym ornacie, radość 600 tysięcy wiernych nie miała granic. Na tę okazję przybyły z założonego przez św. Kingę klasztoru siostry klaryski. Po raz pierwszy w 700-letniej historii opuściły ten zamknięty klasztor. Przed pożegnaniem Papież wspominał... turystyczne szlaki: „(...) wychodzimy na Prehybę, a z Prehyby schodzimy albo zjeżdżamy na nartach". Wspomnienia kontynuował w rodzinnych Wadowicach, gdzie bawił i wzru-

Ul. Franciszkańska 3, najsłynniejsze okno w Krakowie

szał opowieściami o szkole, teatrze, przyjaciołach i słynnych kremówkach, na które chodził z kolegami po maturze.

Wspomnienia z młodzieńczych spływów kajakowych na Mazurach odżyły podczas krótkiego odpoczynku nad Wigrami. Przed laty pojawiał się tam z grupą studentów jako Wujek. Teraz zaskoczył wszystkich, kiedy złożył niespodziewanie wizytę rodzinie Bożeny i Stanisława Milewskich z małej podsuwalskiej wsi Leszczewo, w ich skromnym drewnianym domu.

Niezwykłe też było spotkanie Jana Pawła II z delegacją polskich sportowców w Elblągu. W ich imieniu mistrz olimpijski w chodzie Robert Korzeniowski ofiarował Ojcu Świętemu piłkę nożną i do gry w siatkówkę, buty turystyczne, wiosło kajakowe i nartę, nawiązując do ulubionych dyscyplin Karola Wojtyły, oraz swój prawy but z pary, w której zdobywał mistrzowskie tytuły.

W Ełku, z ołtarza przypominającego łódź, przemawiał do ćwierć miliona wiernych, w tym kilku tysięcy przybyłych z Litwy. W najbardziej poruszającym fragmencie homilii, wygłoszonej również w języku litewskim, powiedział: „Nie zatwardzajmy serc, gdy słyszymy krzyk biednych. Starajmy się usłyszeć to wołanie. Starajmy się tak postępować i tak żyć, by nikomu w naszej Ojczyźnie nie brakło dachu nad głową i chleba na stole, by nikt nie czuł się samotny, pozostawiony bez opieki".

W rodzinnych Wadowicach

Nie tylko do Ełku przybywali wierni z państw byłego ZSRR. W Pelplinie, Siedlcach i Drohiczynie widoczne były kilkutysięczne grupy Rosjan, Białorusinów i Ukraińców.

Zanim w Krakowie poinformowano o infekcji wirusowej Jana Pawła II, nieomal nie zostało odwołane także spotkanie w Sandomierzu. Rano, przed odlotem, w łazience Papież stracił równowagę, upadł i rozciął sobie prawą skroń. Z założonymi szwami, w 40-stopniowym upale dzielnie trwał jednak do końca Mszy. A warto wiedzieć, że jego nieprzewiewne szaty liturgiczne ważą blisko 20 kilogramów! Pomimo gorączki spotkał się też z 300-tysięczną rzeszą ludzi w Sosnowcu. Nazajutrz nie był w stanie jednak stanąć przy ołtarzu. Mszę dla półtora miliona wiernych, oczekujących Ojca Świętego na krakowskich Błoniach, w jego zastępstwie odprawił watykański sekretarz stanu kard. Angelo Sodano. Ale już wieczorem z okna pałacu biskupiego Jan Paweł II pozdrowił niestrudzoną wyczekiwaniem młodzież.

W drodze do Balic i przed płytą lotniska Papieża żegnało pół miliona ludzi. Wzruszenia nikt nie potrafił ukryć. Ojciec Święty również ukradkiem ocierał łzę. „Ojczyzno, moja ziemio umiłowana, bądź błogosławiona” – łamiącym głosem powiedział na pożegnanie. Nie, nie na pożegnanie, lecz na do widzenia.

PIELGRZYMKA 88.
19 września 1999 r.

SŁOWENIA: Maribor

Tylko 10 godzin trwała druga podróż Jana Pawła II do Słowenii. W 1996 r. odwiedził on Lublanę, Postojną i Maribor. Tym razem przyjechał tylko do Mariboru, gdzie dokonał beatyfikacji pierwszego Słoweńca – bp. Antoniego Marcina Slomska (1800–1862).

Ołtarz ustawiono na równinie Batnava, w połowie drogi między miejscowym lotniskiem a centrum miasta. Na uroczystości przybyło ok. 250 tys. wiernych z całego kraju, pielgrzymi z Austrii, Chorwacji, Węgier, Włoch, a także delegacje chrześcijan innych wyznań – protestanci i prawosławni.

Biskup Antoni Marcin Slomsek to duchowy ojciec narodu słoweńskiego, uznawany za prekursora ruchu ekumenicznego i jednego z twórców narodowej kultury. W 1859 r. przeniósł on do Mariboru istniejącą od XIII w. stolicę diecezji Lavant.

Maribor, Słowenia. 19 września 1999

Przedstawiając w homilii zasługi bp. Slomska, Papież mówił o nim: „Z apostolską gorliwością, która do dziś jest dla nas przykładem, prowadził niestrudzenie dzieło ewangelizacji, organizując misje ludowe, zakładając liczne bractwa, głosząc rekolekcje, publikując pieśni ludowe i pisma religijne. Był w najpełniejszym tego słowa znaczeniu pasterzem katolickim, a przełożeni kościelni powierzali mu ważne funkcje duszpasterskie także w innych regionach ówczesnego państwa".

Ojciec Święty wykorzystał wypowiedź błogosławionego do odniesienia się również do współczesnych problemów kontynentu europejskiego. „Pragnę przypomnieć tu słowa, które bp Slomsek wypowiedział kiedyś podczas misji ludowych: «Mówią, że świat się zestarzał, ludzkość zeszła na manowce, Europa chyli się ku upadkowi. I będzie to prawdą, jeśli pozostawimy ludzkość jej własnemu losowi, na zgubnej drodze, którą zmierza. Ale nie będzie tak, jeżeli moc z wysoka, zachowana w religii Jezusa, w Jego Kościele, zstąpi ponownie na wszystkie stany ludzkości i przywróci im życie»". Dlatego Papież podkreślił, że proces zjednoczeniowy w Europie „nie może się opierać wyłącznie na interesach ekonomicznych, ale winien czerpać inspirację z wartości chrześcijańskich, w których tkwią jego najgłębsze i najbardziej autentyczne korzenie. Europa wrażliwa na potrzeby człowieka i w pełni szanująca jego prawa – oto cel, ku któremu winny zmierzać wasze wysiłki!".

Po ogłoszeniu formuły beatyfikacyjnej odśpiewano hymn „Moją ojczyzną jest niebo", skomponowany przez bp. Slomska.

W procesji z darami wierni przynieśli, między innymi przeznaczony do bazyliki św. Piotra, 14-metrowej długości obrus ołtarzowy, misternie ozdobiony przez miejscowych artystów.

PIELGRZYMKA 89.
5–9 listopada 1999 r.

INDIE (5–8 XI): New Delhi
GRUZJA (8–9 XI): Tbilisi, Mccheta

Ostatnia zagraniczna podróż Jana Pawła II przed rozpoczęciem obchodów Wielkiego Jubileuszu Roku 2000 była niezwykła chociażby z dwóch powodów. Po pierwsze, w Indiach, które odwiedził po raz drugi za swego pontyfikatu (po raz pierwszy w 1986 r.), przekazał Kościołom katolickim Azji, skupiającym niespełna 3 proc. ogółu ludności, posynodalną adhortację

Indie, New Delhi

apostolską „Ecclesia in Asia". To ogromnej wagi dokument, wytyczający drogi nowej ewangelizacji na tym ogromnym kontynencie. Po drugie, do symbolu urasta pobyt Papieża w Gruzji. Dziesięć lat po historycznych wydarzeniach zapoczątkowanych w Polsce, Ojciec Święty przybył do rodzinnego kraju Stalina, który podobno pytał kiedyś: „Ile dywizji ma papież?".

Swój pobyt w New Delhi Jan Paweł II rozpoczął od złożenia wizyty zwierzchnikom państwa, po czym udał się do Raj Ghat – mauzoleum Mahatmy Gandhiego, które znajduje się w miejscu, gdzie zostały spalone zwłoki legendarnego przywódcy Indii, zastrzelonego przez zamachowca w 1948 r. Na płycie mauzoleum wyryto jego słowa, które stanowią wyliczankę siedmiu grzechów życia publicznego: „Polityka bez zasad; Bogactwo bez pracy; Przyjemność bez sumienia; Mądrość bez charakteru; Handel bez moralności; Nauka bez człowieczeństwa; Kult bez ofiary". Zgodnie z obowiązującym ceremoniałem, Papież boso zbliżył się do płyty mauzoleum i posypał ją płatkami róży, po czym przez dłuższą chwilę modlił się w skupieniu.

Następnego dnia Ojciec Święty przewodniczył Eucharystii, która wieńczyła prace Specjalnego Zgromadzenia Synodu Biskupów poświęconego Azji. W homilii nawiązał do hinduistycznego święta świateł – Diwali – obchodzonego na zakończenie pory deszczowej jako dzień zwycięstwa życia nad śmiercią. Wielkim przeżyciem dla kilkudziesięciu tysięcy biorących udział we Mszy św. było włączenie do liturgii miejscowych śpiewów i tańców.

Do Gruzji, obchodzącej jubileusz 3000-lecia istnienia, Papież przybył w 10. rocznicę upadku muru berlińskiego. Został zaproszony do odwiedzenia tego kraju przez prezydenta Eduarda Szewardnadze i katolikosa-patriarchę Eliasza II, którzy wcześniej przyjęci byli na audiencji w Watykanie. Początki chrześcijaństwa w Gruzji sięgają IV w., kiedy to dzięki świadectwu kobiety, św. Ninony, król Mirian i cały naród nawrócili się na wiarę Chrystusa. Już w V w. istniał tam autokefaliczny Kościół gruziński. Pozbawiony niezależności przez carów rosyjskich i prześladowany przez 70 lat przez komunizm, dopiero po 1991 r. zaczął się odradzać. Obecnie jego wierni stanowią ok. 65 proc. ludności, ale samych katolików jest w Gruzji nieco ponad 100 tys., czyli niespełna 2 proc. mieszkańców.

Epokowym znakiem nowych czasów były słowa wypowiedziane podczas powitania Ojca Świętego przez prezydenta Szewardnadze: „Agenci imperializmu i totalitaryzmu nie zdołali stłumić przywiązania gruzińskiego narodu do świętych ideałów wolności, sprawiedliwości i tolerancji ani wiary w Boga".

Niezwykle ważne były też spotkania Jana Pawła II z katolikosem-patriarchą Eliaszem II, które zaowocowały podpisaniem wspólnej deklaracji w sprawie pokoju w świecie i na Kaukazie.

Podczas swego krótkiego pobytu w Gruzji Papież odwiedził XI-wieczną patriarchalną katedrę w Mcchecie, gdzie według miejscowej tradycji przechowywana jest szata Chrystusa. Punktem centralnym zaś tej pielgrzymki była Msza św. odprawiona w Pałacu Sportu w Tbilisi, na którą przybył prezydent Szewardnadze, wysocy dostojnicy państwowi, przedstawiciele korpusu dyplomatycznego oraz rzesze wiernych z całego Kaukazu. Byli wśród nich katolicy obrządku łacińskiego i chaldejskiego oraz przedstawiciele innych wyznań i religii. Nie zabrakło również wiernych polskiego pochodzenia z Gruzji, Armenii i Azerbejdżanu. W czasie liturgii posługiwano się językiem gruzińskim, ale także ormiańskim, azerskim, asyryjskim, rosyjskim i angielskim. Homilię Ojciec Święty wygłosił po włosku.

PIELGRZYMKA 90.
24–26 lutego 2000 r.

EGIPT: Kair, Góra Synaj

S woje jubileuszowe pielgrzymowanie Jan Paweł II rozpoczął od wędrówki śladami Mojżesza. Kulminacyjnym punktem tej niezwykłej podróży było nawiedzenie klasztoru św. Katarzyny, położonego u stóp biblijnej góry

Synaj, na której Pan Bóg objawił się Mojżeszowi i przekazał ludowi swe Prawo, zawarte w Dekalogu.

W 1965 r. abp Karol Wojtyła zwiedzał Ziemię Świętą, ale nie był na Synaju. Przelatywał nad nim jedynie samolotem w drodze do Jerozolimy. Tamtą pielgrzymkę Ojciec Święty utrwalił w poemacie pt. „Wędrówka do miejsc świętych". Teraz mógł spełnić swe marzenia.

Okolice Synaju są kolebką chrześcijańskiego monastycyzmu. Już w pierwszych wiekach istniały tam pustelnie i wspólnoty anachoretów, a w VI w. na miejscu płonącego krzewu, w którym Bóg ukazał się Mojżeszowi, cesarz Justynian zbudował klasztor otoczony murem obronnym. Są w nim przechowywane relikwie św. Katarzyny, która poniosła śmierć męczeńską w Aleksandrii w czasie prześladowań wszczętych przez cesarza Dioklecjana.

Papież został tam bardzo serdecznie przyjęty przez wspólnotę 23 mnichów greckoprawosławnych, którzy opiekują się klasztorem. Wchodząc do „kaplicy płonącego krzewu", zgodnie z obyczajem, Jan Paweł II zdjął buty, ucałował ziemię i dłuższą chwilę pogrążył się w modlitwie, rozważając zapewne słowa, jakimi Bóg objawił Mojżeszowi tajemnicę swego bytu: „Jestem, który Jestem". Następnie zdjął z palca pierścień i dotknął nim relikwii św. Katarzyny. Mnisi pokazali mu najcenniejsze skarby przechowywane w klasztorze – ikony, sprzęt liturgiczny i biblijne rękopisy, między innymi sławny „Codex Sinaiticus".

Po przejściu do gaju oliwnego, znajdującego się we wnętrzu murów klasztornych Jan Paweł II przewodniczył Liturgii Słowa, w której uczestniczyła spora grupa pielgrzymów z Polski.

Podróż Papieża do Egiptu, oprócz wymiaru jubileuszowego, miała wyraźny charakter ekumeniczny i stanowiła kolejny krok na drodze dialogu z muzułmanami i ku jedności z innymi Kościołami chrześcijańskimi. Sytuacja chrześcijaństwa w tym kraju jest dosyć skomplikowana. Początki tamtejszego Kościoła sięgają I w. i związane są z działalnością św. Marka Ewangelisty, który założył biskupstwo w Aleksandrii, uznawane za drugą po Rzymie stolicę chrześcijaństwa. W 451 r., gdy Sobór Chalcedoński potępił herezję monofizytyzmu, rozpowszechnioną wówczas w Egipcie, część wiernych wraz z patriarchą Aleksandrii zerwała łączność z Kościołem powszechnym, dając początek niezależnemu Kościołowi koptyjskiemu, zwanemu ortodoksyjnym. Ci zaś chrześcijanie, którzy przyjęli uchwały Soboru i noszą miano melchitów, zerwali łączność z Rzymem w XIII w. i należą do kręgu Kościołów prawosławnych. Z kolei ruch unijny wśród koptów monofizyckich doprowadził do powstania katolickiej wspólnoty koptyjskiej i patriarchatu obejmującego terytorium Egiptu i Etiopii. W Egipcie istnieją ponadto inne katolickie wspólnoty – łacińska, greckomelchicka, maronicka, syryjska, chaldejska oraz ormiańska. Chrześcijanie należą jednak do mniejszości. Dominują muzułmanie, którzy stanowią ponad 90 proc. 65-milionowej ludności.

Celowi ekumenicznemu papieskiej pielgrzymki sprzyjały liczne spotkania ze zwierzchnikami największych wspólnot religijnych kraju, a także wspólne modlitwy. Msza św. podczas drugiego dnia podróży w kairskim Pałacu Sportu zgromadziła ponad 20 tys. wiernych przybyłych z całego kraju. Byli wśród nich również uchodźcy z Sudanu. Wyjątkowość wydarzenia polegała także na tym, że była to pierwsza w Egipcie Msza św. sprawowana poza murami kościoła.

Tuż po powrocie do Rzymu, podczas tradycyjnej audiencji generalnej poświęconej zakończonej pielgrzymce, niestrudzony Jan Paweł II zapowiedział następną podróż. Po górze Synaj kolej na Górę Błogosławieństw w Galilei. Nie może być inaczej, bo przecież „błogosławieństwa są ewangelicznym dopełnieniem Prawa nadanego na Synaju" – wyjaśniał swoje najbliższe zamierzenie największy Pielgrzym naszych czasów.

PIELGRZYMKA 91.
20–26 marca 2000 r.

ZIEMIA ŚWIĘTA
JORDANIA (20–21 III): Amman, Wadi Al-Kharrar
IZRAEL (21–26 III):   Tel Awiw, Al-Maghtas, Betlejem, Deheisheh,
                           Jerozolima, Tabgha, Kafarnaum, Korazim, Nazaret

N iedługo po pielgrzymce na górę Synaj, gdzie Bóg dwukrotnie objawił się Mojżeszowi, przepowiadając nadejście Mesjasza, Jan Paweł II udał się do Ziemi Świętej. Podróż w Roku Wielkiego Jubileuszu była niesamowitą w swej wymowie wędrówką śladami Chrystusa.

Rozpoczął ją Ojciec Święty od nawiedzenia miejsc w dzisiejszej Jordanii. Podążył tropami patriarchów – Abrahama, Izaaka, Jakuba oraz Mojżesza. Dotarł do ziemi, po której chodził Jezus i skąd z Ewangelią wyruszyli w świat Jego uczniowie. Pierwsze kroki z lotniska w Ammanie skierował na górę Nebo. Z niej – według tradycji – Mojżesz oglądał ziemię obiecaną po 40-letniej wędrówce przez pustynię. Od 1932 r. znajduje się tam franciszkański klasztor i ośrodek badań archeologicznych. Prowadzone wykopaliska dowodzą istnienia tam chrześcijańskiego kultu już w początkach IV w. Wśród odkrytych zabytków wyróżnia się bazylika Mojżesza, wybudowana na fundamentach budowli z okresu klasycznego. Stamtąd Papież wyruszył w kierunku doliny Wadi Al-Kharrar, gdzie św. Jan udzie-

Bazylika Narodów

Pielgrzymka do Ziemi Świętej w marcu 2000 r.

lał chrztu w wodach Jordanu. Do posłannictwa św. Jana Chrzciciela nawiązywała Eucharystia, podczas której szczególne chwile przeżyło ponad 2 tys. dzieci, przystępujących do Pierwszej Komunii Świętej Ołtarz na ammańskim stadionie podobny był do szeroko rozłożonego namiotu. Nad tronem papieskim umieszczono obraz przedstawiający św. Jana Chrzciciela, patrona Jordanii. W czasie liturgii Jan Paweł II pobłogosławił wodę zaczerpniętą z Jordanu, tej samej rzeki, w której został ochrzczony Jezus.

Kolejnym etapem tej wędrówki było Betlejem, miejsce narodzenia Jezusa, oraz Wieczernik. Jak głosi tradycja sięgająca III w., w tym domu, w „sali na górze", Jezus spożył z uczniami Ostatnią Wieczerzę, która była zarazem pierwszą Eucharystią rodzącego się Kościoła. W tej samej sali Chrystus ukazał się apostołom po zmartwychwstaniu i tam też otrzymali wraz z Maryją dar Ducha Świętego. Podczas sprawowanej Eucharystii Ojciec Święty powtórzył słowa Jezusa: „Gorąco pragnąłem spożyć tę Paschę z wami" (Łk 22,15).

Na Górze Błogosławieństw powitało Papieża ponad 100 tys. młodych ludzi. Wielu czekało całą noc, cierpliwie znosząc ulewny deszcz i przenikliwy chłód. Największą grupę stanowiła młodzież przybyła z krajów całego Bliskiego Wschodu oraz ponad 40 tys. członków ruchu neokatechumenalnego. Obecni byli też wyznawcy prawosławia, protestanci, żydzi i muzułmanie. Z Libanu przybyli żołnierze pokojowych oddziałów ONZ, wśród których było wielu Polaków. W Liturgii Słowa odczytano Mateuszową wersję ośmiu błogosławieństw.

Następnie Papież podążył brzegiem Jeziora Galilejskiego. Odwiedził Tabghę, gdzie Jezus wygłosił swoją pierwszą mowę. Ołtarzem, w wybudowanym tam w 350 r. kościele, jest skała, na której – jak głosi tradycja – Jezus dokonał rozmnożenia chleba. Stamtąd Ojciec Święty udał się do kościoła Prymatu Piotra, miejsca, gdzie przed dwoma tysiącami lat Jezus powierzył władzę pasterską Piotrowi. Tego samego dnia Biskup Rzymu dotarł do domu Piotra w Kafarnaum. Po prostej chacie rybaka i wzniesionym później na tym miejscu kościele zostały tylko ruiny, zabezpieczone przez pracujących archeologów. Nazaret Papież nawiedził w uroczystość Zwiastowania, burząc nieco chronologię wędrówki, a następnie modlił się w bazylice Getsemani. Przyklęknął przy kamieniu, który miał być świadkiem modlitwy Jezusa na kilka godzin przed męką i śmiercią.

Ostatnią pielgrzymkową stacją była Golgota. Tam, w bazylice Grobu Świętego, Jan Paweł II modlił się w pustym grobie Chrystusa, natomiast Msza św., wieńcząca niejako całą podróż, została odprawiona w kaplicy ukazania się zmartwychwstałego Jezusa.

Papieska podróż do Ziemi Świętej miała nade wszystko charakter religijny i duchowy, ale stała się też okazją do refleksji nad dramatami narodów zamieszkujących te obszary. Ojciec Święty spotkał się z królem Jordanii, przywódcą Autonomii Palestyńskiej, odwiedził jeden z obozów uchodźców palestyńskich, rozmawiał z prezydentem i premierem Izraela. Wymownymi gestami było pojawienie się Papieża w Instytucie Pamięci Yad Vashem, upamiętniającym zagładę 6 mln Żydów w czasie drugiej wojny światowej oraz modlitwa pod ścianą płaczu. Jan Paweł II, podobnie jak tysiące Żydów odwiedzających to miejsce, złożył w szczelinach muru swoją kartkę z modlitwą i prośbami.

Na uroczystości w Yad Vashem przybył między innymi Jerzy Kluger, przyjaciel Ojca Świętego z lat szkolnych, oraz Edith Tzirer, urodzona i mieszkająca przed wojną w Wadowicach. Niepowtarzalny klimat stworzyły zgromadzone tam dzieci. Chóry młodzieży izraelskiej, muzułmańskiej i chrześcijańskiej wykonały razem skomponowaną na tę okazję kantatę: „Jerozolima, miasto pokoju".

PIELGRZYMKA 92.
12–13 maja 2000 r.
PORTUGALIA: Lizbona, Fatima

W Fatimie Jan Paweł II był wcześniej dwukrotnie – w 1982 i 1991 r. Podczas trzeciej pielgrzymki beatyfikował dwójkę dzieci – Hiacyntę i Franciszka, które wraz z kuzynką Łucją, zmarłą 13.02.2005 r., byli w 1917 r. świadkami objawień Matki Bożej w Cova da Iria. Niespodziewanie dla całego świata Papież zdecydował wtedy o ujawnieniu trzeciej tajemnicy fatimskiej. Wynikało z niej między innymi, że Matka Boska przepowiedziała zamach na niego.

Na zakończenie Mszy św., w której uczestniczyło ponad milion wiernych przybyłych z całego świata, głos zabrał watykański sekretarz kard. Angelo Sodano. Wystąpienie to wywołało sporo emocji, ale również i rozmaite spekulacje, dotyczące głównie tego czy ujawniono interpretację całej tajemnicy. „Ojciec Święty polecił mi, abym przy tej uroczystej okazji (...) przekazał wam, co następuje – mówił kardynał. – Jak wiadomo, przybył On do Fatimy, aby dokonać beatyfikacji dwojga pastorinhos. Pragnie jednak nadać swojej pielgrzymce także znaczenie nowego aktu wdzięczności wobec Matki Bożej za opiekę, jaką otaczała go w minionych latach pontyfikatu. Ta opieka – jak się wydaje – jest związana również z tak zwaną trzecią częścią tajemnicy fatimskiej. Tekst ten jest zapisem proroczej wizji, podobnym do proroctw biblijnych, które nie opisują szczegółowo przyszłych wydarzeń, ale syntetycznie i zwięźle ukazują na jednolitym tle fakty odległe od siebie w czasie, nie określając dokładnie ich kolejności ani długości trwania. Tak więc tekst ten nie może być odczytany inaczej, jak tylko w kluczu symbolicznym. Wizja fatimska dotyczy przede wszystkim walki systemów ateistycznych przeciw Kościołowi i chrześcijanom oraz opisuje niezmierne cierpienia świadków wiary w stuleciu zamykającym drugie millenium. Jest to niekończąca się Droga Krzyżowa, której przewodniczą papieże dwudziestego wieku. Według interpretacji samych pastorinhos, potwierdzonej też niedawno przez s. Łucję, «biskup odziany w biel», który modli się za wszystkich wiernych, to Papież. Również On, krocząc z trudem ku krzyżowi pośród ciał zabitych męczenników (biskupów, kapłanów, zakonników, zakonnic i licznych wiernych świeckich), pada na ziemię jak martwy, rażony strzałami z broni palnej".

Uroczystość beatyfikacyjna miała niezwykle doniosłą oprawę. Z Ojcem Świętym Mszę koncelebrowało wielu kardynałów, arcybiskupów i biskupów oraz około tysiąc kapłanów. W pobliżu ołtarza ustawiono cudowną figurę Matki Boskiej Fatimskiej. W Jej koronę wprawiona jest kula, która zraniła Papieża w dniu zamachu na placu św. Piotra, a którą przekazał on później sanktuarium fatimskiemu jako wotum dziękczynne za ocalenie życia. Pielgrzymi, których tak wielu nigdy wcześniej nie widziano jednorazowo przed sanktuarium, zajmowali miejsca pod gołym niebem już w przeddzień uroczystości. Bardzo tłumnie przybyła młodzież oraz chorzy. Wśród zgromadzonych była także 69-letnia Portugalka Maria Emilia Santos, cudownie uzdrowiona za wstawiennictwem Franciszka i Hiacynty z całkowitego paraliżu, na który cierpiała przez 20 lat. Z klasztoru w Coimbrze przybyła do Fatimy 93-letnia wówczas karmelitanka s. Łucja, kuzynka Franciszka i Hiacynty. Przed Mszą św. modliła się przy ich grobie, na kilka minut spotkała się też z Ojcem Świętym.

W homilii Jan Paweł II podziękował Matce Bożej za orędzie fatimskie oraz za opiekę, jaką otoczyła go 13 maja 1981 r. Wyraził też życzenie, aby orędzie przekazane światu przez nowych błogosławionych oświecało drogi ludzkości.

PIELGRZYMKA 93.
4–9 maja 2001 r.

GRECJA (4–5 V): Ateny
SYRIA (5–8 V): Damaszek, Kunejtra
MALTA (8–9 V): La Valetta, Hamrun

To była w istocie podróż do korzeni Kościoła, wyprawa, która wiodła po śladach wędrówek apostolskich św. Pawła i miała bardzo wyraźny charakter ekumeniczny. Szczególnie trudny był pierwszy etap pielgrzymki, prowadzący do Grecji, zdominowanej przez autokefaliczny Kościół prawosławny. Gromadzi on 97 proc. mieszkańców kraju, gdy katolicy greckiej narodowości stanowią zaledwie 0,5 proc. Trzeba jednak wiedzieć, że greckie prawosławie odgrywało niezwykle ważną rolę podczas wielowiekowego panowania muzułmańskiej Turcji, więc przynależność do tego Kościoła stanowi wręcz nieodłączny element greckiej tożsamości narodowej. Zachodnie chrześcijaństwo zaś obarczane jest odpowiedzialnością za to, że wyprawy krzyżowe przyczyniły się do upadku cesarstwa bizantyjskiego co pośrednio ułatwiło Turcji podbój Grecji. Jan Paweł II przełamał więc kolejną barierę – jako pierwszy w dziejach następca Piotra odwiedził tę ziemię.

Epokowym wydarzeniem był też akt prośby o przebaczenie za dawne rozłamy, jaką Papież skierował do arcybiskupa Grecji Christodoulosa. Dzięki temu lody stopniały, zrodziła się nadzieja, że zostanie otwarta droga ku pojednaniu i braterstwu. Dwa prywatne spotkania Ojca Świętego ze zwierzchnikiem greckiego prawosławia doprowadziły do podpisania wspólnej deklaracji, w której stwierdzili, że „będą zabiegać usilnie o zwycięstwo pokoju na całym świecie, o poszanowanie życia i ludzkiej godności, o solidarność z wszystkimi potrzebującymi". Słowa zapisano po grecku i angielsku. W tych też językach rozbrzmiały na ateńskim Areopagu słowa słynnej mowy św. Pawła, zapisanej w Dziejach Apostolskich. Później wspólnie też odmówiono po grecku modlitwę „Ojcze nasz".

„Z Grecji udałem się do Syrii, gdzie na drodze do Damaszku zmartwychwstały Chrystus ukazał się Szawłowi z Tarsu, przemieniając go z zaciekłego prześladowcy w niestrudzonego apostoła Ewangelii. Był to powrót do początków – jak w podróży śladami Abrahama – cofnięcie się do momentu wezwania, powołania. O tym myślałem, nawiedzając miejsce poświęcone pamięci św. Pawła" – tak Jan Paweł II relacjonował drugi etap swej pielgrzymki, który – jak przewidywali obserwatorzy – miał być trudniejszy od wizyty w Grecji. Ale także wizycie Ojca Świętego w Syrii, zamieszkałej w zdecydowanej większości przez wyznawców islamu, towarzyszyła atmosfera zrozumienia i chęć poszukiwania wspólnych wartości. Duża w tym zasługa miejscowych władz państwowych i wielkiego muftiego Syrii, który towarzyszył Papieżowi podczas bezprecedensowej wizyty w wielkim meczecie Omajjadów. Tę wielką świątynię wzniesiono w VIII w., w miejscu, gdzie poprzednio znajdowała się chrześcijańska katedra św. Jana Chrzciciela. Jego czaszka, sprowadzona wcześniej z Ziemi Świętej, została odnaleziona w czasie prac budowlanych i w miejscu znaleziska zbudowano wewnątrz meczetu mauzoleum. Jan Paweł II, po zdjęciu butów – jak nakazuje muzułmański obyczaj – wszedł do dzisiejszego meczetu i modlił się przy szczątkach św. Jana Chrzciciela, którego pod imieniem Yahya czczą również wyznawcy islamu.

Doniosłym momentem pobytu Ojca Świętego w Damaszku było ekumeniczne, modlitewne spotkanie ze zwierzchnikami Kościołów prawosławnych i przedstawicielami innych miejscowych niekatolickich wspólnot. Dzięki wielkim telebimom przebieg spotkania można było śledzić na ulicach miasta.

W Syrii nie mogło też zabraknąć modlitwy o pokój na Bliskim Wschodzie. Papież udał się nawet na oddalone zaledwie o 65 km Wzgórza Golan, gdzie spotkał się z żołnierzami kontyngentów ONZ, także Polakami. Zdecydowanie domagał się poszanowania praw narodów i sprawiedliwego pokoju. Niestety, apele te ciągle są aktualne.

Ostatnim etapem papieskiej pielgrzymki śladami św. Pawła była Malta. Na tej wyspie pośrodku Morza Śródziemnego Apostoł spędził 3 miesiące po zatonięciu okrętu, którym jako więzień płynął do Rzymu. To właśnie w pewnym sensie od ocalenia św. Pawła na brzegach Malty rozpoczęła się ewangelizacja Zachodu. Tam toczyły się zacięte walki między chrześcijaństwem i islamem, których wzajemna wrogość charakteryzowała minione wieki. Podczas swej trzeciej podróży na tę wyspę Papież beatyfikował 2 Maltańczyków – ks. Jerzego Prekę, założyciela Towarzystwa Nauki Chrześcijańskiej, i Ignacego Falzona, świeckiego katechetę, a wraz z nimi benedyktynkę, s. Marię Adeodatę Pisani. Mszę św. koncelebrowali z Janem Pawłem II kardynałowie i biskupi towarzyszący mu w podróży, biskupi maltańscy oraz ok. 900 kapłanów.

PIELGRZYMKA 94.
23–27 czerwca 2001 r.

UKRAINA: Kijów, Bykownia, Babi Jar, Lwów, Brzuchowice

J an Paweł II zabiegał o zorganizowanie tej pielgrzymki przez kilka lat. Jako zwierzchnikowi Kościoła, ale także jako Polakowi – jak podkreślał – bardzo zależało mu na odwiedzeniu Ukrainy, będącej historycznym pomostem łączącym Wschód z Zachodem.

W kolejnym kraju postkomunistycznym, w którym miniony system zaciekle zwalczał religię, zgotowano Ojcu Świętemu niezwykle serdeczne przyjęcie. Szczególnie gorąco witano go we Lwowie, gdzie podczas Mszy św. na miejscowym hipodromie zgromadziło się 1,2 mln wiernych. Ale również w Kijowie, uznawanym za kolebkę chrześcijaństwa w Europie Wschodniej, Papież spotkał się z serdecznością i sympatią zarówno członków Kościoła obrządku wschodniego, łacińskiego, jak i wyznawców innych religii.

Jan Paweł II odwiedził kilka miejsc, upamiętniających martyrologię narodu ukraińskiego. Modlił się między innymi w kijowskim parku Chwały przed pomnikiem Nieznanego Żołnierza, wzniesionym w hołdzie 6 mln ukraińskich żołnierzy poległych w czasie drugiej wojny światowej, a także 17 mln Ukraińców prześladowanych przez nazistów i komunistów. Odwiedził też podkijowską Bykownię, zwaną „ukraińskim Katyniem", gdzie znajduje się zbiorowa mogiła 150 tys. ofiar hitlerowskich i komunistycznych mordów, w tym 7 tys. polskich oficerów. Był wreszcie w Babim Jarze, miejscu kaźni ukraińskich Żydów, gdzie wraz z rabinem Jakowem Bliechem odmówił modlitwę za zmarłych.

W swych homiliach i wystąpieniach podczas wielu spotkań czy to z intelektualistami, dostojnikami państwowymi, przedstawicielami Wszechukraińskiej Rady Kościołów i Organizacji Religijnych, czy też młodzieżą, Ojciec Święty nawoływał do wzajemnego poszanowania, współpracy i jedności. Na prośbę o przebaczenie dawnych win popełnionych przez katolików wobec innych Kościołów oraz przez sąsiadujące narody, usłyszał podobne słowa ze strony kard. Lubomyra Huzara, arcybiskupa większego Lwowa obrządku ukraińsko-bizantyjskiego. „Niech przebaczenie – udzielone i uzyskane – rozleje się niczym dobroczynny balsam w każdym sercu" – wzywał Papież chrześcijan polskiego i ukraińskiego pochodzenia na zakończenie homilii podczas Mszy św. we Lwowie.

Lwów. Spotkanie z młodzieżą

Lwów. Spotkanie z młodzieżą

Na uroczystości do Kijowa, a przede wszystkim do Lwowa przybyły tysiące pielgrzymów z Polski. Przeżyli oni szczególnie doniosłe chwile, kiedy Ojciec Święty koronował obraz Matki Boskiej Łaskawej z łacińskiej katedry we Lwowie. Przed tym wizerunkiem król Jan Kazimierz złożył śluby w imieniu narodu polskiego w 1656 r., powierzając opiece Matki Bożej Królowej Korony Polskiej całą ojczyznę. Spoza Ukrainy na spotkanie z Janem Pawłem II, oprócz Polaków, przybyło wiele grup wiernych z Białorusi, Rosji, Litwy, Węgier, Mołdawii, Gruzji, Rumunii i Słowacji. Niezwykle wzruszające było spotkanie z młodzieżą. Na lwowskim osiedlu Sychów – mimo ulewnego deszczu – czekało na Ojca Świętego kilkaset tysięcy młodych ludzi. To z tamtego spotkania przypomina się żarty Papieża i intonowane przez niego ludowe piosenki polskie: „Nie lij, dyscu, nie lij" oraz „Zachodźże, słoneczko".

Już po powrocie do Rzymu, dzieląc się wrażeniami z podróży, Jan Paweł II wyznał, że niezapomnianym dla niego doświadczeniem były uroczyste liturgie eucharystyczne w obrządku łacińskim i bizantyjsko-ukraińskim, którym przewodniczył. „Było to jak gdyby przeżywanie liturgii obydwoma płucami, podobnie jak pod koniec pierwszego tysiąclecia, po chrzcie Rusi i przed bolesnym rozłamem między Wschodem i Zachodem".

Jan Paweł II był trzecim Biskupem Rzymu, który odwiedził ziemię ukraińską. Poprzedził go w I w. św. Klemens oraz w VII w. św. Marcin I. Zginęli oni jako męczennicy na Krymie.

PIELGRZYMKA 95.
22–27 września 2001 r.

KAZACHSTAN (22–25 IX): Astana
ARMENIA (25–27 IX):   Eczmiadzyn, Erewan, Chor Wirab

„Podróż miała dwojaki charakter. W Kazachstanie złożyłem wizytę duszpasterską wspólnocie katolickiej, żyjącej w kraju, którego mieszkańcy są w większości wyznawcami islamu i który dziesięć lat temu uwolnił się od twardego jarzma reżimu sowieckiego. Do Armenii udałem się jako pielgrzym, aby złożyć hołd Kościołowi o bardzo dawnych tradycjach: naród ormiański obchodzi bowiem 1700-lecie oficjalnego przyjęcia chrześcijaństwa, a swą chrześcijańską tożsamość zachował do dziś za cenę męczeństwa" – tak wyjaśniał przesłanie swej kolejnej zagranicznej pielgrzymki Jan Paweł II.

Atmosferę papieskiej wizyty w Kazachstanie, młodej posowieckiej republice, zróżnicowanej pod względem etnicznym – zamieszkuje ją ponad 100 narodowości – najlepiej oddaje Eucharystia, sprawowana na wielkim placu Matki Ojczyzny w Astanie. Uczestniczyło w niej ok. 60 tys. osób, wśród których więcej było wyznawców innych religii niż katolików. Sporą rzeszę stanowili też wierni pochodzenia polskiego, którzy przybyli na spotkanie z Ojcem Świętym z całego Kazachstanu, a nawet Syberii. „Nigdy nie byliście zapomnieni w moim sercu" – zapewniał Papież swoich rodaków. Rozważanie przed końcowym błogosławieństwem wygłosił po kazachsku, a następnie po polsku, niemiecku i rosyjsku. Miejscowe władze nadały wizycie Jana Pawła II najwyższą rangę, a najistotniejsze momenty z podróży na żywo transmitowała telewizja państwowa.

Podczas spotkania z miejscowymi intelektualistami w imieniu gospodarzy przemawiał znany pisarz kazachski Abisz Kiegielbajew, który dziękował Ojcu Świętemu za prowadzenie dialogu z islamem. Spotkanie uświetnił koncert artystów Opery i Baletu z Astany, którzy wykonali między innymi pieśń do słów wiersza Karola Wojtyły.

Znamienne słowa wypowiedział Jan Paweł II podczas spotkania z młodzieżą na Uniwersytecie Eurazji w Astanie: „Rzymski Papież przybył, by to wam powiedzieć: istnieje Bóg, który myśli o tobie i dał ci życie. Kocha cię osobiście i powierza ci świat... Powiedziano mi, że w waszym pięknym języku kazachskim kocham cię brzmi *men senen jaske korejmen*, co można przetłumaczyć: «dobrze na ciebie patrzę; moje spojrzenie na ciebie jest dobre». Ludzka miłość, ale także – na jeszcze bardziej fundamentalnym poziomie – Boża miłość do ludzkości i stworzenia, bierze się z miłosnego spojrzenia, spojrzenia, które pomaga nam widzieć dobro i prowadzi nas do czynienia dobra: «Bóg widział, że wszystko, co uczynił, było bardzo dobre»".

Podobnie jak Kazachstan, także i Armenia była ziemią, na której pierwszy raz w dziejach postawił swą stopę Biskup Rzymu. Bez precedensu był też fakt, że zwierzchnik Kościoła katolickiego zamieszkał w pałacu katolikosa w Eczmiadzynie – siedzibie głowy Kościoła wschodniego. „To dom mojego brata" – wyjaśniał Ojciec Święty.

Według tradycji Ewangelię do Armenii przynieśli apostołowie Bartłomiej i Tadeusz, a w 301 r. za sprawą św. Grzegorza Oświeciciela przyjęła ona chrzest, uznając chrześcijaństwo za religię narodową. Naród ormiański za dochowanie wierności wyznawanej wierze musiał w historii zapłacić wysoką cenę. Najstraszliwsza była masowa zagłada, jakiej zaznał na początku XX w., gdy w ciągu trzech lat wymordowano ok. półtora miliona ludzi. Pod pomnikiem ofiar masakry Jan Paweł II modlił się z katolikosem Karekinem II. Po wspólnym odmówieniu

Kazachstan

„Ojcze nasz" sławny francuski piosenkarz ormiańskiego pochodzenia – Charles Aznavour zaśpiewał „Ave Maria".

W Eczmiadzynie, małym miasteczku oddalonym o 20 km od Erewania, znajduje się katedra pochodząca z 303 r. To najstarsza świątynia ormiańska. Jak nakazuje miejscowy obyczaj pielgrzymów, Ojciec Święty nawiedził ją dwukrotnie – tuż po przybyciu do Armenii i przed opuszczeniem kraju.

Papież modlił się też w klasztorze Chor Wirab, znanym z tego, że znajduje się tam głęboka na 40 m studnia, w której król Tyridates III więził przez 13 lat św. Grzegorza Oświeciciela. Uwolnił go dopiero, gdy święty wyjednał modlitwą cudowne uzdrowienie władcy, który w efekcie nawrócił się i przyjął chrzest wraz z rodziną i całym ludem. Karekin II wręczył Ojcu Świętemu płonącą pochodnię, symbolizującą wiarę, którą Grzegorz oświecił Ormian. Po powrocie do Watykanu Jan Paweł II umieścił ją w auli Synodu Biskupów.

PIELGRZYMKA 96.
22–26 maja 2002 r.

AZERBEJDŻAN (22–23 V): Baku
BUŁGARIA (23–26 V):   Sofia, Klasztor Rylski, Płowdiw

Azerbejdżan i Bułgaria – kolejne cele pielgrzymek Jana Pawła II – to kraje o zdecydowanej mniejszości katolickiej. Obecnie jedyna w Baku parafia katolicka liczy ok. 150–300 wiernych. Posługą duszpasterską zajmowało się tam 3 słowackich salezjanów, a parafialna kaplica została utworzona z dwóch połączonych pokoi oraz sal przeznaczonych na katechizację i działalność charytatywną. Natomiast 80 tys. katolików obrządku łacińskiego oraz bizantyjskiego stanowi ok. 1 proc. ludności. Podróż ta, mając wybitnie ekumeniczny wymiar, potwierdzała głęboką troskę Biskupa Rzymu nawet o tak małe wspólnoty katolickie.

Szczególnie w Azerbejdżanie, który nawiązał stosunki dyplomatyczne z Watykanem w 1992 r., po odłączeniu się od ZSRR, wizyta papieska śledzona była z wielką uwagą. Papież złożył swoisty hołd tradycji tolerancji ludności Azerbejdżanu oraz zaapelował o pokój w pobliskim regionie Bliskiego Wschodu. Wyraził też swoje uznanie dla trzech zgodnie współistniejących w tym kraju religii monoteistycznych, a także po raz kolejny dał wyraz swej trosce o pokój: „Dopóki starczy mi głosu – mówił – będę wołał: Pokój w imię Boże".

Azerbejdżan

Papieska Msza św. – mimo garstki mieszkających w tym kraju katolików – zgromadziła ok. 4 tys. osób. Większość z nich stanowili muzułmanie. Obecni byli też przedstawiciele władz państwowych z premierem rządu i ministrem spraw zagranicznych. Do Mszy św. posługiwali dyplomaci: ambasadorzy Polski i Niemiec oraz konsul Francji. W Pałacu Sportu nie zabrakło również pielgrzymów z sąsiednich krajów. Organizatorzy pielgrzymki dołożyli wszelkich starań, aby liturgii nadać jak najbardziej uroczysty charakter. Ze stołecznego muzeum dywanów wypożyczono kilka cennych eksponatów, którymi wysłano prezbiterium. Uczyniono tak, by w ten sposób, zgodnie z azerską tradycją, udekorować miejsce modlitwy. Nad ołtarzem zawieszono specjalnie na tę okazję utkany dywan, przedstawiający tak zwany „albański krzyż" – znak istniejącego na tych ziemiach w pierwszych wiekach chrześcijaństwa Kościoła albańskiego.

W homilii Ojciec Święty przypomniał heroiczną postawę chrześcijan w Azerbejdżanie podczas komunistycznych prześladowań. Podziękował też Kościołowi prawosławnemu, który w czasach represji otworzył swe bramy przed katolikami innych krajów. Jan Paweł II poświęcił kamień węgielny pod nowy kościół w Baku. Dokładnie w przeddzień papieskiej wizyty prezydent Azerbejdżanu przyznał katolikom plac pod jego budowę. Jedyna katolicka świątynia w Baku została zburzona jeszcze w 1937 r.

Ciekawostką może być fakt, że tym razem, z uwagi na brak nuncjatury w Azerbejdżanie, Papież zatrzymał się w jednym z miejscowych hoteli.

Inna jest sytuacja chrześcijaństwa w Bułgarii, mającego wiekowe tradycje i związki z misją świętych Cyryla i Metodego, ogłoszonych przez Jana Pawła II współpatronami Europy. Zresztą do dzisiaj uroczystość ku czci obu świętych obchodzona jest tam jako państwowe święto słowiańskiej kultury i piśmiennictwa.

Z wielkim zainteresowaniem oczekiwano, jak Ojciec Święty odniesie się do hipotez wiążących zamach na jego życie w 1981 r. z działalnością bułgarskich służb bezpieczeństwa. Wszelkie domysły rozwiał podczas spotkania z prezydentem kraju Georgim Pyrwanowem. „Ze względu na szacunek, miłość i podziw, jakimi darzę naród bułgarski, nigdy nie wierzyłem w istnienie bułgarskiego śladu" – te słowa Papieża cytował cały świat.

Niezwykle ciepłe były spotkania z hierarchami dominującego w Bułgarii Kościoła prawosławnego. Na ręce abp. Symeona Jan Paweł II przekazał relikwie św. Dazjusza, rzymskiego żołnierza, który w III w. poniósł śmierć męczeńską na terenach dzisiejszej Bułgarii. Sprowadzenie relikwii św. Dazjusza do Sofii z okazji 1700. rocznicy jego śmierci było osobistym życzeniem Patriarchy. Papież przekazał też do użytku bułgarskiego Kościoła prawosławnego rzymską świątynię pw. Świętych Wincentego i Atanazego. Ze swej strony Patriarcha podarował Ojcu

Świętemu ikonę św. króla Borysa, który ok. 865 r. wraz z całą Bułgarią przyjął chrzest. Jan Paweł II odwiedził też monastyr w Ryle – duchowej stolicy Bułgarii. Zgodnie z tradycją prawosławną, po wejściu do świątyni oddał cześć starożytnej ikonie Bogarodzicy, zapalił dwie świece oraz modlił się przed relikwiami św. Jana, założyciela tego monastyru.

Część ekumeniczną pielgrzymki zakończyły spotkania ze zwierzchnikiem miejscowych muzułmanów (13 proc. społeczeństwa bułgarskiego), wielkim muftim Selimem Myumyumem Mehmedem oraz delegacją niewielkiej wspólnoty protestantów.

W imieniu katolików bułgarskich podejmowali Ojca Świętego ordynariusz Sofii i Płowdiwu bp Georgi Jowczew oraz wspólnota polskich kapucynów, którym w 1993 r. została powierzona duszpasterska opieka nad parafią katedralną. Podczas spotkania Jan Paweł II poświęcił kamień węgielny pod budowę nowej katedry, która zostanie wzniesiona na miejscu, gdzie stała pierwsza łacińska katedra w Sofii, zburzona w marcu 1944 r. Papież odwiedził wreszcie katolicką wspólnotę obrządku bizantyjsko-słowiańskiego, witany przez egzarchę apostolskiego Sofii bp. Christo Projkowa oraz emerytowanego egzarchę Metodego Stratiewa, prześladowanego i więzionego w czasach reżimu komunistycznego.

W Płowdiw, drugim co do wielkości mieście Bułgarii, centrum bułgarskiego katolicyzmu, Jan Paweł II beatyfikował trzech kapłanów ze Zgromadzenia Asumpcjonistów, rozstrzelanych w Sofii z rozkazu komunistycznych władz w nocy z 11 na 12 listopada 1952 r.: o. Kamena Wiczewa, o. Pawła Dżidżowa i o. Jozafata Sziszkowa. We Mszy św. uczestniczyło ponad 25 tys. osób. Przy ołtarzu nie umieszczono relikwii męczenników, ponieważ do tej pory nie udało się odnaleźć ich grobów. Byli natomiast ci, którzy nowych błogosławionych znali osobiście: ich uczniowie, współbracia i współwięźniowie.

Jan Paweł II pożegnał się z Bułgarią słowami, które bp Angelo Roncalli, późniejszy papież Jan XXIII, wypowiedział tuż przed swym odjazdem z tego kraju w 1934 r.: „Jeżeli ktoś z Bułgarii znajdzie się w pobliżu mojego domu nocą, pośród trudów życia, zawsze zobaczy w moim oknie zapaloną lampę. Niech zapuka, niech zapuka! Nikt go nie będzie pytał czy jest katolikiem, czy prawosławnym: brat z Bułgarii, to wystarczy. Proszę, żeby wszedł: dwa braterskie ramiona, gorące serce przyjaciela przyjmą go z radością".

PIELGRZYMKA 97.
23 lipca–1 sierpnia 2002 r.

KANADA (23–29 VII):   Toronto
GWATEMALA (29–30 VII): Gwatemala
MEKSYK (31 VII–1 VIII):   Mexico City

Niestrudzony Pielgrzym nie rezygnuje z żadnej okazji, by być tam, gdzie ludzie gromadzą się na wspólnej modlitwie. A jeśli dotyczy to młodych, nic nie może stanąć na przeszkodzie, by być wśród nich. XVII Światowy Dzień Młodzieży odbył się w kanadyjskim Toronto, czyli w miejscu najbardziej odpowiednim, wszak w języku miejscowych Indian nazwa miasta oznacza tyle, co... miejsce spotkania.

Hasłem kolejnego święta młodzieży, na które zjechało blisko pół miliona młodych ludzi ze 170 krajów, były biblijne słowa: „Wy jesteście solą ziemi... Wy jesteście światłem świata" (Mt 5,13-14). To prawdziwy fenomen, że im Papież jest starszy i bardziej schorowany, tym łatwiej nawiązuje kontakt z młodzieżą. W Toronto bezbłędnie trafił do niej apelem: „Pozwólcie złożyć nadzieję w was, drodzy moi przyjaciele".

Program pielgrzymki nie był tak przeładowany jak poprzednich podróży. Papież miał więcej czasu na odpoczynek. Jednak Ojciec Święty jest „niepoprawny". Często rezygnował z relaksu i spotykał się z przedstawicielami różnych narodowości i krajów. Był z nimi duchowo na Drodze krzyżowej, która przeszła ulicami w centrum miasta. Misterium męki Pańskiej pod miejskim ratuszem rozpoczęło 400 tys. młodych ludzi. W rolę Maryi wcieliła się Polka mieszkająca w Toronto. Tak wielkiej religijnej manifestacji Kanada nigdy wcześniej nie oglądała. Mszę św., będącą kulminacyjnym punktem Światowego Dnia Młodzieży, poprzedziło tradycyjne nocne czuwanie, w czasie którego Jan Paweł II kontaktował się z jego uczestnikami za pośrednictwem umieszczonych na placu ogromnych telebimów. We Mszy uczestniczyło ponad 800 tys. wiernych.

„Wy jesteście młodzi, a Papież jest stary i zmęczony – mówił na zakończenie spotkania. – Lecz On ciągle utożsamia się z waszymi oczekiwaniami i nadziejami. Chociaż żyłem pośród wielu ciemności pod twardymi reżimami totalitarnymi, widziałem dość oczywistych rzeczy, aby być niewzruszenie przekonanym, że żadna trudność i żaden strach nie potrafi całkiem stłumić nadziei, która odwiecznie tryska w młodych sercach. Nie pozwólcie umrzeć nadziei, oprzyjcie na niej

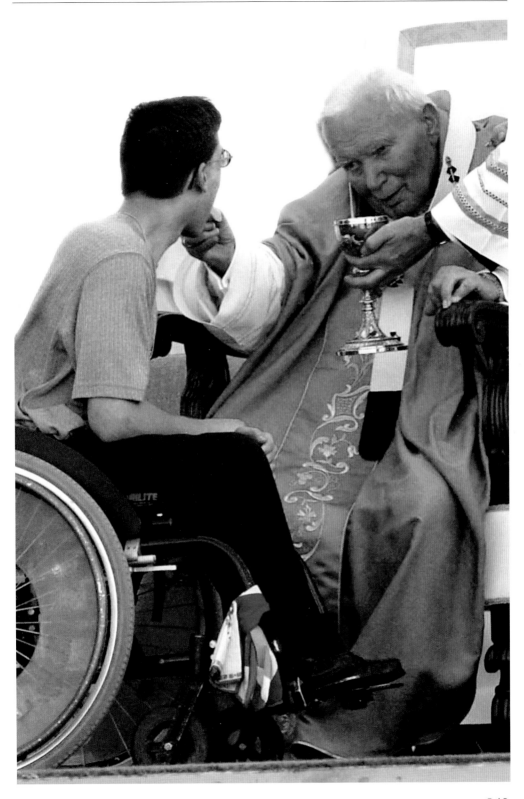

swoje życie! Nie jesteśmy sumą naszych słabości i upadków; jesteśmy sumą Ojcowskiej miłości do nas i naszej rzeczywistej możliwości bycia obrazem Jego Syna".

Wyjazd do Kanady nie kończył jednak pielgrzymki. Jan Paweł II z Toronto udał się do Ameryki Łacińskiej. W Gwatemali kanonizował brata Piotra od św. Józefa de Betancurt (1626–1667). Pochodził on z Teneryfy, a oddał się pracy misyjnej wśród najuboższych na Kubie, w Hondurasie i wreszcie w Gwatemali, którą nazywał często swoją „ziemią obiecaną". Przyjazd Ojca Świętego do Gwatemali – już trzeci podczas pontyfikatu (poprzednie wizyty w 1983 i 1996 r.) – wzbudził w całym kraju nadzwyczajny entuzjazm, a prezydent Alfonso Portillo Cabrera wprowadził moratorium na wykonywanie kary śmierci. Decyzja ta była odpowiedzią na listy, jakie skierował do Cabrery w tej sprawie Jan Paweł II.

Na Mszę św. kanonizacyjną przybyło 800 tys. wiernych, także z Hondurasu, Salwadoru i Wysp Kanaryjskich. Obecny był również 22-letni młodzieniec Adalberto Gonzalez Fernandez, uzdrowiony cudownie za wstawiennictwem Piotra od św. Józefa de Betancurt w 1985 r.

Meksyk powitał Papieża pieśniami „El amigo" oraz „Błogosławiony, który idzie w imię Pańskie" – tymi samymi, które towarzyszyły mu za każdym razem, kiedy pojawiał się w tym kraju. Ludzie ustawieni w wielokilometrowych szpalerach na trasie przejazdu papamobile przypominali Ojcu Świętemu także dobrze znane zawołanie: „Janie Pawle, Bracie, już jesteś Meksykaninem!".

Papież kanonizował w najsłynniejszej meksykańskiej bazylice Matki Bożej w Guadalupe – nawiedza ją każdego roku 20 mln pielgrzymów – bł. Juana Diego Cuauhtlatoatzina, którego beatyfikował w 1990 r. Plac przed świątynią zdobił wspaniały kwiatowy dywan, rozpostarty na długości 4 km. Na wielkich transparentach widniały słowa, które Matka Boska wypowiedziała do Juana Diego: „Czyż to nie Ja, twoja Matka, stoję tutaj" – wypisane w językach nahuatl, hiszpańskim i polskim. W koncelebrze Mszy św. towarzyszyło Ojcu Świętemu 300 arcybiskupów i biskupów oraz ponad 1200 kapłanów z wielu krajów Ameryki Łacińskiej. Na uroczystość licznie przybyli w swych tradycyjnych, barwnych strojach Indianie ze stanu Guanajuato, jak również Indianie z Chiapas. Kiedy Jan Paweł II ogłosił, że Juan Diego został zaliczony w poczet świętych, w bazylice i na placu zapanowała niesamowita radość. Głównym wejściem wkroczyła do świątyni grupa tancerzy conchera, którzy przy akompaniamencie guajes, caracolas i maracas wykonali rytualny taniec jako hołd ku czci Matki Boskiej z Guadalupe i nowego świętego.

Atmosfera wielkiego święta trwała i następnego dnia, kiedy Ojciec Święty dokonał beatyfikacji dwóch Indian z plemienia Zapoteków: Jana Chrzciciela i Hiacynta od Aniołów, którzy w 1700 r. ponieśli męczeńską śmierć. Do sanktuarium przybyło kilkanaście tysięcy wiernych z Antequera-Oaxaca, rodzinnych diecezji nowych błogosławionych. Tradycyjne indiańskie stroje, wielobarwne pióropusze i sugestywny śpiew stanowił niezwykłą oprawę nabożeństwa beatyfikacyjnego, podczas którego posługiwano się siedmioma miejscowymi językami. Radość z beatyfikacji Meksykanie wyrazili tradycyjnym tańcem piór.

W homilii Jan Paweł II wskazał na znaczenie tych męczenników dla ludności tubylczej Meksyku. „Nowi błogosławieni są owocem pierwszej ewangelizacji Indian ze szczepu Zapoteków. Stanowią oni dla dzisiejszych tubylców zachętę, by cenić swe kultury i języki. A przede wszystkim – by szanować swą godność dzieci Bożych. Inni winni ją respektować. Naród meksykański cechuje się pluralistycznym pochodzeniem ludów wchodzących w jego skład. Ma on być gotowy budować wspólną rodzinę w solidarności i sprawiedliwości".

Szacuje się, że w Meksyku podczas przejazdów Papieża z lotniska do nuncjatury i bazyliki Matki Bożej z Guadalupe na ulicach miasta zgromadziło się łącznie blisko 10 mln Meksykanów.

PIELGRZYMKA 98.
16–19 sierpnia 2002 r.

POLSKA: Kraków, Kalwaria Zebrzydowska

Już sama zapowiedź kolejnej wizyty w Polsce brzmiała sensacyjnie. Wydawało się, że po pielgrzymce w 1999 r., o której otwarcie mówiło się, że było to swoiste pożegnanie Wielkiego Polaka z krajem, że po podróży tak wzruszającej, sentymentalnej i dramatycznej nie będzie dane rodakom Jana Pawła II przeżywać podobnych chwil.

Początkowo Ojciec Święty miał przyjechać tylko po to, aby dokonać konsekracji nowej bazyliki w Sanktuarium Bożego Miłosierdzia w Krakowie Łagiewnikach. Do programu wizyty włączono jednak Mszę św. na Błoniach (beatyfikacja czworga nowych błogosławionych: byłego metropolity warszawskiego abp. Zygmunta Szczęsnego Felińskiego, jezuity o. Jana Beyzyma, s. Sancji Szymkowiak ze Zgromadzenia Sióstr Serafitek i ks. Jana Balickiego, przedwojennego rektora seminarium w Przemyślu) oraz obchodzącą swoje 400-lecie Kalwarię Zebrzydowską. Papież pojawił się też na niezwykłej modlitwie w Katedrze Wawelskiej, nawiedził grób swoich rodziców, zatrzymał się przy kościele Mariackim na Rynku Głównym i kościele parafii św. Floriana, w której był wikariuszem. Spotkał się również na wspólnej kolacji ze szkolnymi kolegami, przystanął pod domem przy ul. Tynieckiej 10, gdzie mieszkał z ojcem w latach 1938–1941, a tuż przed powrotem

Kraków Łagiewniki – światowe centrum Bożego Miłosierdzia,
„Kiedyś przychodziłem tam w drewniakach"

Kalwaria Zebrzydowska. Uroczystość 400-lecia Klasztoru

do Rzymu odwiedził klasztory Benedyktynów w Tyńcu i Kamedułów na Bielanach. Była też wycieczka helikopterem nad ukochanymi polskimi górami oraz
tradycyjne wieczorne przekomarzania się z młodzieżą z okna Kurii Metropolitalnej przy ul. Franciszkańskiej.

W każdym odwiedzanym miejscu powracały osobiste związki Papieża, ale
przede wszystkim niezmiernie ważne były treści, jakie Jan Paweł II przekazywał.
Hasło „Bóg bogaty w miłosierdzie", które przyświecało tej pielgrzymce, nieustannie obecne było w papieskim nauczaniu. Jego egzemplifikacją była encyklika
„Dives in misericordia". Najdonioślej wezwanie to zabrzmiało w Łagiewnikach,
gdzie spełniło się pragnienie Papieża, by właśnie tam powstało światowe centrum
Miłosierdzia Bożego. „Jak bardzo dzisiejszy świat potrzebuje Bożego miłosierdzia! Tam, gdzie panuje nienawiść i chęć odwetu, gdzie wojna przynosi ból
i śmierć niewinnych, potrzeba łaski miłosierdzia, która koi ludzkie umysły i serca,
i rodzi pokój" – wołał Ojciec Święty w trakcie konsekracyjnej Mszy św. – W tej
świątyni, w ogniu Bożej miłości, serca pałać będą pragnieniem nawrócenia,
a każdy, kto szuka nadziei, znajdzie ukojenie". Na zakończenie homilii Jan
Paweł II dokonał aktu zawierzenia świata Bożemu miłosierdziu:

„Boże, Ojcze miłosierny, który objawiłeś swoją miłość w Twoim Synu Jezusie
Chrystusie i wylałeś ją na nas w Duchu Świętym, Pocieszycielu, Tobie zawierzamy
dziś losy świata i każdego człowieka. Pochyl się nad nami grzesznymi, ulecz naszą

„Po raz kolejny dziękuję wam krakowskie Błonia za gościnność"

słabość, przezwycięż wszelkie zło, pozwól wszystkim mieszkańcom ziemi doświadczyć Twojego miłosierdzia, aby w Tobie, trójjedyny Boże, zawsze odnajdywali źródło nadziei. Ojcze przedwieczny, dla bolesnej męki i zmartwychwstania Twego Syna, miej miłosierdzie dla nas i całego świata".

Tym razem, chyba jeszcze bardziej niż kiedykolwiek, każde słowo wypowiadane przez zmęczonego i cierpiącego Papieża słuchane było z ogromną uwagą. Jak ktoś zauważył, ludzie nie tylko słyszeli Ojca Świętego, ale chcieli go słuchać. Przed bazyliką w Łagiewnikach, świątynią wspaniałą, nowoczesną, jedną z największych w Polsce i na świecie, wzniesioną zaledwie w ciągu 3 lat, nie było wolnego skrawka ziemi. Na uroczystości do wnętrza dostało się tylko 5 tys. szczęśliwców, najhojniejszych sponsorów i darczyńców. Był wśród nich Roman Kluska, były szef Optimusa, który przeznaczył na budowę bazyliki 15 mln złotych. Oczekiwanie na przyjazd Jana Pawła II umilali znani artyści scen krakowskich, „Skaldowie" przygotowali specjalnie na tę okazję hymn miłosierdzia. Oczywiście nie mogło się obejść bez osobistej nuty papieskich wspomnień: „Wiele moich wspomnień wiąże się z tym miejscem. Przychodziłem tutaj zwłaszcza w czasie okupacji, gdy pracowałem w pobliskim Solvayu. Do dzisiaj pamiętam tę drogę, która

Na krakowskim Rynku Głównym

prowadziła z Borku Fałęckiego na Dębniki, którą odbywałem codziennie, przychodząc na różne zmiany do pracy, przychodząc w drewnianych butach. Takie się wtedy nosiło. Jak można było sobie wyobrazić, że ten człowiek w drewniakach będzie kiedyś konsekrował Bazylikę Miłosierdzia Bożego w krakowskich Łagiewnikach?".

Doniosłe słowa padły także podczas niedzielnej Mszy św. na Błoniach, która była największym zgromadzeniem w historii Polski i Europy. Dwuipółmilionowy tłum wiernych wypełnił 48-hektarową krakowską łąkę. Ludzie gromadzili się nawet pod górującym nad Błoniami kopcem Kościuszki. Większe zgromadzenie podczas tego pontyfikatu miało miejsce tylko w 1995 r., podczas spotkania z młodzieżą na Filipinach, na które przybyło ponad 4 mln ludzi.

„Kiedy hałaśliwa propaganda liberalizmu, wolności bez prawdy i odpowiedzialności nasila się również w naszym kraju, pasterze Kościoła nie mogą nie głosić jednej i niezawodnej filozofii wolności, jaką jest prawda krzyża Chrystusowego – mówił Papież w homilii. – Człowiek nierzadko żyje tak, jak gdyby Boga nie było, a nawet stawia samego siebie na Jego miejsce. Uzurpuje sobie prawo Stwórcy do ingerowania w tajemnicę życia ludzkiego".

Przed zakończeniem uroczystości na Błoniach fotoreporterzy ze specjalnych podnośników wykonali panoramiczne zdjęcie, będące niezwykłą pamiątką z IX pielgrzymki Jana Pawła II do ojczyzny.

W Kalwarii na dziedzińcu sanktuarium mogło pomieścić się 60 tys. wiernych. Ci, dla których zabrakło zaproszeń, modlili się na kalwaryjskich dróżkach. Były to najbardziej wzruszające momenty podczas tej pielgrzymki. Papież przemówił słowami modlitwy, które wywołały łzy nawet na twarzach najtwardszych reporterów: „Dla ubogich i cierpiących otwieraj serca zamożnych. Bezrobotnym daj spotkać pracodawcę. Wyrzucanym na bruk pomóż znaleźć dach nad głową. Rodzinom daj miłość, która pozwala przetrwać wszelkie trudności. Młodym pokazuj drogę i perspektywy na przyszłość. Dzieci otocz płaszczem swej opieki, aby nie ulegały zgorszeniu. Wspólnoty zakonne ożywiaj łaską wiary, nadziei i miłości. Kapłanów ucz naśladować Twojego Syna w oddawaniu co dnia życia za owce. Biskupom upraszaj światło Ducha Świętego, aby prowadzili ten Kościół jedną i prostą drogą do bram Królestwa Twojego Syna".

Na koniec poprosił o opiekę dla siebie: „Matko Najświętsza, Pani Kalwaryjska, wypraszaj także i mnie siły ciała i ducha, abym wypełnił do końca misję, którą mi zlecił Zmartwychwstały. Tobie oddaję wszystkie owoce mego życia i posługi; Tobie zawierzam losy Kościoła; Tobie polecam mój naród; Tobie ufam i Tobie raz jeszcze wyznaję: Totus Tuus, Maria! Totus Tuus".

Po liturgii Ojciec Święty zwrócił się do zgromadzonych: „Dobiega końca moje pielgrzymowanie do Polski, do Krakowa. Kiedy nawiedzałem to sanktuarium w roku 1979, prosiłem, abyście się za mnie modlili za życia mojego i po śmierci. Dziś dziękuję wam i wszystkim kalwaryjskim pielgrzymom za te modlitwy i za duchowe wsparcie, jakiego nieustannie doznaję. I nadal proszę: nie ustawajcie w tej modlitwie, raz jeszcze powtarzam, za życia mojego i po śmierci".

Kilka godzin później równie wzruszające było pożegnanie na krakowskim lotnisku w Balicach. „Ojczyzno moja kochana, Polsko, [...] Bóg Cię wywyższa i wyszczególnia, ale umiej być wdzięczna!" (Dzienniczek, 1038). Tymi słowami z Dzienniczka świętej Faustyny pragnę Was pożegnać, drodzy bracia i siostry, moi rodacy!". Później wyraził nadzieję, że „społeczeństwo polskie – które od wieków przynależy do Europy – znajdzie właściwe sobie miejsce w strukturach Wspólnoty Europejskiej i nie tylko nie zatraci własnej tożsamości, ale ubogaci swą tradycją ten kontynent i cały świat".

I już na „do widzenia": „Na końcu cóż powiedzieć? Żal odjeżdżać!". Żegnał go niezwykły chór kilkudziesięciu tysięcy ludzi zgromadzonych na lotnisku, którzy wraz z zespołem „Golec uOrkiestra" śpiewali w nieskończoność: „Do Wadowic wróć, do Ojczyzny wróć!".

PIELGRZYMKA 99.
3–4 maja 2003 r.

HISZPANIA: Madryt

Entuzjazm, serdeczność, spontaniczność towarzyszyły piątej pielgrzymce Jana Pawła II do Hiszpanii. Był witany z pełnymi honorami i szczególnie gorąco przez młodzież. Przy trapie papieskiego samolotu Ojca Świętego oczekiwała hiszpańska para królewska: król Juan Carlos i królowa Zofia, a młodzi skandowali: „Juanpa, Juanpa" (tak w familiarnym skrócie, pochodzącym od hiszpańskich imion Juan Pablo – Jan Paweł, młodzi Hiszpanie często nazywają Papieża) oraz po polsku: „Niech żyje Papież!". Później, w dawnej bazie lotniczej na obrzeżach Madrytu, gdzie przybyło na spotkanie z Ojcem Świętym ponad 600 tys. nastolatków, Jan Paweł II zaapelował do nich o nieuleganie złu, wskazywał, że powołaniem młodego pokolenia jest budowanie pokoju bez ślepej przemocy. Wezwał młodych, aby nie ulegali nacjonalizmowi, rasizmowi i nietolerancji, by swoim życiem dawali dowód tego, że idei nikomu się nie narzuca, lecz proponuje. Tak liczny i żywiołowy udział hiszpańskiej młodzieży w spotkaniu z Papie-

Najwspanialszy gość hiszpańskiej rodziny królewskiej

żem zaskoczył nawet autorów najbardziej optymistycznych prognoz. Nie prze-szkodziła nawet pokusa w postaci meczu stołecznego Realu. Spośród obecnych, wielu przyjechało w grupach zorganizowanych przez stowarzyszenia katolickie, zwłaszcza niezwykle silne w Hiszpanii Opus Dei.

Przed rozstaniem Jan Paweł II przekazał młodym różańce, wykonane ręcznie z drzewa oliwnego przez 500 rodzin chrześcijańskich żyjących w Ziemi Świę-tej. Ojciec Święty pojechał jednak do Madrytu nie tylko, by spotkać się z mło-dzieżą. Jego celem była także kanonizacja pięciu błogosławionych – Pedra Povedy Castroverdego (1874–1936), Jose Marii Rubio y Peralty (1864–1929), Genowefy Torres Morales (1870–1956), Anieli od Krzyża (1846–1932) i Marii Maravillas od Jezusa (1881–1974). Wokół placu Kolumba, przecinającego główne arterie Madrytu, zgromadziło się ok. miliona wiernych, a przed ołtarzem, zbudowanym nad zespołem fontann, zasiadła para królewska oraz przedstawi-ciele najwyższych władz państwowych Hiszpanii.

W homilii Papież zaapelował o wierność misji ewangelizacyjnej: „Następca Piotra, pielgrzym po ziemi hiszpańskiej, mówi wam na nowo: Hiszpanio, która w przeszłości kroczyłaś odważnie drogą ewangelizacji, także i dziś bądź świadkiem Jezusa Chrystusa zmartwychwstałego!". A potem dał przykłady nowych hiszpań-skich świętych, prawdziwych uczniów Chrystusa i świadków Jego zmartwychwsta-nia.

PIELGRZYMKA 100.
5–9 czerwca 2003 r.

CHORWACJA: Rijeka, Dubrownik, Osijek, Djakovo, Zadar

Jak każda poprzednia podróż Jana Pawła II na Bałkany, także i ta nie należała do łatwych. Trzeba wszak było nie tylko wracać pamięcią do nie tak odległych tragicznych wydarzeń wojny, ale podejmować wysiłki, mające jednoczyć rozdarty wewnętrznymi sporami kraj. W samej Chorwacji wizytę Papieża uznano za jedno z najważniejszych wydarzeń dla przyszłości państwa. Zatem pojednanie wewnętrzne, jak również wybaczenie między narodami – to jeden z dominujących wątków pielgrzymki Ojca Świętego do tego kraju. Nie można jednak pominąć niezwykle doniosłych uroczystości beatyfikacyjnych. W Dubrowniku Jan Paweł II ogłosił błogosławioną pierwszą w dziejach chorwackiego Kościoła kobietę – s. Marię od Jezusa Ukrzyżowanego (Maria Petković 1892–1966).

Kult Marii Petković szerzy się również poza granicami Chorwacji. Przy okazji beatyfikacji przypomniano cudowne uratowanie życia 22 marynarzy z peruwiańskiego okrętu podwodnego w 1988 r., co przypisuje się jej wstawiennictwu. U wejścia do portu Callao koło Limy okręt BAP „Pacocha” zderzył się z japońskim statkiem rybackim i zaczął tonąć. 8 marynarzy straciło życie, ale 22 ocalało dzięki temu, że jeden z nich zdołał zamknąć wewnętrzną śluzę okrętu. Wprost nadludzkim wysiłkiem samych tylko rąk pokonał on ciśnienie napierających wód oceanu. Był to porucznik Roger Cotrina. W tej decydującej chwili prosił on o wstawiennictwo właśnie Marię Petković, której biografię czytał krótko wcześniej jako pacjent szpitala. Specjalna komisja wojskowa uznała potem, że zamknięcie śluzy w takich warunkach było po ludzku niemożliwe. Ów oficer peruwiańskiej marynarki wojennej uczestniczył wraz z małżonką w uroczystościach beatyfikacyjnych.

Najważniejsze wydarzenia tej wizyty rozegrały się w Djakovie, w centrum Slawonii, szczycącym się tym, że biskupem był tam św. Metody. Okolice Osijeka, Vukovaru i właśnie Djakova zdecydowanie wyludniły się w czasie wojny. Na papieską Mszę św. przybyli jednak i katolicy, i prawosławni, a nawet muzułmanie i ludzie obojętni religijnie. Wśród nich był między innymi prezydent Chorwacji, prawosławny biskup z Serbii, wielki mufti Zagrzebia. Do starożytnej tradycji nawiązano, składając pod ołtarzem kamień z IV w., ze znakiem CH-RO oraz literami alfa i omega. Jeden z darów ofiarnych miał szczególną wymowę. Burmistrz

Obyś nigdy nie zaznała piekła wojny

Vukowaru – miasta-symbolu przebytej kalwarii – ofiarował akt donacji 10 hektarów ziemi pod budowę nowego kościoła Matki Bożej Królowej Męczenników. Towarzyszył mu gwardian zrujnowanego klasztoru Franciszkanów o. Zlatko Szpehar, który niósł odłamek zniszczonego ołtarza z klasztoru świętych Filipa i Jakuba. Pobłogosławiony przez Papieża, stał się on kamieniem węgielnym pod budowę nowej świątyni.

Stacjonujące w mieście wojska jugosłowiańskie nie oszczędziły też okazałej, XIX-wiecznej katedry św. Piotra. Jej fundator, charyzmatyczny biskup Josip Juraj Strossmajer, nad wejściem polecił kiedyś wypisać słowa, które w dniach podróży Ojca Świętego po Chorwacji nabrały szczególnego wydźwięku: „Wzniesiono na chwałę Boga, dla jedności Kościołów oraz zgody i miłości do ludu". To w tej świątyni, największej między Wiedniem a Konstantynopolem, prywatnie modlił się Jan Paweł II.

Odbudowany pałac biskupi w Djakovo również nie zdążył ukryć wszystkich śladów wojny. Na fasadzie dziedzińca widoczne były jeszcze ślady wybuchów granatów. Ale i tam spotkała Papieża niespodzianka. Na dziedzińcu ustawiono na jego cześć pomnik. Inicjatywa wyszła od mieszkańców Djakovy, którzy w wodach Sawy, przy remoncie mostu znaleźli pień czterechsetletniego dębu. To właśnie ten pień posłużył znanym rzeźbiarzom z Ernestinova jako materiał na pomnik. Do pojednania Chorwatów i Serbów Ojciec Święty ze szczególną mocą wezwał w Osijeku. Na ołtarzu stanęła figura Chrystusa z Vukovaru, podziurawiona w czasie wojny pociskami z serbskiej broni maszynowej. „Po ciężkim czasie wojny, która pozostawiła głębokie, jeszcze nie do końca zagojone rany, zaangażowanie na rzecz pojednania, solidarności społecznej wymaga odwagi ludzi ożywianych wiarą" – nauczał Papież stojących obok siebie niedawnych wrogów: chorwackich katolików i serbskich prawosławnych.

Warto wreszcie wspomnieć o pogłoskach, jakie pojawiły się w przeddzień rozpoczęcia jubileuszowej pielgrzymki Jana Pawła II. Dwie chorwackie agencje prasowe: państwowa HINA i katolicka IKA, dostały pocztą elektroniczną informację z pogróżkami od przedstawiciela Islamskiego Frontu Mudżahedinów. Na pokładzie papieskiego samolotu lecącego do Osijeka odniósł się do nich rzecznik prasowy Watykanu Joaquin Navarro Valls. Przyznał, że podczas podróży takie pogłoski bywają rozpowszechniane, jednak często są niewiarygodne lub wręcz fałszywe. Dnia 9 czerwca o godz. 14.15, zgodnie z planem, samolot z Ojcem Świętym szczęśliwie wylądował na rzymskim lotnisku Ciampino.

PIELGRZYMKA 101.

22 czerwca 2003 r.

BOŚNIA I HERCEGOWINA: Banja Luka

„10 godzin napięcia", „dzień spędzony na beczce prochu" – tak pisano o podróży Papieża do twierdzy serbskiego nacjonalizmu, jak nazywana jest Banja Luka. To była krótka, ale jedna z trudniejszych pielgrzymek Jana Pawła II w trakcie całego pontyfikatu. Ojciec Święty pojechał tam, by prosić o pojednanie ciągle zwaśnione narody Bośni i Hercegowiny, ale także, by przeprosić za grzechy katolików z czasów drugiej wojny światowej. To była druga wizyta Papieża w Bośni (w 1997 r. odwiedził Sarajewo), lecz pierwsza w serbskiej części kraju.

W wyniku umów pokojowych z 1995 r. Bośnia i Hercegowina składa się z dwóch części: Republiki Serbskiej i Federacji Muzułmańsko-Chorwackiej. Banja Luka, będąca obok metropolii w Sarajewie i biskupstwa w Mostarze jedną z trzech katolickich stolic biskupich w kraju, jest jednocześnie stolicą polityczną Republiki Serbskiej w obrębie Bośni i Hercegowiny. W czasie drugiej wojny światowej Banja Luka była miejscem masakr popełnionych przez kolaborujących z Hitlerem chorwackich ustaszy na Serbach. W roku 1991 doszło do równie krwawego odwetu. Rozpoczęły się czystki etniczno-religijne, przypominające prześladowania Kościoła starożytnego. Serbowie wypędzili dziesiątki tysięcy bośniackich Chorwatów, dążąc do zniszczenia wspólnoty katolickiej, która na początku wojny liczyła około 140 tys. wyznawców i miała kilkudziesięciu kapłanów; wojna spowodowała wygnanie ponad 100 tys. bośniackich katolików, którzy rozproszyli się po wielu krajach świata. Męczeńską śmierć poniosło co najmniej kilkuset katolików, w tym 8 księży i jedna siostra zakonna. Dotychczas znanych jest 190 masowych grobów. Jedną z najkrwawszych zbrodni w Europie od czasów drugiej wojny światowej było wymordowanie ok. 8 tys. muzułmanów koło Srebrenicy. Ze statystyk wynika, że w czasie walk zniszczonych zostało 99 kościołów, a 127 uszkodzono.

„Proszę Boga Wszechmogącego o zmiłowanie za grzechy przeciwko ludzkości, ludzkiej godności i wolności, także dokonane przez dzieci Kościoła katolickiego" – powiedział Papież podczas Mszy św., odprawianej również na symbolicznym miejscu. Wybrano je nieopodal franciszkańskiego klasztoru Trójcy Świętej na wzgórzu Petricevać. W 1995 r. serbskie ugrupowania partyzanckie zniszczyły klasztor, a po jego zdobyciu urządziły sobie tańce i zabawy, zapowiadając że już nigdy nie będzie tam katolickiej Mszy. Właśnie w tym miejscu stanął papieski ołtarz.

Na placu zgromadziło się 50 tys. ludzi, głównie katolików przybyłych z Chorwacji i Słowenii oraz tych Chorwatów, którzy odważyli się po wojnie powrócić do Banja Luki. Przyjazd Biskupa Rzymu zbojkotowało jednak wielu miejscowych wyznawców prawosławia.

Homilia była jednym wielkim apelem o pojednanie. Chociaż główni winni czystek z lat 90. siedzą w więzieniach albo się ukryli, to jednak Banja Luką nadal rządzą serbscy nacjonaliści. Nic dziwnego, że na przyjazd Ojca Świętego sięgnięto po nadzwyczajne środki bezpieczeństwa. W domach najbardziej znanych działaczy serbskich przeprowadzano rewizje i konfiskowano im broń, nad miastem latały helikoptery NATO, a na dachach domów czaiło się gotowych do strzału 4 tys. policjantów i żołnierzy sił pokojowych.

Kulminacyjnym punktem Mszy św. była beatyfikacja bośniackiego intelektualisty Ivana Merza (1896–1929). Był on teologiem, założycielem i działaczem młodzieżowej Akcji Katolickiej. Złożył śluby celibatu i poświęcił się apostolatowi młodzieży i działalności na rzecz odnowy liturgicznej. Zmarł w opinii świętości. O Merzu jeden z jego znajomych księży napisał, że był „duchownym w cywilu".

Zbyt wcześnie oceniać znaczenie papieskiej pielgrzymki do Bośni, ale jak ktoś zauważył, jeszcze przed wizytą w Banja Luce Ojcu Świętemu udało się osiągnąć coś dobrego: po raz pierwszy mianowicie pojawił się w obiegu wspólny znaczek pocztowy, ważny w obu częściach Bośni i Hercegowiny.

PIELGRZYMKA 102.
11–14 września 2003 r.

SŁOWACJA: Bratysława, Trnava, Bańska Bystrzyca, Rożniava

P rogram trzeciej wizyty Jana Pawła II w Słowacji – poprzednio był w Bratysławie w 1990 r. oraz już w niepodległym kraju w 1995 r. – układano tak, by był jak najmniej uciążliwy. Ze względu na stan zdrowia Papieża nie zaplanowano żadnych szczególnych spotkań, poza Mszami i oficjalnymi spotkaniami z przedstawicielami państwa. Choroba Papieża była coraz bardziej dokuczliwa. Większą część homilii i przemówień w jego imieniu odczytywał biskup Józef Tomko. Już w trakcie pobytu na Słowacji pojawiły się głosy, że pielgrzymka zostanie skrócona. Ojciec Święty znowu jednak zaskoczył wszystkich, wypełniając każdy punkt z zaplanowanego programu.

Nieustannie modlę się za was

W każdym mieście, które Papież odwiedził, wystąpił z innym przesłaniem; w Bańskiej Bystrzycy, największym nie tak dawno słowackim bastionie komunizmu, pokazał że wiara nie zginęła i odradza się. Tam też ogłosił orędzie, w którym wezwał biskupów, aby mocno stanęli po stronie bezrobotnych i zwrócili szczególną uwagę na problemy socjalne Słowaków. W Rożniavie, gdzie mieszka sporo Węgrów, zaakcentował rolę rodziny w społeczeństwie, zaś w Bratysławie jedno z jego przesłań brzmiało, iż w przyszłej Europie znaczenie może mieć nie tyle siła ekonomiczna małej Słowacji, co duchowa jej obywateli.

Podczas Mszy św. odprawionej w Bratysławie Ojciec Święty beatyfikował biskupa Bazylego Hopko i siostrę Zdenkę Schelingovą. Należący do Kościoła katolickiego obrządku wschodniego biskup Bazyli Hopko (1906–1976) był jednym z najbliższych współpracowników beatyfikowanego w 2001 roku biskupa-męczennika Pavla Gojdica (1888–1960). Obaj ponieśli śmierć jako ofiary prześladowań komunistycznych władz Czechosłowacji. Bp Hopko spędził kilkanaście lat w więzieniu, skazany na podstawie fałszywych zarzutów. Został zwolniony z więzienia z powodu skrajnego wycieńczenia przed upływem terminu. Zmarł wkrótce po wyjściu na wolność. Siostra Zdenka Schelingova (1916–1955) była pielęgniarką i pracowała po wojnie w szpitalu w Bratysławie, gdzie pomogła w ucieczce jednemu z przebywających tam aresztowanych kapłanów. Po aresztowaniu zmarła w więzieniu.

Obawy, że przyjazd Jana Pawła II na Słowację przejdzie bez echa, nie sprawdziły się. Na spotkania z nim przybywały tłumy, także pielgrzymi z sąsiednich krajów – Węgier, Ukrainy, Austrii, Czech, ale oczywiście najwięcej z Polski. „Masz jeszcze 17 lat do setki" – głosił jeden z polskich transparentów.

PIELGRZYMKA 103.
5–6 czerwca 2004 r.

SZWAJCARIA: Berno

„**Po** raz trzeci Opatrzność Boża prowadzi mnie do tego szlachetnego kraju, do Szwajcarii, skrzyżowania języków i kultur, aby spotkać się z narodem-strażnikiem starożytnych tradycji i otwartym na nowoczesność" – tymi słowami Jan Paweł II powitał ziemię szwajcarską, do której podróżował już po raz trzeci. Poprzednio – w 1982 roku składał wizytę w siedzibie organizacji międzynarodowych w Genewie, a dwa lata później odwiedził Berno, Fryburg, Lucernę i Sion.

Tym razem celem dwudniowej pielgrzymki było spotkanie z młodymi katolikami Szwajcarii z okazji ich zgromadzenia krajowego. 13-tysięczna widownia Pałacu Lodowego kompleksu Bea Bern Expo wypełniła się do ostatniego miejsca. Papież przemówił do młodych w czterech językach: po niemiecku, francusku, włosku i retoromańskim. Zachęcił ich do powstania, słuchania Chrystusa i ruszenia wraz z Nim w drogę.

„Również ja, podobnie jak wy, miałem dwadzieścia lat. Lubiłem uprawiać sport, jeździć na nartach, czytać. Uczyłem się i pracowałem. Miałem pragnienia i troski. W tamtych latach tak dziś odległych, w czasach, w których moja ziemia ojczysta była zraniona wojną, a później reżimem totalitarnym, szukałem sensu, aby nadać go swemu życiu. Znalazłem go w pójściu za Panem Jezusem" – z niezwykłym darem przekonywania Papież trafiał do słuchającej go młodzieży. Gdy momentami głos go zawodził, młodzież zachęcała do kontynuowania, skandując okrzyki w różnych językach. Nie pozwolił, by przygotowany tekst odczytał jeden z towarzyszących mu sekretarzy.

„Po prawie 60 latach kapłaństwa cieszę się, że mogę tutaj wobec was wszystkich przedstawić moje świadectwo: to piękne móc wypalić się do końca dla sprawy Królestwa Bożego" – mówił z niemałym wysiłkiem. "Nie mamy czasu wstydzić się głoszenia Ewangelii" – przekonywał, a zakończył powtórzeniem wezwania: Steh auf!, Leve – toi!, Alza ti!, Sto se!

Spontaniczność reakcji młodzieży była zdumiewająca. Także nazajutrz atmosfera, panująca podczas Mszy św., przeszła najśmielsze oczekiwania organizatorów pielgrzymki. Na błonia Allmend przybyło ponad 70 tys. osób z całej Szwajcarii, czyli dwukrotnie więcej niż się spodziewano. Byli także katolicy z innych krajów Europy, w tym grupa 2,5 tys. pielgrzymów z Polski.

Na początku liturgii Jan Paweł II pobłogosławił w specjalnie przygotowanej chrzcielnicy wodę, pochodzącą z czterech głównych rzek w Szwajcarii. To symbol poszczególnych wspólnot językowych tego alpejskiego kraju. Msza św., oprócz czterech języków obowiązujących w Szwajcarii, była sprawowana także po hiszpańsku, albańsku i portugalsku.

„Współczesny człowiek pyta chrześcijan trzeciego tysiąclecia o prawdę" – mówił Ojciec Święty w homilii i od razu wyjaśniał: „Nie wolno nam przemilczać odpowiedzi, bo ją przecież znamy! Prawdą jest Jezus Chrystus".

Entuzjazm, jaki od samego początku towarzyszył wizycie Jana Pawła II w Szwajcarii, przeciął dyskusje o sensie podróży Głowy Kościoła Katolickiego do kraju, przeżywającego kryzys wiary oraz dystansującego się od Rzymu. Chociaż wizyta nie miała oficjalnego charakteru, nadano jej najwyższą rangę, a na lotnisku wojskowym Payerne pod Bernem Papieża witali prezydent Konfederacji Szwajcarskiej Joseph Deiss oraz członkowie rządu. Należało to odczytywać jako zapowiedź pełnej normalizacji stosunków dyplomatycznych Szwajcarii ze Stolicą Apostolską. Od 1991 r. Konfederację reprezentował jedynie ambasador nadzwyczajny i pełnomocny w misji specjalnej, a stanowisko to piastował ambasador Szwajcarii w Pradze.

Wyjątkowa była rezydencja papieska podczas pobytu w Szwajcarii. Zwykle Ojciec Święty zatrzymuje się w siedzibie papieskiego nuncjusza. Tym razem zamieszkał w domu opieki społecznej Viktoriaheim w Bernie. Na co dzień przebywa tam 200 pensjonariuszy w podeszłym wieku, których na czas pielgrzymki przeniesiono do innych domów. Papież zajął pomieszczenia w skromnym budynku, przystosowanym do poruszania się osób na wózkach inwalidzkich.

PIELGRZYMKA 104.
14–15 sierpnia 2004 r.

FRANCJA: Lourdes

J an Paweł II po raz drugi odwiedził Lourdes na pamiątkę ogłoszenia przed 150 laty przez Piusa IX, dogmatu o Niepokalanym Poczęciu Najświętszej Maryi Panny. Po raz pierwszy jako Papież odwiedził Grotę Objawień w Massabielle dokładnie 11 lat wcześniej, w 1983 roku. Podobnie, jak tamto nawiedzenie miejsca, w którym w 1859 roku czternastoletniej Bernadetcie Soubirous objawiła się Matka Boska, także to, trwające niewiele ponad 30 godzin, miało wyjątkowo osobisty charakter. Bardziej przypominało pielgrzymkę niż oficjalną wizytę. Jan Paweł II przybył do sanktuarium jako jeden z 6 milionów pielgrzymów, którzy co roku tam docierają z własnymi intencjami.

Znamienne było to, że posunięty w latach Papież, naznaczony przez chorobę i cierpienie, postanowił zamieszkać w Lourdes pod jednym dachem wraz z niepełnosprawnymi pielgrzymami. Ten fakt zauważyły i żywo komentowały media na całym świecie. Podkreślano też ogromny wysiłek, jaki musiał Papież włożyć, by wypełnić wyczerpujący program pielgrzymki. Przez cały czas towarzyszyły mu nieprzebrane tłumy wiernych. We Mszy św., odprawionej na błoniach obok bazyliki, wzięło udział ponad 300 tysięcy wiernych, przybyłych z najodleglejszych zakątków globu. Fascynację wzbudzał wyczuwalny kontakt, jaki natychmiast został nawiązany między zgromadzonymi a Ojcem Świętym. „Nie rozumiem, jak to się dzieje, że jeden chory i zmęczony człowiek potrafi innym dać tyle radości" – dziwił się kardynał Philippe Barbarin.

Ale przejmujące były też chwile prywatnej modlitwy Jana Pawła II w Grocie Objawień. Jeszcze przed wyjazdem z Rzymu, Papież obiecał się modlić o pokój dla świata i „wewnętrzne przebudzenie współczesnego człowieka, aby mógł na nowo odkryć świętość prawa Bożego i wynikające z niego moralne obowiązki".

Oceniający papieską pielgrzymkę do Lourdes wskazywali na jej fundamentalne znaczenie w całym pontyfikacie. Papież z wielką siłą przypomniał bowiem, kto jest ważny w Kościele. To ludzie chorzy, cierpiący, ubodzy, bezdomni, zepchnięci na margines społeczeństwa.

KALENDARIUM PODRÓŻY
Najważniejsze wydarzenia zagranicznych pielgrzymek Jana Pawła II

1. pielgrzymka: Dominikana, Meksyk, Bahama
25 stycznia – 1 lutego 1979 r.

DOMINIKANA (25–26 I)
25 I – Santo Domingo: Msza św. na placu Niepodległości dla 300 tys. wiernych.

MEKSYK (27–31 I)
27 I – Mexico City: Msza św. na placu Konstytucji dla ok. 300 tys. osób. **28 I – Puebla:** Msza św. dla 250 tys. wiernych; otwarcie sesji CEALAM (Konferencji Episkopatu Ameryki Łacińskiej). **29 I – Oaxaca:** Msza św. dla pół miliona wiernych, w przeważającej części Indian. **30 I – Guadalajara:** odwiedzenie ubogiej dzielnicy Santa Cecilia; Msza św. na stadionie; orędzie do całego świata uniwersyteckiego Ameryki Łacińskiej. **31 I – Monterrey:** Msza św. dla miliona wiernych.

BAHAMA (1 II)
1 II – Nassau: postój techniczny, Msza św. na miejscowym lotnisku.

2. pielgrzymka: Polska
2–10 czerwca 1979 r.

POLSKA (2–10 VI)
2 VI – Warszawa: spotkanie w Belwederze z I sekretarzem PZPR Edwardem Gierkiem; Msza św. na placu Zwycięstwa dla miliona wiernych. **3 VI:** Msza św. przed kościołem św. Anny dla 200 tys. osób. **Gniezno:** Msza św. na placu przed katedrą; spotkanie z młodzieżą. **4 VI – Częstochowa:** Msza św. dla półtora miliona wiernych. **5 VI:** Msza św. dla wiernych Dolnego Śląska i Śląska Opolskiego. **6 VI:** Msza św. dla wiernych Górnego Śląska i Zagłębia Dąbrowskiego. **7 VI:** odwiedzenie Kalwarii i Wadowic; Msza św. w pobliżu byłego obozu koncentracyjnego w Oświęcimiu. **8 VI – Nowy Targ:** Msza św. dla ponad miliona ludzi. **Kraków:** spotkanie z młodzieżą na Skałce. **9 VI:** udział we Mszy św. w opactwie Cystersów w Mogile. **10 VI:** Msza św. na krakowskich Błoniach, w której uczestniczyło ok. 2 mln wiernych.

3. pielgrzymka: Irlandia, Stany Zjednoczone
29 września – 8 października 1979 r.

IRLANDIA (29 IX–1 X)

29 IX – Dublin: Msza św. w Phoenix Park dla półtora miliona wiernych. **30 IX:** spotkanie z przedstawicielami Polonii; odwiedzenie starych celtyckich ośrodków katolickich w: Drogheda (w pobliżu granicy z Ulsterem), Clonmacnoise, Galway (Msza św.), Knock, Maynooth, Limerick, Shannon.

STANY ZJEDNOCZONE (2–8 X)

2 X – Boston: powitanie przez prezydenta Jimmy'ego Cartera. **3 X – Nowy Jork:** przemówienie na forum ONZ; odwiedzenie murzyńskich i latynoskich dzielnic – Bronxu i Harlemu. **4 X:** Msza św. na Yankee Stadium; spotkanie z młodzieżą w Madison Square Garden. **Filadelfia:** Msza św. **5 X – Chicago:** spotkanie z Polonią, Msza św. na boisku sportowym przy parafii Pięciu Braci Męczenników. **6 IX – Waszyngton:** Msza św.; spotkanie w Białym Domu z prezydentem USA.

4. pielgrzymka: Turcja
28–30 listopada 1979 r.

TURCJA (28–30 XI)

28 XI – Ankara: spotkanie z prezydentem i premierem Turcji. **29 XI – Stambuł:** nabożeństwo ekumeniczne z patriarchą Dimitriosem I; spotkanie z patriarchą Kościoła gregoriańskiego Sznorkiem Kulustianowem; Msza św. w katolickiej bazylice Świętego Ducha. **30 XI – Izmir:** udział we Mszy św. patriarchy prawosławnego. **Efez:** odwiedzenie miasta soboru powszechnego w 431 r.

5. pielgrzymka: Zair, Kongo, Kenia, Ghana, Górna Wolta,
Wybrzeże Kości Słoniowej
2–12 maja 1980 r.

ZAIR (2–5 V)

2 V – Kinszasa: powitalne spotkanie z mieszkańcami stolicy; Msza św. w katedrze. **3 V:** Msza św. w kościele św. Piotra, poświęcenie kamienia węgielnego pod Wydział Teologii Katolickiej; odwiedziny leprozorium de la Rive. **4 V:** Msza św. na placu przed Pałacem Ludu – konsekracja ośmiu nowych biskupów zairskich; spotkanie z Polakami. **5 V – Kisangani:** Msza św. dla kilkuset tysięcy wiernych.

KONGO (5–6 V)

5 V – Brazzaville: nawiedzenie w kościele Serca Jezusa grobu zamordowanego kard. Emila Biayendy; Msza św. na Bulwarze Armii. **6 V:** Msza św. na stopniach katedry.

KENIA (6–8 V)

6 V – Nairobi: spotkanie z miejscowym duchowieństwem i korpusem dyplomatycznym. **7 V:** Msza św. w Uhuru Park z udziałem miliona wiernych; spotkania z Polonią, reprezentantami islamu i hindu.

GHANA (8–9 V)

8 V – Akra: Msza św. na placu Niepodległości. **9 V:** spotkanie z przedstawicielami miejscowych władz oraz z Polakami. **Kumasi**: Msza św. i wręczenie Międzynarodowej Nagrody Pokojowej Jana XXIII sześciu afrykańskim katechistom; spotkanie z szefami plemion, z królem Ashanti na czele.

GÓRNA WOLTA (10 V)

10 V – Uagadugu: Msza św.; spotkanie z biskupami Górnej Wolty, Nigerii, Mali, Togo.

WYBRZEŻE KOŚCI SŁONIOWEJ (10–12 V)

10 V – Abidżan: Msza św. z udziałem kilkuset tysięcy osób; poświęcenie kamienia węgielnego pod katedrę św. Pawła. **11 V – Jamusukro:** Msza św. i orędzie do młodych. **12 V – Adzope:** wizyta w leprozorium.

> ### 6. pielgrzymka: Francja
> ### 30 maja – 2 czerwca 1980 r.

FRANCJA (30 V – 2 VI)

30 V – Paryż: ceremonia powitania na placu Concorde; Msza św. w katedrze Notre-Dame; spotkanie z mieszkańcami Paryża na placu przed siedzibą władz miejskich; spotkanie z chorymi. **31 V:** spotkanie w kaplicy Cudownego Medalika; spotkanie z Polakami na Polu Marsowym; Msza św. przed katedrą Saint-Denis dla świata pracy. **1 VI:** spotkanie z pracownikami Instytutu Katolickiego; „Msza Ludu Bożego" z udziałem 700 tys. wiernych na lotnisku Le Bourget; spotkanie z młodzieżą na Parc des Princes; odwiedzenie bazyliki Sacre-Coeur na Montmartre. **2 VI:** spotkanie z organizacjami katolickimi akredytowanymi przy UNESCO; przemówienie na forum UNESCO. Lisieux: Msza św. przed bazyliką, mieszczącą relikwie św. Teresy.

> ### 7. pielgrzymka: Brazylia
> ### 30 czerwca – 12 lipca 1980 r.

BRAZYLIA (30 VI – 12 VII)

30 VI – Brasilia: Msza św. pontyfikalna przed katedrą. **1 VII:** odwiedzenie więzienia Papuba. **Belo Horizonte:** Msza św. dla dwumilionowej rzeszy młodzieży szkolnej i studentów. **Rio de Janeiro:** spotkanie z ludźmi nauki i sztuki. **2 VII:** wizyta w faveli – dzielnicy nędzy; udział w obchodach 25. rocznicy powstania CELAM – Rady Episkopatu Ameryki Łacińskiej; błogosławieństwo dla miasta ze wzgórza Corcovado, na którego szczycie znajduje się słynna statua Chrystusa; Msza św. przed Grobem Nieznanego Żołnierza. **3 VII – Sao Paulo:** Msza św. ku czci bł. Józefa de Anchleta na stadionie Morumbi; odwiedzenie faveli Alagados. **4 VII – Aparecida:** poświęcenie ołtarza w nowej bazylice. **Porto Alegre:** nawiedzenie katedry. **5 VII:** Msza św. na równinie przy Rua de Alancar. **Kurytyba:** Msza św. na stadionie dla 70 tys. emigrantów. **6 VII:** Msza św. dla emigrantów polskich, włoskich i niemieckich. **Salvador da Bahia**: odwiedzenie faveli oraz Msza św. na przedmieściach dla 2 mln wiernych.

Recife: Msza św. dla rolników na wiadukcie autostrady, z udziałem ponad miliona wiernych. **8 VII – Teresina**: nawiedzenie Seminarium Piusa X. **Marituba**: odwiedzenie kolonii trędowatych. **Belem**: Msza św. na ołtarzu wzniesionym na skrzyżowaniu ulic przy udziale miliona wiernych. **9 VII – Fortaleza**: Msza św. dla 900 tys. wiernych na placu w pobliżu stadionu Castelao. **10 VII – Manaus**: nawiedzenie katedry. **11 VII**: Msza św. w intencji ewangelizacji ludów na placu Pereira da Silva; procesja rzeczna na Rio Negro.

> **8. pielgrzymka: Republika Federalna Niemiec**
> **15–19 listopada 1980 r.**

REPUBLIKA FEDERALNA NIEMIEC (15–19 XI)

15 XI – Kolonia: Msza św. na lotnisku Butzweiler Hof; modlitwa przy grobie św. Alberta Wielkiego; spotkanie z przedstawicielami nauki. Bonn: spotkanie w pałacu Augustusburg z władzami państwowymi. **16 XI – Osnabrueck**: Msza św. z udziałem pielgrzymów z zagranicy; spotkanie z chorymi i osobami niepełnosprawnymi. **17 XI – Moguncja**: spotkanie z przedstawicielami Rady Kościoła Ewangelickiego; spotkanie z Polakami przybyłymi z całego RFN; Msza św. dla „gastarbeiterów". **18 XI – Fulda**: spotkanie z Episkopatem Niemiec. Altoetting: przesłanie do teologów. **19 XI – Monachium**: Msza św. na Theresienwiese dla 800 tys. wiernych; spotkanie z młodzieżą; spotkanie z artystami i dziennikarzami.

> **9. pielgrzymka: Pakistan, Filipiny, Guam, Japonia, Stany Zjednoczone**
> **16–27 lutego 1981 r.**

PAKISTAN (16–17 II)

16 II – Karaczi: Msza św. na stadionie Cricet Garden.

FILIPINY (17–22 II)

17 II – Manila: spotkania z zakonnicami i zakonnikami; wizyta w rezydencji prezydenta Marcosa. **18 II**: spotkanie z młodzieżą w Araneta Coliseum; nawiedzenie dzielnicy biedoty Tondo; Msza św. beatyfikacyjna Lorenza Ruiza i piętnastu towarzyszy w Luneta Park – uczestniczyło w niej ok. 3 mln ludzi. **19 II – Cebu**: Msza św. w intencji rodzin. **20 II – Davao**: Msza św. na lotnisku oraz spotkanie z muzułmanami. Bacalod: spotkanie z pracownikami cukrowni. Iloilo: Msza św. przed katedrą oraz koronacja statuy Matki Bożej z Dzieciątkiem. **Legaspi**: Liturgia Słowa dla rolników z udziałem 100 tys. osób. **Morong**: odwiedzenie obozu dla uchodźców z Wietnamu, Laosu i Kambodży. **21 II – Manila**: spotkanie z trędowatymi w siedzibie Radia Veritas; orędzie do wszystkich ludów Azji; spotkanie w nuncjaturze ze wspólnotą chińską. **22 II – Baguio City**: Msza św. dla mniejszości etnicznych.

GUAM (22–23 II)

23 II – Agana: Msza św.

JAPONIA (23–26 II)
23 II – Tokio: nawiedzenie katedry; spotkanie z młodzieżą w hali Karakuen; spotkanie z br. Zeno Żebrowskim. **24 II:** wizyta u cesarza Hirochity; Msza św. na stadionie Budokan; spotkanie z przedstawicielami buddystów i shintoistów. **25 II – Hiroszima:** spotkanie przed Pomnikiem Pokoju. **Nagasaki:** Msza św. w katedrze połączona z wyświęceniem nowych kapłanów. **26 II:** Msza św. na stadionie; wizyta w klasztorze Franciszkanów, założonym przez o. Maksymiliana Kolbego.

USA (27 II)
27 II – Anchorage (Alaska): Msza św. dla 40 tys. wiernych; spotkanie z Polakami.

10. pielgrzymka: Nigeria, Benin, Gabon, Gwinea Równikowa
12–19 lutego 1982 r.

NIGERIA (12–16 II)
12 II – Lagos: na National Stadium Msza św. dla 80 tys. wiernych. **13 II – Onitsha** (dawna **Biafra**): Msza św. dla półtora miliona wiernych, połączona z udzieleniem sakramentów chrztu i bierzmowania; na stadionie spotkanie z 10 tys. młodzieży; odwiedzenie szpitala św. Karola Boromeusza. **Enugu:** odwiedzenie seminarium duchownego. **14 II – Kaduna:** na lotnisku Msza św. z udzieleniem święceń kapłańskich 92 diakonom, akt zawierzenia Nigerii Matce Bożej; w katedrze św. Józefa spotkanie z katechistami. **15 II – Ibadan:** Msza św. na terenie miasteczka uniwersyteckiego dla 100 tys. wiernych. **16 II – Lagos:** w katedrze Świętego Krzyża Msza św. w intencji świata pracy; spotkanie z Polakami.

BENIN (17 II)
17 II – Cotonou: Msza św. na Stade Municipal; spotkania z prezydentem kraju i Episkopatem Beninu.

GABON (17–18 II)
17 II – Libreville: spotkania z władzami państwowymi, duchowieństwem i Polakami. **18 II:** na stadionie Liturgia Słowa dla 50 tys. osób. **19 II:** na stadionie Msza św. w intencji ewangelizacji ludów Afryki oraz akt zawierzenia Gabonu Matce Bożej.

GWINEA RÓWNIKOWA (18–19 II)
18 II – Malabo: spotkanie z przedstawicielami władz państwowych. **Bata:** Msza św. na placu Wolności i akt zawierzenia Gwinei Równikowej Najświętszej Maryi Pannie.

11. pielgrzymka: Portugalia
12–15 maja 1982 r.

PORTUGALIA (12–15 V)
12 V – Lizbona: spotkanie z wiernymi w kościele św. Antoniego; wizyta w zamku Belem, siedzibie prezydenta Portugalii. **Fatima:** modlitwa różańcowa; procesja świateł. **13 V:** spotkanie z Episkopatem Portugalii; 20-minutowe spotkanie z s. Łucją; Msza św. z udziałem miliona wiernych; akt zawierzenia świata Matce Bożej. **14 V –**

Vila Vicosa: nawiedzenie sanktuarium Niepokalanie Poczętej. **Lizbona**: wizyta na Uniwersytecie Katolickim; spotkanie z przedstawicielami wspólnot muzułmańskiej i żydowskiej; Msza św. dla młodzieży w parku Edwarda VII. **15 V**: spotkanie z intelektualistami w Coimbrze. **Monte Sameiro**: Msza św. w intencji rodzin dla ok. pół miliona ludzi. **Porto**: spotkanie z półmilionową rzeszą robotników na placu dos Aliados di Oporto.

> **12. pielgrzymka: Wielka Brytania**
> **28 maja – 2 czerwca 1982 r.**

WIELKA BRYTANIA (28 V – 2 VI)
28 V – Londyn: nieoficjalne spotkanie z królową brytyjską w Buckingham Palace; Msza św. w katedrze Westminsteru; spotkanie z chorymi w katedrze Southwark. **29 V**: wizyta w anglikańskiej katedrze Canterbury; Msza św. na Wembley dla 80 tys. wiernych. **30 V**: spotkanie z Polonią w Crystal Palace. **Coventry**: Msza św. na lotnisku. **Liverpool**: Msza św. w anglikańskiej katedrze Chrystusa Króla; spotkanie z młodzieżą. **31 V – Manchester**: spotkanie ze wspólnotą żydowską z Wysp Brytyjskich; Msza św. w parku Heaton dla 200 tys. osób. **York**: spotkanie modlitewne na hipodromie z udziałem 250 tys. ludzi. **Edynburg**: spotkanie z młodzieżą na stadionie Murrayfield. **1 VI – Glasgow**: Msza św. w Bellohuston Park dla 300 tys. wiernych. **2 VI – Cardiff**: Msza św. w Pontcanna Park; spotkanie z młodzieżą w Ninian Park.

> **13. pielgrzymka: Argentyna**
> **11–13 czerwca 1982 r.**

ARGENTYNA (11–13 VI)
11 VI – Rio de Janeiro (Brazylia): przemówienie na lotnisku podczas postoju technicznego. **Buenos Aires**: nawiedzenie katedry, spotkanie z duchowieństwem; spotkanie z przywódcami rządzącej wówczas junty. **Lujan**: Msza św. w narodowym sanktuarium maryjnym. **12 VI – Buenos Aires**: spotkanie z biskupami Argentyny i przewodniczącymi wszystkich Konferencji Episkopatów Ameryki Łacińskiej; Msza św. dla ok. 2 mln wiernych na placu Hiszpańskim.

> **14. pielgrzymka: Szwajcaria**
> **15 czerwca 1982 r.**

SZWAJCARIA (15 VI)
15 VI – Genewa: wizyta w Pałacu Narodów podczas obrad Zgromadzenia Generalnego Międzynarodowej Organizacji Pracy; spotkania z przedstawicielami pracowników i pracodawców oraz delegacjami rządowymi; odwiedziny siedziby Międzynarodowego Czerwonego Krzyża; wizyta w Europejskim Centrum Badań Nuklearnych; Msza św. w Pałacu Wystaw dla 25 tys. osób.

15. pielgrzymka: San Marino
29 sierpnia 1982 r.

SAN MARINO (29 VIII)

29 VIII – San Marino: spotkanie w Palazzo Publico z wszystkimi przedstawicielami władz; nawiedzenie bazyliki św. Marino i kościoła św. Piotra; Msza św. na stadionie Serravalle dla mieszkańców najstarszej na świecie Republiki.

16. pielgrzymka: Hiszpania
31 października – 9 listopada 1982 r.

HISZPANIA (31 X – 9 XI)

31 X – Madryt: udział w 37. Zgromadzeniu Plenarnym Konferencji Episkopatu Hiszpanii; inauguracja wigilii nocnej adoracji przed Najświętszym Sakramentem w kościele Matki Bożej z Gwadelupy. **1 XI – Ávila**: spotkanie z zakonnikami zgromadzeń kontemplacyjnych. **Porta de Carmen**: Msza św. **Alba**: nawiedzenie grobu św. Teresy od Jezusa i Liturgia Słowa dla 600 tys. wiernych. **Salamanka**: w auli uniwersyteckiej spotkanie ze światem nauki. **2 XI – Madryt**: Msza św. za zmarłych na cmentarzu Almudena; wizyta w prywatnej rezydencji królewskiej w Zarzuela; Msza św. dla rodzin na placu Lima z udziałem ponad miliona wiernych. **3 XI**: spotkanie z przedstawicielami wspólnoty żydowskiej; spotkanie ze światem nauki; spotkanie z młodzieżą na stadionie Santiago Bernabeu. **4 XI – Gwadelupa**: Liturgia Słowa przed XI-wiecznym klasztorem franciszkanów. **Toledo**: Msza św. na miejskich błoniach. **Segovia**: nawiedzenie grobu św. Jana od Krzyża w klasztorze karmelitów bosych. **5 XI – Sewilla**: Msza św. beatyfikacyjna s. Anieli od Krzyża. **Santa Fe**: spotkanie z rolnikami. **Granada**: nawiedzenie sanktuarium Matki Bożej Bolesnej; Liturgia Słowa na Poligono Almanjayar. **6 XI – Loyola**: Msza św. dla 200 tys. wiernych, nawiedzenie domu św. Ignacego. **Javier**: Liturgia Słowa pod zamkiem, gdzie przyszedł na świat Franciszek Ksawery. **Saragossa**: Liturgia Słowa i akt zawierzenia narodu hiszpańskiego Matce Bożej del Pilar. **7 XI – Montserrat**: z powodu niesprzyjającej aury Liturgia Słowa zamiast planowanej Mszy św. na placu przed benedyktyńskim sanktuarium maryjnym. **Barcelona**: spotkanie ze światem pracy w parku Montjuic; Msza św. na stadionie Camp Nou dla 100 tys. wiernych. **8 XI – Walencja**: spotkanie przed katedrą z chorymi i osobami w podeszłym wieku; Msza św. na Avenida Alameda połączona z wyświęceniem 141 diakonów. **Alcira**: spotkanie z miejscową ludnością dotkniętą klęską powodzi. **9 XI – Santiago de Compostela**: Msza św. z udziałem ponad pół miliona pielgrzymów oraz odczytanie Aktu Europejskiego.

17. pielgrzymka: Portugalia, Kostaryka, Nikaragua, Panama, Salwador, Gwatemala, Honduras, Belize, Haiti
2–10 marca 1983 r.

PORTUGALIA (2 III)

2 III – Lizbona: godzinny postój techniczny na stołecznym lotnisku; przemówienie do wiernych.

KOSTARYKA (2–4 III)

2 III – San Jose: spotkanie z biskupami z Sekretariatu ds. Ameryki Środkowej. **3 III**: spotkanie z 50-osobową grupą Polaków; Msza św. na stadionie La Sabana dla miliona wiernych; spotkanie z 40-tysięczną rzeszą młodzieży na miejskim stadionie, spotkanie z sędziami Ogólnoamerykańskiego Trybunału Praw Człowieka.

NIKARAGUA (4 III)

4 III – Managua: Msza św. na placu 19 Lipca; spotkanie z członkami junty i kierownictwem Frontu im. Sandino.

PANAMA (5 III)

5 III – Panama City: Msza św. dla kilkuset tysięcy wiernych.

SALWADOR (6 III)

6 III – San Salwador: nawiedzenie grobu zamordowanego przy ołtarzu abp. Oscara Romero; Msza św. na placu Metro Centro.

GWATEMALA (7 III)

7 III – Gwatemala City: Msza św. dla miliona wiernych na Campo Marte.

HONDURAS (8 III)

8 III – Tegucigalpa: nawiedzenie sanktuarium maryjnego i zawierzenie Matce Bożej wszystkich krajów Ameryki Środkowej. San Pedro Sula: Liturgia Słowa dla 10 tys. członków Ruchu Liturgii Słowa.

BELIZE (9 III)

9 III – Belize: Msza św. o jedność chrześcijan na terenie lotniska.

HAITI (9 III)

9 III – Port-au-Prince: Msza św. na zakończenie Kongresu Eucharystycznego i Maryjnego.

18. pielgrzymka: Polska
16–23 czerwca 1983 r.

POLSKA (16–23 VI)

16 VI – Warszawa: nawiedzenie grobu kard. Stefana Wyszyńskiego w katedrze warszawskiej; Msza św. z udziałem kleru. **17 VI:** spotkanie w Belwederze z władzami państwowymi; spotkanie z profesorami Katolickiego Uniwersytetu Lubelskiego i odebranie dyplomu doktora honoris causa; Msza św. na Stadionie X-lecia. **18 VI –**

Niepokalanów: odwiedzenie celi św. Maksymiliana Kolbego; Msza św. w pobliżu klasztoru. **Częstochowa**: Msza św. celebrowana przez prymasa Polski; spotkanie z młodzieżą. **19 VI**: Msza św. dla miliona wiernych. **20 VI – Poznań**: Msza św. w Parku Kultury i beatyfikacja matki Urszuli Ledóchowskiej. **Katowice**: nabożeństwo maryjne przed obrazem Matki Bożej z Piekar. **21 VI – Wrocław**: Msza św. i koronacja obrazu Matki Bożej Śnieżnej. Góra św. Anny: nieszpory w sanktuarium i koronacja obrazu Matki Bożej. **22 VI – Kraków**: spotkanie z senatem Uniwersytetu Jagiellońskiego i odebranie dyplomu doktora honorowego wszech nauk UJ; Msza św. i beatyfikacja o. Rafała Kalinowskiego i br. Alberta Chmielowskiego; konsekracja kościoła w Mistrzejowicach. **23 VI**: niezapowiedziane półtoragodzinne spotkanie z gen. Wojciechem Jaruzelskim. **Zakopane**: Dolina Chochołowska: spotkanie z Lechem Wałęsą.

19. pielgrzymka: Lourdes
14–15 sierpnia 1983 r.

LOURDES (14–15 VIII)
14 VIII – Lourdes: przemówienie i modlitwa różańcowa przy Grocie Objawień; udział w procesji światła. **15 VIII**: Msza św. z udziałem 300 tys. wiernych.

20. pielgrzymka: Austria
10–13 września 1983 r.

AUSTRIA (10–13 IX)
10 IX – Wiedeń: Liturgia Słowa („Nieszpory Europejskie") na Heldenplatz; spotkanie z młodzieżą (ponad 100 tys. uczestników) na Praterstadion. **11 IX**: spotkanie ekumeniczne z przedstawicielami wyznań chrześcijańskich; Msza św. w Donaupark, zamykająca XIV Katholikentag Kościoła austriackiego, z udziałem ponad 200 tys. wiernych. **12 IX**: Msza św. w katedrze św. Stefana; spotkanie w Hofburgu z przedstawicielami świata nauki i sztuki; wizyta w UNO-City, siedzibie 14 międzynarodowych organizacji ONZ; spotkanie z robotnikami na placu Am Hof; spotkanie z Polonią przy Karlsplatz. **13 IX**: wizyta na Kahlenbergu. Mariazell: akt zawierzenia Austrii Matce Bożej; Msza św. przed bazyliką.

21. pielgrzymka: Stany Zjednoczone, Korea Płd., Papua-Nowa Gwinea,
Wyspy Salomona, Tajlandia
2–12 maja 1984 r.

STANY ZJEDNOCZONE (2 V)
2 V – Fairbanks (Alaska): w trakcie technicznego postoju spotkanie na lotnisku z prezydentem Ronaldem Reaganem, z którym podczas prywatnej rozmowy omawiano problemy związane z sytuacją międzynarodową.

KOREA PŁD. (3–6 V)

3 V – Seul: spotkanie z prezydentem Korei Płd. Chun Doo Hwanem; Msza św. w regionalnym seminarium. **4 V – Kwangju**: Msza św. na stadionie Mudung z udziałem 70 tys. wiernych; spotkanie z trędowatymi w leprozorium na wyspie Sorokdo. **5 V – Taegu**: Msza św. odprawiona w języku koreańskim. **Pusan**: Liturgia Słowa na lotnisku dla ok. 300 tys. wiernych. **6 V – Seul**: odwiedzenie katedry pw. Niepokalanego Poczęcia Matki Boskiej – akt poświęcenia Matce Bożej narodu koreańskiego; Msza św. na placu Youido z udziałem ok. 1,5 mln wiernych i kanonizacja 103 błogosławionych męczenników koreańskich; przyjęcie w nuncjaturze przedstawicieli religii tradycyjnych – wspólnoty buddyjskiej, konfucjan i wyznawców religii Ch'ondo-gyu.

PAPUA-NOWA GWINEA (7–8 V)

7 V – Port Moresby: Msza św. na miejscowym stadionie dla ok. 40 tys. wiernych. **8 V – Mount Hagen**: Msza św. na polu golfowym dla 100 tys. osób – akt oddania Papui-Nowej Gwinei Matce Bożej.

WYSPY SALOMONA (9 V)

9 V – Honiara: spotkanie z więźniami w miejscowym zakładzie penitencjarnym – wręczenie każdemu z więźniów papieskiego różańca; Msza św. na stadionie z udziałem ok. 15 tys. wiernych.

TAJLANDIA (10–11 V)

10 V – Bangkok: powitanie przez Ramę IX w pałacu królewskim; spotkanie z Vasaną Tarą, najwyższym patriarchą buddyjskim, w zabytkowej świątyni klasztoru patriarchalnego; Msza św. na stadionie z udziałem 30 tys. wiernych. **11 V – Phanat Nikhom**: spotkanie z ok. 1500 osobami przebywającymi w tamtejszym obozie dla uchodźców. **Sampran**: Msza św. w miejscowym seminarium Saengtham, udzielenie święceń kapłańskich 23 diakonom.

> **22. pielgrzymka: Szwajcaria**
> **12–17 czerwca 1984 r.**

SZWAJCARIA (12–17 VI)

12 VI – Lugano: Msza św. na miejskim stadionie. **Genewa**: wizyta w siedzibie Światowej Rady Kościołów. **Chambesy**: odwiedzenie prawosławnego centrum. **Fryburg**: spotkanie z klerykami na modlitwie w seminarium. **13 VI**: Msza św. w parku La Poya. **14 VI – Berno**: wizyta w Centrum Ekumenicznym. **Flueli**: nawiedzenie domu św. Mikołaja, patrona Szwajcarii, oraz Msza św. **Einsiedeln**: nawiedzenie bazyliki i opactwa, liczącego ponad 1000 lat. **15 VI**: Msza św. w bazylice i konsekracja wielkiego ołtarza. **16 VI – Lucerna**: spotkanie z emigrantami; Msza św. na esplanadzie Allmend. **17 VI – Sion**: Msza św. na esplanadzie lotniska; spotkanie z Polakami; poświęcenie sztandaru narciarzy.

23. pielgrzymka: Kanada
   9–21 września 1984 r.

KANADA (9–21 IX)

9 IX – Quebec: nawiedzenie grobu pierwszego biskupa Quebecu i Ameryki Północnej św. Françoisa Lavala; Msza św. na terenie kampusu Katolickiego Uniwersytetu Lavalla z udziałem 200 tys. osób. **10 IX:** Liturgia Słowa z udziałem 7 tys. Indian i Eskimosów w sanktuarium św. Anny z Beaupre. **Trois-Dame du Cap:** Msza św. i zawierzenie Kanady Matce Bożej. **11 IX – Montreal:** Msza św. w Parku Jarry, beatyfikacja s. Marii Leonii Paradis; spotkanie na stadionie z 60 tys. młodzieży. **12 IX – St. Johns:** Msza św. nad brzegami jeziora Quidi Vivi. **13 IX – Moncton:** Msza św. dla 100 tys. wiernych na równinie Front Mountain Road. **Halifax:** spotkanie w Central Common z 30-tysięczną rzeszą młodzieży. **14 IX** – Toronto: ekumeniczne spotkanie w anglikańskim kościele; spotkanie z miejscową Polonią na stadionie Canadian National Exibition. **15 IX – Huronia:** Liturgia Słowa z udziałem 100 tys. osób, w większości potomkami starodawnego plemienia Huronów. Toronto: Msza św. na terenie lotniska Downview. **16 IX – Winnipeg:** spotkanie z przedstawicielami katolickiej wspólnoty ukraińskiej, liczącej w Kanadzie ok. 200 tys. osób; Msza św. w parku Bird's Hill dla ok. 200 tys. wiernych. **17 IX – Edmonton:** Msza św. na lotnisku z udziałem 100 tys. osób. **18 IX – Vancouver:** przemówienie za pośrednictwem radia i telewizji do oczekujących w Fort Simpson tysięcy Indian i Eskimosów (Papież nie dotarł tam z powodu niesprzyjających warunków atmosferycznych); Msza św. na lotnisku Abbottsford dla ok. 300 tys. osób. **19 IX – Ottawa:** Msza św. w klasztorze sióstr Służebniczek Jezusa i Maryi z Hull dla 200 zakonnic. **20 IX:** nawiedzenie katedry i Msza św.

24. pielgrzymka: Hiszpania, Dominikana, Portoryko
   10–13 października 1984 r.

HISZPANIA (10 X)

10 X – Saragossa: nawiedzenie sanktuarium Matki Boskiej del Pilar; Liturgia Słowa z udziałem miliona wiernych.

REPUBLIKA DOMINIKAŃSKA (11 X)

11 X – Santo Domingo: Msza św. na terenie hipodromu w asyście ok. stu biskupów Ameryki Łacińskiej; spotkanie z Polakami.

PORTORYKO (12 X)

12 X – San Juan: Msza św. na placu Las Americas.

25. pielgrzymka: Wenezuela, Ekwador, Peru, Trynidad i Tobago
   26 stycznia – 6 lutego 1985 r.

WENEZUELA (26–29 I)

26 I – Caracas: spotkanie z przedstawicielami miejscowych władz i Episkopatem Wenezueli. **27 I:** Msza św. w intencji rodzin na równinie Montalban, akt poświęcenia kraju Matce Bożej; spotkanie z Polakami oraz wspólnotami innych wyznań. **Maraca-ibo**: Msza św. z homilią. **28 I – Merida**: Msza św. o ewangelizację narodów, wizyta w katedrze. **Caracas**: wieczorne spotkanie na stadionie z młodzieżą. **29 I – Ciudad Guayana**: Msza św. dla świata pracy.

EKWADOR (29 I – 1 II)

30 I – Quito: spotkanie z rzeszą ponad 100 tys. młodzieży, zgromadzonej na stadionie Atahualpa; Msza św. w parku La Carolina na 450-lecie ewangelizacji Ekwadoru dla ok. miliona osób. **31 I – Latacunga**: spotkanie w okolicach lotniska z 200-tysięczną rzeszą Indian. **Cuenca**: Msza św. w intencji rodzin. **Guayaquil**: wizyta w sanktuarium Matki Boskiej Częstochowskiej; Liturgia Maryjna przed sanktuarium Matki Boskiej de la Alborada z licznym udziałem młodzieży. **1 II**: odwiedzenie ubogiego przedmieścia Guasmo; Msza św. beatyfikacyjna m. Mercedes od Jezusa Moliny.

PERU (1–5 II)

1 II – Lima: Liturgia Słowa na Plaza de Armas z udziałem 40 tys. ludzi. **2 II – Arequipa**: Msza św. beatyfikacyjna s. Anny od Aniołów Monteagudo. **Lima**: spotkanie z milionem młodych na hipodromie Monterrico. **3 II – Cuzco**: Liturgia Słowa z udziałem Indian. **Ayacucho**: spotkanie modlitewne z miejscową ludnością. **Lima**: Msza św. w intencji rodzin, wyświęcenie 47 nowych kapłanów. **4 II – Callao**: Liturgia Słowa dla 300 tys. osób; spotkanie z chorymi i marynarzami. **Piura**: Msza św. w miejscu pierwszej Eucharystii na ziemi peruwiańskiej. **Trujillo**: Msza św. w intencji uświęcenia świata pracy. **Lima**: poświęcenie nowej siedziby Konferencji Episkopatu. **5 II**: odwiedziny ubogiego przedmieścia Villa El Salvador. **Iquitos**: Liturgia Słowa.

TRYNIDAD I TOBAGO (5 II)

5 II – Port of Spain: Msza św. na stadionie.

26. pielgrzymka: Holandia, Luksemburg, Belgia
11–21 maja 1985 r.

HOLANDIA (11–15 V)

11 V – Den Bosch: przewodniczenie procesji maryjnej do katedry. **12 V – Utrecht**: spotkania w Beatrixhal z przedstawicielami organizacji społecznych, działających na rzecz Trzeciego Świata, oraz Msza św., w której wzięło udział 20 tys. osób. **13 V – Haga**: Msza św. dla chorych i niepełnosprawnych; wizyta i przemówienie w siedzibie Międzynarodowego Trybunału Sprawiedliwości. **14 V – Maastricht**: nawiedzenie kościołów św. Serwacego i Gwiazdy Morza; Msza św. na terenie lotniska Beek dla 50 tys. wiernych. **15 V – Amersfoort**: spotkanie z młodzieżą.

LUKSEMBURG (15–16 V)

15 V – Luksemburg: kurtuazyjne wizyty u rodziny książęcej i władz państwa; spotkanie z przedstawicielami religii niekatolickich. **Esch-Alzette**: Msza św. dla świata pracy i emigrantów. **16 V**: wizyta i przemówienie w siedzibie instytucji EWG. **Luksemburg**: Msza św. na placu Glacis. **Opactwo Echternach**: spotkanie z młodzieżą.

BELGIA (16–21 V)
16 V – Bruksela: spotkanie z mieszkańcami stolicy na Grand Place. **17 V – Antwerpia**: spotkanie z mieszkańcami miasta. **Ypres**: liturgia pokoju. **Gandawa**: Msza św. z udziałem 300 tys. wiernych. **18 V – Mechelen**: nabożeństwo ekumeniczne w katedrze św. Rumolda; spotkanie z mieszkańcami miasta na Grand Place. **Beauraing**: nawiedzenie słynnego z objawień maryjnych sanktuarium Aubepine – Msza św. dla 40 tys. wiernych. **Namur**: spotkanie z młodzieżą na stadionie w ramach „Manifete 85”. **19 V – Bruksela**: spotkanie z przedstawicielami wspólnoty muzułmańskiej; Msza św. przed katedrą Najświętszego Serca dla 300 tys. osób. **Liege**: spotkanie z mieszkańcami miasta. **Bruksela**: spotkanie z Polakami. **20 V**: Msza św. dla artystów w kościele Notre-Dame des Graces; wizyta w siedzibie EWG. **21 V – Louvain**: spotkanie ze wspólnotą uniwersytecką. **Banneux**: Msza św. w intencji chorych dla 100 tys. osób.

27. pielgrzymka: Togo, Wybrzeże Kości Słoniowej, Kamerun, Republika Środkowoafrykańska, Zair, Kenia, Maroko 8–19 sierpnia 1985 r.

TOGO (8–10 VIII)
8 VIII – Lome: Msza św. dla 10 tys. wiernych. **9 VIII – Pya**: wizyta w rezydencji prezydenta Eyademy, znajdującej się w jego rodzinnej wsi. **Kara**: Msza św. połączona z wyświęceniem nowych kapłanów. **Togoville**: spotkanie modlitewne.

WYBRZEŻE KOŚCI SŁONIOWEJ (10 VIII)
10 VIII – Abidżan: konsekracja nowej katedry, mogącej pomieścić 9 tys. osób.

KAMERUN (10–13 VIII)
10 VIII – Jaunde: Liturgia Słowa w katedrze, połączona z udzieleniem ślubów zakonnych. **11 VIII – Garoua**: Msza św. o ewangelizację narodów. **12 VIII – Bamenda**: Msza św. na terenie lotniska dla 20 tys. wiernych. **Jaunde**: spotkanie z władzami Kamerunu, korpusem dyplomatycznym i przedstawicielami organizacji międzynarodowych; spotkania z Polakami oraz przedstawicielami wspólnoty muzułmańskiej. **13 VIII – Duala**: Msza św. dla świata pracy; przemówienie do młodzieży.

REPUBLIKA ŚRODKOWOAFRYKAŃSKA (14 VIII)
14 VIII – Bangi: Msza św. na Avenue des Martyrs, upamiętniającej ofiary masakry przeprowadzonej przez Bokassę.

ZAIR (14–16 VIII)
15 VIII – Kinszasa: Msza św. beatyfikacyjna męczenniczki s. Klementyny Anwarity Nengapety, zamordowanej 1 grudnia 1964 r.; spotkanie z duchowieństwem oraz władzami kraju. **16 VIII – Lubumbashi**: Msza św. połączona z udzielaniem ślubów zakonnych.

KENIA (16–19 VIII)
17 VIII – Nairobi: odwiedzenie parku narodowego Masai Mara; Msza św. na stadionie Nayo, udzielenie błogosławieństwa kilkunastu parom małżeńskim. **18 VIII**: Msza

św. „Statio Orbis" w Uhuru Park z udziałem ok. pół miliona ludzi, zamykająca Kongres Eucharystyczny; uroczyste otwarcie Wydziału Teologicznego dla Afryki Wschodniej; wizyta w centrum ONZ „Program Ochrony Środowiska"; spotkanie w nuncjaturze z przedstawicielami wspólnoty protestanckiej, wyznawcami islamu i buddystami.

MAROKO (19 VIII)

19 VIII – Casablanka: Msza św. w katolickim instytucie im. Charlesa de Foucaulda, z udziałem wielu Polaków; spotkanie z królem Hassanem II; mityng na miejscowym stadionie z 50 tys. ludzi, w zdecydowanej większości muzułmanami.

28. pielgrzymka: Liechtenstein
8 września 1985 r.

LIECHTENSTEIN (8 IX)

8 IX – Eschen-Mauren: Msza św. na stadionie; spotkanie z młodzieżą Liechtensteinu; akt poświęcenia kraju Matce Bożej w kaplicy cudownego wizerunku Maryi Pocieszycielki w Schaan-Dux.

29. pielgrzymka: Indie
31 stycznia – 11 lutego 1986 r.

INDIE (31 I – 11 II)

1 II – New Delhi: nawiedzenie katedry, zawierzenie archidiecezji Najświętszemu Sercu Pana Jezusa, poświęcenie kamienia węgielnego pod nowy klasztor zakonnic; modlitwa w Raj Ghat, narodowym sanktuarium Indii; Msza św. na stadionie Indiry Gandhi; inauguracja obchodów 25-lecia indyjskiej „Caritas" w siedzibie Konferencji Episkopatu Indii. **2 II**: prywatne spotkanie z Dalajlamą; Msza św. na stadionie Indiry Gandhi; tamże spotkanie ekumeniczne z udziałem przedstawicieli muzułmanów, hinduistów i chrześcijan. **3 II – Ranczi**: Msza św. dla 200 tys. osób, w większości niekatolików. Kalkuta: nawiedzenie prowadzonego przez Matkę Teresę Domu Czystego Serca, schroniska dla umierających. **4 II – Szilong**: Msza św. dla 50 tys. osób. **Kalkuta**: Msza św. na Brigade Parade Grounds dla 300 tys. ludzi. **5 II – Madras**: pielgrzymka na Górę św. Tomasza; spotkanie z przedstawicielami religii niechrześcijańskich w Rajaji Hall; wizyta w katedrze św. Tomasza; Msza św. na wybrzeżu morskim. **6 II – Goa**: Msza św. na Campal Grounds dla 300 tys. osób. **Mangalur**: Liturgia Słowa z udziałem pół miliona osób. **7 II – Triczur**: spotkanie modlitewne z udziałem ok. miliona ludzi, koronacja figury Matki Boskiej dla obchodzącej stulecie katedry. **8 II – Kottayam**: Msza św. beatyfikacyjna o. Kuriakosa Eliasza Chavary i s. Alfonsy Muttathupandathu z udziałem półtora miliona ludzi. **Trivandrum**: spotkanie modlitewne w pobliżu lotniska. **9 II – Wasai**: spotkanie modlitewne z udziałem ponad pół miliona wiernych na terenie St. Augustin High School; wizyta w bazylice Mount Mary i katedrze Imienia Jezus. **Bombaj**: spotkanie z arcybiskupem Canterbury Robertem Runcie, przebywającym w tym czasie w Indiach; Msza św. w parku Sziwadzi oraz zawierzenie Indii Matce Bożej. **10 II – Puna**: spotkanie ze studentami

Papieskiego Wydziału Filozoficzno-Teologicznego; spotkanie z młodzieżą w parku Sziwadzi.

30. pielgrzymka: Kolumbia, Wyspa Świętej Łucji
1–8 lipca 1986 r.

KOLUMBIA (1–7 VII)
1 VII – Bogota: nawiedzenie katedry; powitalne spotkanie na placu Simona Bolivara; spotkanie z prezydentem kraju, elitą polityczną, kulturalną i przemysłową w pałacu Casa Narino; spotkanie z Polakami. **2 VII**: Msza św. w parku Simona Bolivara dla pół miliona wiernych; przekazanie przez radio papieskiego orędzia do więźniów; spotkanie z wielotysięczną rzeszą młodzieży. **3 VII – Chiquinquira**: Msza św. dla 300 tys. campesinos; akt zawierzenia Kolumbii Matce Bożej. **Bogota**: Liturgia Słowa w parku El Tunal dla miliona mieszkańców ubogich przedmieść. **4 VII – Tumaco**: Liturgia Słowa. **Popayan**: nawiedzenie katedry zburzonej w 1983 r. przez trzęsienie ziemi; Liturgia Słowa dla 200 tys. Metysów i Murzynów. **Cali**: Msza św. dla rodzin, odprawiona na stadionie z udziałem 300 tys. wiernych. **5 VII – Chinchina**: modlitwa w intencji ofiar wybuchu wulkanu Nevado del Ruiz w 1985 r. **Medellin**: Msza św. dla mieszkańców ubogich dzielnic, wyświęcenie 92 nowych kapłanów. **6 VII – Armero, Lerida**: modlitwa w intencji ofiar wulkanu. **Bucamaranga**: Msza św. w intencji laikatu Kolumbii. **Cartagena**: Liturgia Słowa połączona z koronacją wizerunku Matki Boskiej Gromnicznej; nawiedzenie sanktuarium apostoła niewolników św. Piotra Klawera. **7 VII – Barranquilla**: nawiedzenie katedry i Liturgia Słowa.

WYSPA ŚWIĘTEJ ŁUCJI (7 VII)
7 VII – Castries: Msza św. w Reduit Park, nawiedzenie katedry.

31. pielgrzymka: Francja
4–7 października 1986 r.

FRANCJA (4–7 X)
4 X – Lyon: spotkanie z przedstawicielami innych wyznań chrześcijańskich na terenie starożytnego rzymskiego amfiteatru Trzech Galii; Msza św. beatyfikacyjna o. Antoniego Chevriera w parku „Eurexpo" z udziałem 300 tys. wiernych. **5 X – Taize**: modlitwa w miejscowym kościele. **Paray-le-Monial**: Msza św. dla ok. 100 tys. wiernych; odwiedzenie kaplicy Objawień i modlitwa przy grobie św. Małgorzaty Marii oraz kaplicy, w której spoczywa ciało bł. ojca La Colombiere. **Lyon**: spotkanie z chorymi w prymasowskiej katedrze oraz 60 tys. młodzieży na stadionie Gerland. **6 X – Ars**: pielgrzymka do grobu św. Jana Marii Vianneya w 200. rocznicę jego urodzin; Msza św. dla mieszkańców diecezji Belly. **7 X – Annecy**: wizyta w klasztorze Nawiedzenia – Liturgia Słowa; spotkanie z rodzinami zakonnymi; Msza św. na Polu Marsowym. **Lyon**: spotkanie w kaplicy Prado z przedstawicielami wspólnot muzułmańskiej i żydowskiej.

**32. pielgrzymka: Bangladesz, Singapur, Fidżi, Nowa Zelandia, Australia, Seszele
18 listopada – 1 grudnia 1986 r.**

BANGLADESZ (19 XI)

19 XI – Dhaka: Msza św. i wyświęcenie 18 nowych kapłanów na stadionie Ershad; modlitwa przy pomniku wzniesionym ku czci poległych w wojnie z Pakistanem; spotkanie z przedstawicielami religii chrześcijańskich i niechrześcijańskich; audiencja delegacji biskupów z Birmy.

SINGAPUR (20 XI)

20 XI – Singapur: Msza św. na Stadionie Narodowym dla 70 tys. osób.

FIDŻI (21–22 XI)

21 XI – Suva: Msza św. w Albert Park. **22 XI – Nadi**: Msza św. na lotnisku i spotkanie z młodzieżą; zawierzenie Fidżi Matce Bożej.

NOWA ZELANDIA (22–24 XI)

22 XI – Auckland: spotkanie w parku Auckland Domain z Maorysami, zawierzenie Matce Boskiej Częstochowskiej społeczności maoryskiej; Msza św. dla wiernych z diecezji Auckland i Hamilton; spotkanie z młodzieżą. **23 XI – Wellington**: prywatne spotkanie z przedstawicielami opozycji; spotkania z premierem i generalnym gubernatorem. **24 XI – Christchurch**: Msza św. na stadionie Lancaster Park; nabożeństwo ekumeniczne w katedrze pw. Najświętszego Sakramentu z udziałem przedstawicieli różnych wspólnot chrześcijańskich – poświęcenie nowej kaplicy Jedności.

AUSTRALIA (24 XI – 1 XII)

24 XI – Canberra: Msza św. na terenach wystawowych dla 100 tys. osób; przemówienie w parlamencie australijskim. **25 XI**: spotkanie z korpusem dyplomatycznym. **Brisbane**: Msza św. na miejskim stadionie dla 70 tys. osób. **Sydney**: spotkanie z młodzieżą na polach krykietowych. **26 XI**: spotkanie z miejscową wspólnotą żydowską; spotkanie z robotnikami w fabryce „Transfield Ltd."; spotkania z biskupami australijskimi, duchowieństwem, studentami i kadrą naukową miejscowego uniwersytetu; Msza św. na hipodromie dla ok. 250 tys. wiernych. **27 XI – Hobart**: Msza św. dla 25 tys. osób. **Melbourne**: wizyta w katedrze anglikańskiej; nabożeństwo ekumeniczne na stadionie dla wyznawców różnych religii chrześcijańskich. **28 XI**: Msza św. na hipodromie dla ok. 200 tys. osób; spotkanie w klasie szkolnej z 10-letnimi dziećmi; spotkanie z Polonią australijską. **29 XI – Darwin**: spotkanie z grupą wspólnot neokatechumenalnych. **Alice Springs**: spotkanie z przedstawicielami szczepów tubylczych. **30 XI – Adelajda**: spotkanie z rolnikami w Centrum Festiwalowym; Msza św. na hipodromie Victoria Park dla ponad 140 tys. osób. **Perth**: Msza św. dla 80 tys. wiernych; spotkanie z osobami w podeszłym wieku.

SESZELE (1 XII)

1 XII – Victoria: Msza św. na stołecznym stadionie.

33. pielgrzymka: Urugwaj, Chile, Argentyna
31 marca – 13 kwietnia 1987 r.

URUGWAJ (31 III – 1 IV)

31 III – Montevideo: spotkanie z duchowieństwem w katedrze metropolitalnej; podpisanie w Pałacu Taranco dokumentu kończącego mediacje między Argentyną i Chile. **1 IV**: Msza św. na Tres Cruces.

CHILE (1–6 IV)

1 IV – Santiago: błogosławieństwo udzielone ze Wzgórza św. Krzysztofa. **2 IV**: spotkanie z prezydentem republiki gen. Augusto Pinochetem; wizyta w ubogiej dzielnicy San Ramon. **Valparaiso**: Msza św. dla rodzin na lotnisku sportowym. **Santiago**: spotkanie z młodzieżą na stadionie narodowym. **3 IV – Maipu**: nawiedzenie sanktuarium maryjnego i zawierzenie Chile Matce Bożej. **Santiago**: spotkanie z chorymi i osobami starszymi; Msza św. o pojednanie w parku O'Higgins, beatyfikacja s. Teresy od Jezusa; spotkanie z przedstawicielami wszystkich opozycyjnych kierunków politycznych w Chile. **4 IV – Punta Arenas**: Liturgia Słowa z udziałem kilku tysięcy pielgrzymów z Argentyny. **Puerto Montt**: Msza św. dla ponad 150 tys. ludzi morza. **5 IV – Concepcion**: Msza św. na hipodromie dla ok. 500 tys. robotników. **Temuco**: Liturgia Słowa na błoniach w centrum miasta dla Indian, potomków pierwszych mieszkańców Chile. **La Serena**: Liturgia Słowa poświęcona kultowi Matki Bożej. **Antofagasta**: błogosławieństwo przekazane mieszkańcom pustynnych terenów Norte Grande za pośrednictwem telewizji. **6 IV**: wizyta w miejscowym więzieniu; Msza św. dla 200 tys. wiernych.

ARGENTYNA (6–13 IV)

6 IV – Buenos Aires: spotkanie z prezydentem kraju oraz korpusem dyplomatycznym. **7 IV – Bahia Blanca**: Msza św. dla rolników na skrzyżowaniu dróg El Cristo del Camino. **Viedma**: Msza św. na lotnisku dla 50 tys. osób. **Mendoza**: spotkanie z 200 tys. wiernych. **8 IV – Cordoba**: Msza św. dla rodzin na równinie Area Material Cordoba. **Tucuman**: Liturgia Słowa na lotnisku. **Salta**: Liturgia Słowa dla 200 tys. osób. **9 IV – Corrientes**: Msza św. dla 100 tys. wiernych na Avenida Independencia. **Parana**: Liturgia Słowa dla emigrantów, przybyło 70 tys. ludzi. **Buenos Aires**: spotkanie z przedstawicielami wspólnoty żydowskiej. **10 IV**: Msza św. dla zaangażowanych w duszpasterstwo; spotkania z przedstawicielami Kościoła ukraińskiego oraz z Polakami. **11 IV – Rosario**: Msza św. w intencji laikatu. **Buenos Aires**: spotkania z przemysłowcami oraz przedstawicielami wspólnoty muzułmańskiej; spotkanie na Avenida 9 de Julio z półmilionową rzeszą młodych, przybyłych na Światowy Dzień Młodzieży. **12 IV**: Msza św. na Avenida 9 de Julio dla uczestników Światowego Dnia Młodzieży, wzięło w niej udział ok. 1,8 mln osób; akt zawierzenia Argentyny Matce Bożej.

34. pielgrzymka: Republika Federalna Niemiec
30 kwietnia – 4 maja 1987 r.

REPUBLIKA FEDERALNA NIEMIEC (30 IV – 4 V)

30 IV – Kolonia: powitanie przez prezydenta RFN Richarda Weizsäckera. **1 V –**
Bonn: spotkanie z prezydentem RFN. Kolonia: Msza św. beatyfikacyjna Edyty Stein;
poświęcenie „pochodni z Altenbergu", przyniesionej przez młodzież z historycznego
opactwa jako symbol pokoju i pojednania między narodami. **Münster**: spotkanie
z 90-tysięczną rzeszą młodzieży. **2 V – Kevelaer**: nawiedzenie sanktuarium maryjnego
i zawierzenie Kościoła w Niemczech Matce Bożej. **Bottrop**: spotkanie ze światem
pracy na terenie kopalni. **3 V – Monachium**: Msza św. beatyfikacyjna o. Ruperta Mayera
na Stadionie Olimpijskim; nawiedzenie grobu nowo beatyfikowanego. **Augsburg**:
Msza św. w gotyckiej katedrze – wśród darów złożono dużą sumę pieniędzy na sty-
pendia dla ubogich seminarzystów różnych krajów. **4 V**: otwarcie nowego gmachu
seminarium duchownego; spotkanie ekumeniczne w katolickiej bazylice św. Ulryka
i św. Afry. **Spira**: Msza św. w intencji zjednoczonej Europy.

35. pielgrzymka: Polska
8–14 czerwca 1987 r.

POLSKA (8–14 VI)

8 VI – Warszawa: spotkanie w Zamku Królewskim z gen. Wojciechem Jaruzelskim
i przedstawicielami władz PRL; Msza św. w kościele pw. Wszystkich Świętych
na otwarcie II Krajowego Kongresu Eucharystycznego. **9 VI – Majdanek**: odwiedzenie byłego obozu koncentracyjnego. **Lublin**: spotkanie na KUL-u z przedstawicielami świata nauki; Msza św. w dzielnicy Czuby. **10 VI – Tarnów**: Msza św. beatyfikacyjna s. Karoliny Kózkówny. **Kraków**: Liturgia Słowa na Błoniach; Msza św.
w Katedrze Wawelskiej. **11 VI – Szczecin**: Msza św. dla rodzin na Jasnych Błoniach.
Gdynia: spotkanie z ludźmi morza – Liturgia Słowa. **12 VI – Westerplatte**: spotkanie
z młodzieżą – Liturgia Słowa. **Gdańsk**: modlitwa pod pomnikiem ofiar grudnia 1970; Msza św. dla świata pracy w dzielnicy Zaspa. **Częstochowa**: udział w Apelu
Jasnogórskim. **13 VI**: Msza św. w kaplicy Cudownego Obrazu. **Łódź**: Msza św. na lotnisku aeroklubu, podczas której 1600 dzieci przystąpiło do Pierwszej Komunii Świętej; spotkanie z włókniarkami. **Warszawa**: spotkanie z przedstawicielami środowisk
twórczych w kościele Świętego Krzyża. **14 VI**: modlitwa przy grobie ks. Jerzego Popiełuszki w kościele św. Stanisława Kostki; Msza św. na Placu Defilad na zakończenie II Krajowego Kongresu Eucharystycznego.

36. pielgrzymka: Stany Zjednoczone, Kanada
10–21 września 1987 r.

STANY ZJEDNOCZONE (10–19 IX)

10 IX – Miami: ceremonia powitalna – spotkanie z Ronaldem Reaganem; spotkanie
w katedrze St. Mary z duchowieństwem USA. **11 IX**: spotkanie z przedstawicielami

organizacji żydowskich; Msza św. w parku Tamiani dla ok. 200 tys. wiernych, przerwana przez gwałtowną burzę. **Columbia**: ekumeniczne wystąpienie w kościele św. Piotra; liturgia ekumeniczna na stadionie uniwersyteckim. **12 IX – Nowy Orlean**: spotkanie z czarnymi katolikami; spotkanie z 70 tys. młodzieży w Pałacu Sportu. **13 IX – San Antonio**: Msza św. dla ok. 300 tys. osób; spotkanie z grupą 1000 Polaków. **14 IX – Phoenix**: spotkanie z kierownictwem katolickich instytucji charytatywnych; nabożeństwo dla 17 tys. Indian w hali Coliseum. **15 IX – Los Angeles**: nawiedzenie katedry; spotkanie z młodzieżą w amfiteatrze wytwórni filmowej Universal w Hollywood. **16 IX**: Msza św. dla 100 tys. wiernych. **17 IX – Monterey**: Msza św. dla 70 tys. rolników na torze wyścigowym. **Carmel**: nawiedzenie grobu apostoła Kalifornii ks. Junipero Serry. **San Francisco**: spotkanie z chorymi na AIDS; nabożeństwo w katedrze dla zakonników i zakonnic. **18 IX**: Msza św. na stadionie dla 80 tys. wiernych. **19 IX – Detroit**: spotkanie z liczną Polonią; nabożeństwo dla diakonów; spotkanie ekumeniczne; uroczysta Msza św. z udziałem wiceprezydenta George'a Busha seniora.

KANADA (19–20 IX)
20 IX – Fort Simpson: Msza św. dla 20 tys. Indian.

37. pielgrzymka: Urugwaj, Boliwia, Peru, Paragwaj
7–18 maja 1988 r.

URUGWAJ (7–9 V)
7 V – Montevideo: Liturgia Słowa na stadionie Centenario. **8 V – Melo**: spotkanie z robotnikami na esplanadzie Barrio La Concordia. **Florida**: Msza św. oraz akt zawierzenia Urugwaju Matce Bożej. **9 V – Salto**: Msza św. dla wiernych północno-wschodniej części kraju.

BOLIWIA (9–14 V)
9 V – La Paz: wygłoszenie telewizyjnego orędzia do pracowników środków społecznego przekazu z okazji Dnia Dziennikarza. **10 V**: Msza św. na lotnisku El Alto; spotkania z prezydentem kraju oraz przedstawicielami wyznań chrześcijańskich i wspólnoty żydowskiej. **11 V – Oruro**: spotkanie z rolnikami i górnikami. **Cochabamba**: Msza św. dla wiernych archidiecezji; spotkanie z młodzieżą na stadionie Capriles. **12 V – Sucre**: Msza św. na Estadio Patria, w której uczestniczyło 60 tys. osób. **13 V – Santa Cruz**: audiencja dla polskich misjonarzy pracujących w Boliwii. **Tarija**: Liturgia Słowa i orędzie do dzieci. **Santa Cruz**: Msza św. na terenie lotniska El Trompillo.

PERU (14–16 V)
15 V – Lima: telewizyjne orędzie do więźniów; Msza św. na Campo San Miguel, zamykająca Kongres Eucharystyczny i Maryjny krajów boliwariańskich; spotkania z duchowieństwem oraz światem nauki i kultury.

PARAGWAJ (16–18 V)

16 V – Asuncion: na Campo Nu Guazu Msza św. kanonizacyjna trzech błogosławionych: Roque Gonzaleza de Santa Cruz, Alfonso Rodrigueza i Juana del Castillo. **17 V – Villarrica**: Msza św. dla rolników. **Mariscal Estigarribia**: spotkanie z ludnością tubylczą. **18 V – Encarnacion**: Liturgia Słowa. **Asuncion**: Msza św. w maryjnym sanktuarium Caacupe oraz akt zawierzenia Paragwaju Matce Bożej; spotkanie z młodzieżą.

> ## 38. pielgrzymka: Austria
> ### 23–27 czerwca 1988 r.

AUSTRIA (23–27 VI)

23 VI – Schwechat: ceremonia powitalna z udziałem prezydenta Austrii Kurta Waldheima. **Wiedeń**: nieszpory w katedrze św. Stefana. **24 VI**: spotkanie z przedstawicielami wspólnoty żydowskiej w Austrii. **Eisenstadt**: Msza św. z udziałem wielu pielgrzymów z sąsiednich krajów. **Mauthausen**: odwiedziny byłego obozu koncentracyjnego. **Salzburg**: spotkanie w klasztorze Kapucynów z Konferencją Episkopatu. **25 VI – Enns-Lorch**: Liturgia Słowa na placu przed bazyliką św. Wawrzyńca, gdzie przechowywane są relikwie św. Floriana. **Gurk**: Msza św. na placu katedralnym. **26 VI – Salzburg**: Liturgia Słowa z udziałem chorych; Msza św. na Residenzplatz; spotkanie z młodzieżą w centrum św. Marka; spotkanie ekumeniczne w Christuskirche. **27 VI – Innsbruck**: Msza św. na stadionie Bergisel dla 50 tys. wiernych; spotkanie w Eisstadion z 20-tysięczną rzeszą dzieci skupionych w Akcji Katolickiej „Święto Dzieci"; nabożeństwo maryjne w bazylice Wilten.

> ## 39. pielgrzymka: Zimbabwe, Botswana, Lesotho, Suazi, Mozambik
> ### 10–19 września 1988 r.

ZIMBABWE (10–13 IX)

10 IX – Harare: spotkanie w State House z prezydentem Robertem Mugabe. **11 IX**: Msza św. na terenie wyścigów konnych Borrowdale dla ponad 300 tys. wiernych; spotkanie z młodzieżą na stadionie Glamis. **12 IX – Bulawayo**: Msza św. dla 100 tys. osób; spotkanie w katedrze katolickiej z przedstawicielami duchowieństwa Zimbabwe; spotkanie ekumeniczne w katedrze anglikańskiej z udziałem przedstawicieli tradycyjnych religii afrykańskich.

BOTSWANA (13 IX)

13 IX – Gaborone: Msza św. na miejskim stadionie z udziałem 50 tys. osób, akt zawierzenia Botswany Matce Boskiej, Królowej Pokoju.

LESOTHO (14–16 IX)

14 IX – Roma: Msza św. w katedrze. **15 IX – Maseru**: Msza św. beatyfikacyjna o. Józefa Gerarda; spotkanie na stadionie z kilkudziesięciotysięczną rzeszą młodzieży; wizyta u króla Lesotho Moshoeshoe II.

SUAZI (16 IX)

16 IX – Manzi: Msza św. na stadionie Somhlolo z udziałem ok. 15 tys. osób, poświęcenie Suazi Matce Boskiej; spotkanie w katedrze z duchowieństwem, osobami chorymi i uchodźcami.

MOZAMBIK (16–19 IX)

16 IX – Maputo: spotkanie z prezydentem Joaquimem Alberto Chissano. **17 IX – Beira**: Msza św., w której uczestniczyło ponad 100 tys. osób. Nampula: Liturgia Słowa na lotnisku. **18 IX – Maputo**: Msza św. na Estadio da Machava dla 70 tys. osób, akt zawierzenia Mozambiku Matce Bożej; spotkanie w katedrze z młodzieżą; spotkanie z Episkopatem Mozambiku.

> ### 40. pielgrzymka: Francja
> #### 8–11 października 1988 r.

FRANCJA (8–11 X)

8 X – Strasburg: spotkanie z prezydentem Francois Mitterandem; wystąpienie w Radzie Europejskiej oraz w Komisji i Trybunale Praw Człowieka; Msza św. w katedrze; spotkanie na stadionie z 40 tys. młodzieży przybyłej z 12 krajów. **9 X**: Msza św. na stadionie Meinau dla wiernych archidiecezji strasburskiej; spotkanie ekumeniczne w kościele św. Tomasza; na placu przed katedrą pozdrowienie miasta z okazji 2000. rocznicy jego założenia. **10 X – Metz**: Msza św. w katedrze. **Nancy**: orędzie do więźniów; Liturgia Słowa na placu Carnot. **11 X – Mont Sainte-Odile**: nawiedzenie historycznego sanktuarium. **Strasburg**: wizyta w Parlamencie Europejskim. **Miluza**: Msza św. na stadionie dla wiernych z południowej Alzacji.

> ### 41. pielgrzymka: Madagaskar, Reunion, Zambia, Malawi
> #### 28 kwietnia – 6 maja 1989 r.

MADAGASKAR (28 IV – 1 V)

29 IV – Antsiranana: Msza św. na terenie lotniska. **Antananarivo**: spotkanie z młodzieżą na stadionie Alarobia; spotkanie w katedrze z chrześcijanami nienależącymi do Kościoła katolickiego. **30 IV**: Msza św. beatyfikacyjna Wiktorii Rasoamanarivo, z udziałem ok. pół miliona wiernych; orędzie do więźniów. **1 V – Fianarantsoa**: Msza św. na stadionie dla ok. 100 tys. osób.

REUNION (1–2 V)

2 V – Saint-Denis: Msza św. beatyfikacyjna br. Jean-Bernarda Rousseau na esplanadzie Notre-Dame de la Trinite.

ZAMBIA (2–4 V)

2 V – Lusaka: spotkania z prezydentem i przedstawicielami władz państwowych oraz duchowieństwem. **3 V – Kitwe**: Msza św. na terenie dawnego lotniska. **Lusaka**: spotkanie z młodzieżą na Independence Stadium. **4 V**: spotkanie z przedstawicielami Kościołów chrześcijańskich i innych religii; Msza św. w miejscu, gdzie miała stanąć katedra, akt zawierzenia Zambii Matce Bożej.

MALAWI (4–6 V)

5 V – Blantyre: Msza św. w Kwacha Park i akt zawierzenia Malawi Matce Bożej; spotkanie z młodzieżą; spotkanie ekumeniczne z przedstawicielami wyznań chrześcijańskich i innych religii. **6 V – Lilongwe**: Msza św. na terenie wojskowego lotniska.

> **42. pielgrzymka: Norwegia, Islandia, Finlandia, Dania, Szwecja**
> **1–10 czerwca 1989 r.**

NORWEGIA (1–3 VI)

1 VI – Oslo: spotkanie w pałacu królewskim z królem Olafem V; Msza św. przed twierdzą **Akershus**; spotkanie ekumeniczne w **Akershaus** z udziałem przedstawicieli różnych wyznań chrześcijańskich. **2 VI – Trondheim**: nabożeństwo ekumeniczne w protestanckiej katedrze św. Olafa; Msza św. w akademickim ośrodku sportowym. **Tromsø**: przewodniczenie nieszporom. **3 VI**: Msza św. w akademickim ośrodku sportowym.

ISLANDIA (3–4 VI)

3 VI – Rejkiawik: spotkanie ekumeniczne w parku Thingvellir.

FINLANDIA (4–6 VI)

4 VI – Helsinki: prywatne spotkanie z prezydentem Mauno Koivisto. **5 VI – Turku**: nabożeństwo ekumeniczne w katedrze luterańskiej oraz „Sesja dialogu" z udziałem biskupów luterańskich; Msza św. w Ice Sports Hall i udzielenie sakramentu bierzmowania 200 osobom; spotkanie z politykami, biznesmenami oraz ludźmi nauki i kultury w centrum kongresowym Finlandiatalo.

DANIA (6–8 VI)

6 VI – Kopenhaga: Msza św. w parku klasztoru benedyktyńskiego Aasebakken. **Roskilde**: nabożeństwo ekumeniczne w średniowiecznej katedrze; spotkanie z Polakami. **7 VI – Oem**: Msza św. w miejscu dawnego opactwa Cystersów dla ok. 10 tys. wiernych.

SZWECJA (8–10 VI)

8 VI – Sztokholm: spotkanie z kilkoma tysiącami wiernych w katolickiej katedrze św. Eryka; Msza św. na stadionie Globo dla ok. 20 tys. wiernych. **9 VI – Uppsala**: spotkanie ekumeniczne oraz Msza św. z udziałem ok. 7 tys. osób. **10 VI – Vadstena**: Msza św. na dziedzińcu sanktuarium św. Brygidy dla młodzieży z pięciu krajów skandynawskich.

> **43. pielgrzymka: Hiszpania**
> **19–21 sierpnia 1989 r.**

HISZPANIA (19–21 VIII)

19 VIII – Santiago de Compostela: powitanie przez króla Juana Carlosa I, nawiedzenie w katedrze grobu św. Jakuba Apostoła; spotkanie w kościele seminaryjnym z młodzieżą niepełnosprawną; wieczorne spotkanie z młodzieżą na Monte del

Gozo. **20 VIII**: Msza św. zamykająca obchody IV Światowego Dnia Młodzieży z udziałem ok. pół miliona osób. **Oviedo**: nawiedzenie słynnej katedry Capilla di San Miguel; Msza św. dla 200 tys. wiernych na lotnisku aeroklubu. **Covadonga**: nawiedzenie sanktuarium ze słynną drewnianą figurą Matki Boskiej. **21 VIII**: Msza św. przed bazyliką.

44. pielgrzymka: Korea Płd., Indonezja, Mauritius
6–16 października 1989 r.

KOREA PŁD. (7–9 X)
7 X – Seul: adoracja w kościele pw. Dobrego Pasterza; Msza św. w Olympic Gymnastics Hall. **8 X**: spotkanie z prezydentem Korei Południowej Roh Tae Woo; Msza św. na placu Youido na zakończenie 44. Międzynarodowego Kongresu Eucharystycznego.

INDONEZJA (9–14 X)
9 X – Dżakarta: Msza św. na stadionie Istora Senayan; spotkanie z prezydentem Suharto. **10 X – Jogjakarta**: Msza św. na placu parad lotnictwa wojskowego. **Dżakarta**: spotkanie z przywódcami pięciu religii monoteistycznych: muzułmanami, protestantami, hinduistami, buddystami i katolikami. **11 X – Maumere**: Msza św. na stadionie Duncunha. **Ritapiret**: wizyta w seminarium regionalnym. **12 X – Dili**: poświęcenie nowej katedry; Msza św. na esplanadzie Tassi Tolu. **13 X – Medan**: Msza św. w pobliskim Tuntungan dla wiernych Sumatry.

MAURITIUS (14–16 X)
14 X – Port-Louis: Msza św. u stóp pomnika Maryi Królowej Pokoju, wzniesionego jako wotum za ocalenie Mauritiusa od zniszczeń drugiej wojny światowej; spotkanie w pałacu gubernatora z przywódcami głównych religii kraju – hinduistów, chrześcijan, islamu i buddyzmu. **15 X – Rodrigues, La Ferme**: Msza św. na miejscowym stadionie dla mieszkańców wyspy. **Rose Hill**: spotkanie z młodzieżą na miejscowym stadionie. **16 X – Curepipe**: spotkanie z wiernymi przy kościele św. Teresy.

45. pielgrzymka: Wyspy Zielonego Przylądka, Gwinea Bissau, Mali,
Burkina Faso, Czad
25 stycznia – 1 lutego 1990 r.

WYSPY ZIELONEGO PRZYLĄDKA (25–27 I)
25 I – Praia: przemówienie na lotnisku im. Francisco Mendesa. **26 I – Mindelo**: Liturgia Słowa na stadionie Fontinha. **Praia**: Msza św. z udziałem kilkuset tysięcy ludzi.

GWINEA BISSAU (27 I)
27 I – Bissau: Msza św. na stadionie 24 Września, poświęcenie kamienia węgielnego pod nowy kościół parafialny.

MALI (28–29 I)

28 I – Bamako: Msza św. na stadionie Omnisport; spotkanie z młodzieżą w Pałacu Kultury.

BURKINA FASO (29–30 I)

29 I – Wagadugu: Msza św. w sanktuarium maryjnym w Jagmie; w siedzibie Wspólnoty Gospodarczej Afryki Zachodniej ponowienie apelu sprzed 10 laty o pomoc dla krajów Sahelu; spotkania z biskupami Burkina Faso i Nigru oraz prezydentem i rządem kraju. **30 I – Bobo Dioulasso:** Msza św. na Place de la Gare.

CZAD (30 I – 1 II)

30 I – N'Djamena: nabożeństwo maryjne w miejscowej katedrze. **31 I – Moundou:** Msza św. na Stadionie Pokoju. **Sarh:** Liturgia Słowa dla 20 tys. wiernych. **1 II – N'Djamena:** Msza św. dla rodzin; spotkanie na terenie hipodromu z mieszkańcami stolicy.

46. pielgrzymka: Czechosłowacja
21–22 kwietnia 1990 r.

CZECHOSŁOWACJA (21–22 IV)

21 IV – Praga: Msza św. na wzgórzu Letna; prywatna rozmowa z prezydentem Vaclavem Havlem na zamku Hradczany; tamże spotkanie z przedstawicielami najwyższych władz państwowych, intelektualistami oraz przedstawicielami innych wyznań chrześcijańskich. **22 IV – Welehrad:** Msza św. dla mieszkańców Moraw i wręczenie paliusza arcybiskupowi Ołomuńca Frantiskowi Vanakovi oraz ogłoszenie Synodu Biskupów Europy. **Bratysława:** Msza św. dla mieszkańców Moraw i wręczenie paliusza arcybiskupowi Trnavy Janowi Sokolowi.

47. pielgrzymka: Meksyk, Curacao
6–14 maja 1990 r.

MEKSYK (6–13 V)

6 V – Mexico City: ceremonia powitalna. **Guadalupe:** w nowej bazylice sanktuarium Msza św. beatyfikacyjna pięciu sług Bożych: męczenników – Cristobala, Antonia i Juana oraz kapłana Jose Marii de Yermo y Parres i Indianina Juana Diego. **7 V:** Msza św. w ubogiej dzielnicy Chalco. **Veracruz:** Liturgia Słowa z udziałem miliona osób. **8 V – Aguascalientes, San Juan de los Lagos:** Msza św. dla młodzieży. **9 V – Mexico City:** audiencja dla grupy Polaków mieszkających w Meksyku. **Durango:** odwiedzenie więzienia; Msza św. na placu Soriana dla ok. 2 mln ludzi, wyświęcenie 100 nowych kapłanów. **10 V – Chihuahua:** Liturgia Słowa. **Monterrey:** Msza św. w suchym korycie rzeki Santa Catarina dla ok. 2 mln wiernych. **11 V – Tuxtla Gutierrez:** Msza św. na równinie Patria Nueva dla ok. 400 tys. osób. **Villahermosa:** spotkanie z chorymi i Msza św. na terenie Unidad Deportiva. **12 V – Zacatecas, Bracho:** Msza św. w dolinie Bufy dla ok. 800 tys. wiernych.

CURACAO (13 V)

13 V – Willemstad: Msza św. na terenach sportowych oraz orędzie skierowane do młodzieży.

48. pielgrzymka: Malta
25–27 maja 1990 r.

MALTA (25–27 V)

26 V – Gozo: Msza św. w sanktuarium maryjnym Ta' Pinu. **Cottonera**: spotkanie ze światem pracy. **27 V – Floriana**: spotkanie w kościele św. Juliana z przedstawicielami świata nauki i kultury; Msza św. dla wiernych archidiecezji koncelebrowana przez Papieża i ok. 800 kapłanów. **La Valetta**: spotkanie w konkatedrze z duchowieństwem. **Mellieha**: spotkanie z rodzinami misjonarzy i misjonarek maltańskich. **Rabat**: wspólna modlitwa z chorymi w grocie św. Pawła. **Mdina**: spotkanie ekumeniczne w zabytkowej katedrze z przedstawicielami wspólnot muzułmańskich, żydowskich i hinduskich.

49. pielgrzymka: Tanzania, Burundi, Ruanda, Wybrzeże Kości Słoniowej
1–10 września 1990 r.

TANZANIA (1–5 IX)

2 IX – Dar es-Salaam: Msza św. na Jangwani Grounds, wyświęcenie nowych kapłanów oraz akt zawierzenia Tanzanii Matce Boskiej. **3 IX – Songea**: Msza św. z udzielaniem sakramentu bierzmowania. **4 IX – Mwanza**: Msza św. dla rodzin wraz z udzielaniem Pierwszej Komunii Świętej; nabożeństwo dla chorych. **Tabora**: Liturgia Słowa. **Moshi**: poświęcenie ośrodka duszpasterskiego. **5 IX**: Msza św. dla wiernych diecezji Moshi.

BURUNDI (5–7 IX)

5 IX – Bujumbura: spotkania z intelektualistami i prezydentem republiki. **6 IX – Gitega**: Msza św. dla wiernych z diecezji. **7 IX – Bujumbura**: Msza św. i udzielenie święceń kapłańskich 25 diakonom.

RUANDA (7–9 IX)

7 IX – Kigali: nawiedzenie katedry; spotkanie z prezydentem Republiki. **8 IX – Kabgayi**: Msza św. i udzielenie święceń kapłańskich 32 diakonom. **Kigali**: spotkanie na stadionie z inteligencją oraz młodzieżą Ruandy. **9 IX** – Msza św. dla wiernych stolicy kraju.

WYBRZEŻE KOŚCI SŁONIOWEJ (9–10 IX)

10 IX – Jamusukro: konsekracja kościoła Matki Boskiej Pokoju; udział w końcowym zebraniu Rady Synodu; przekazanie przez prezydenta kraju Feliksa Houphouet-Boigny'ego terenu wokół bazyliki na fundację, mającą służyć pracy Kościoła w Afryce.

50. pielgrzymka: Portugalia
10–13 maja 1991 r.

PORTUGALIA (10–13 V)

12 V – Fatima: w kaplicy Objawień przewodnictwo czuwaniu maryjnemu z udziałem ponad miliona wiernych; spotkanie z siostrą Łucją; podpisanie listu do biskupów zapraszającego na nadzwyczajne zgromadzenie Synodu Biskupów Europy; spotkanie z biskupami Angoli. **13 V**: Msza św. i odnowienie aktu zawierzenia rodziny ludzkiej Niepokalanemu Sercu Maryi.

51. pielgrzymka: Polska
1–9 czerwca 1991 r.

POLSKA (1–9 VI)

1 VI – Koszalin: poświęcenie nowego budynku seminarium oraz kaplicy na Górze Chełmskiej; Msza św. na placu przed kościołem Świętego Ducha. **2 VI**: spotkanie z żołnierzami Wojska Polskiego. **Rzeszów**: Msza św. beatyfikacyjna bp. Józefa Pelczara. **Przemyśl**: modlitwa przy grobie bł. J. S. Pelczara; spotkanie z grekokatolikami w kościele Najświętszego Serca Pana Jezusa. **3 VI – Lubaczów**: Msza św. na miejscowym stadionie. **Kielce**: nabożeństwo w katedrze na zakończenie III Synodu Diecezjalnego; Msza św. na lotnisku aeroklubu w Masłowie. **4 VI – Radom**: Msza św. na lotnisku wojskowym; poświęcenie nowego gmachu seminarium. **Łomża**: Msza św. na placu przy kościele Miłosierdzia Bożego; spotkanie w katedrze z Litwinami. **5 VI – Białystok**: Msza św. beatyfikacyjna m. Bolesławy Lament na lotnisku aeroklubu; inauguracja w katedrze Synodu Diecezjalnego; spotkanie z rodziną ks. Jerzego Popiełuszki; nabożeństwo ekumeniczne w prawosławnej katedrze św. Mikołaja. **Olsztyn**: poświęcenie nowego gmachu seminarium. **6 VI**: Msza św. na stadionie Stomilu. **Włocławek**: spotkanie w katedrze z katechetami i nauczycielami, akt poświęcenia Najświętszemu Sercu Jezusa. **7 VI**: Msza św. na lotnisku aeroklubu. **Płock**: Msza św. na stadionie; spotkanie z więźniami. **8 VI**: spotkanie z dziećmi z Czarnobyla. **Warszawa**: poświęcenie kaplicy prezydenta RP; spotkanie w Belwederze z władzami państwa; w katedrze uroczyste „Te Deum" z okazji 200-lecia Konstytucji 3 Maja; Msza św. w bazylice Najświętszego Serca Pana Jezusa, inaugurująca II Polski Synod Plenarny; spotkanie ze światem kultury w Teatrze Wielkim. **9 VI**: spotkanie w nuncjaturze z przedstawicielami wspólnoty żydowskiej; w ewangelickim kościele Przenajświętszej Trójcy spotkanie z przedstawicielami Kościołów należących do Polskiej Rady Ekumenicznej; Msza św. beatyfikacyjna o. Rafała Chylińskiego w parku Agrykola; spotkanie z dziećmi.

52. pielgrzymka: Polska, Węgry
13–20 sierpnia 1991 r.

POLSKA (13–16 VIII)

13 VIII – Kraków: modlitwa przy grobie rodziców; spotkanie z chorymi dziećmi w klinice pediatrycznej; Msza św. beatyfikacyjna s. Anieli Salawy na Rynku Głównym. **14 VIII – Wadowice**: Msza św. przed kościołem św. Piotra Apostoła. **Często-chowa**: czuwanie maryjne w sanktuarium jasnogórskim z uczestnikami VI Światowego Dnia Młodzieży. **15 VIII**: Msza św. z okazji VI Światowego Dnia Młodzieży; akt zawierzenia młodzieży świata Matce Bożej. **16 VIII**: Msza św. w kaplicy Cudownego Obrazu.

WĘGRY (16–20 VIII)

16 VIII – Ostrzyhom: Msza św. na placu przed katedrą, modlitwa przy grobie Josefa Mindszenty'ego. **Budapeszt**: spotkanie w gmachu parlamentu z prezydentem Arpadem Goenczem i przedstawicielami władz państwowych Węgier. **17 VIII – Pecs**: na lotnisku Msza św. ku czci Matki Bożej Magna Domina Hungarorum, z udziałem ponad 100 tys. wiernych. **Budapeszt**: spotkanie z przedstawicielami świata nauki i kultury. **18 VIII – Mariapocs**: Msza św. w obrządku bizantyjskim dla 200 tys. wiernych. **Debreczyn**: ekumeniczne nabożeństwo w kościele kalwińskim. **Budapeszt**: spotkanie ze wspólnotą żydowską. **19 VIII**: spotkanie z Polonią węgierską. **Szombathely**: Msza św. na lotnisku dla ponad 100 tys. wiernych. **Budapeszt**: spotkanie na Nepstadionie z 70 tys. młodzieży; spotkanie w bazylice św. Stefana z chorymi. **20 VIII**: Msza św. na placu Bohaterów w uroczystość św. Stefana, króla i patrona Węgier.

53. pielgrzymka: Brazylia
12–21 października 1991 r.

BRAZYLIA (12–21 X)

12 X – Natal: spotkanie z wiernymi na placu Kongresu. **13 X**: przewodniczenie Mszy św. na zakończenie XII Krajowego Kongresu Eucharystycznego. **14 X – Sao Luis**: Msza św. na Aterro do Balanga. **14 X – Brasilia**: spotkanie z prezydentem Brazylii Fernandem Collorem de Mello. **15 X**: Msza św. dla miliona osób na Esplanada dos Ministerios. **Goiania**: przewodniczenie Liturgii Słowa dla 400 tys. osób na stadionie Serra Dourada. **16 X – Cuiaba**: Msza św. na placu Morada do Ouro; spotkanie w ogrodzie Archidiecezjalnego Departamentu Akcji Społecznej z grupą ok. 200 przedstawicieli 36 plemion indiańskich. **17 X – Campo Grande**: wizyta w leprozorium Sao Juliao, w którym pół tysiąca osób to chorzy na trąd; Msza św. na lotnisku. **18 X – Florianopolis**: Msza św. na nadmorskich błoniach Aterro da Baia Sul, wyniesienie na ołtarze s. Pauliny od Serca Jezusa Konającego Amabile Łucji Visintainer, założycielki Zgromadzenia Małych Sióstr Niepokalanego Poczęcia. **19 X – Vitoria**: Msza św. na Aterro da Conduza dla ponad 200 tys. wiernych; odwiedzenie miejscowej dzielnicy nędzy – faveli Lixao de Sao Pedro. **20 X – São Salvador da Bahia**: odwiedziny w szpitalu Santo Antonio chorej s. Dulce dos Pobres, zwanej „brazylijską matką Teresą"; Msza św. na Aterro da Boca do Rio da Armacao.

54. pielgrzymka: Senegal, Gambia, Gwinea
19–26 lutego 1992 r.

SENEGAL (19–22 II)

20 II – Dakar: spotkanie w Pałacu Republiki z prezydentem Abdou Dioufem; spotkanie ze wspólnotą Polaków mieszkających w Senegalu. **Ziguinchor**: spotkanie z przywódcami islamu i religii tradycyjnych; Msza św. o pokój i sprawiedliwość na miejscowym stadionie im. Aline Sitoe Diatta. **21 II – Poponguine**: Msza św. przed sanktuarium Matki Bożej Wyzwolenia dla 30 tys. osób, koronacja czczonej od ponad stu lat czarnej figurki Matki Bożej z Dzieciątkiem; spotkanie z Konferencją Episkopatu Senegalu, Mauretanii, Zielonego Przylądka i Gwinei. **Dakar**: spotkanie z 30-tysięczną rzeszą młodzieży Senegalu – katolikami i wyznawcami islamu. **22 II – Goree**: odwiedzenie Domu Niewolników, w kościele św. Karola Boromeusza spotkanie ze wspólnotą katolicką mieszkającą na wyspie. **Dakar**: Msza św. na Stadionie Przyjaźni dla 40 tys. wiernych.

GAMBIA (23–24 II)
23 II – Banjulu: Msza św. dla 50 tys. wiernych na Stadionie Niepodległości.

GWINEA (24–26 II)
24 II – Konakri: Msza św. w katedrze dla duchowieństwa i katolików świeckich; spotkanie z 10-tysięczną rzeszą młodzieży katolickiej i muzułmańskiej na placu przed Pałacem Ludowym. **25 II**: pontyfikalna Msza św. na miejscowym stadionie; nabożeństwo maryjne przed Grotą Matki Bożej z Lourdes.

55. pielgrzymka: Angola, Wyspy Świętego Tomasza i Książęca
4–10 czerwca 1992 r.

ANGOLA (4–5, 7–9 VI)
5 VI – Huambo: Msza św. na Largo Trio aos Pombos. **Lubango**: Liturgia Słowa na Praca da Revolucao. **7 VI – Luanda**: na praia do Bispo Msza św. dziękczynna z okazji 500-lecia ewangelizacji Angoli, spotkanie w Pałacu Sportu z 12-tysięczną rzeszą młodzieży. **8 I – Cabinda**: Msza św. dla miejscowej rzeszy wiernych. **Mbanza Kongo**: Liturgia Słowa przed katedrą pw. Najświętszego Zbawiciela; wizyta w domu jednej z ubogich rodzin. **9 VI – Benguela**: Msza św. na Praca de Casseque. **9 VI – Luanda**: udział w obradach Rady Sekretariatu Generalnego Synodu Biskupów ds. Specjalnego Zgromadzenia.

WYSPY ŚWIĘTEGO TOMASZA I KSIĄŻĘCA (6 VI)
6 VI – Sao Tome: Msza św. przed Pałacem Kongresowym.

56. pielgrzymka: Dominikana
9–14 października 1992 r.

DOMINIKANA (9–14 X)
10 X – Santo Domingo: Msza św. w katedrze Nuestra Senora de la Encarnacion dla duchowieństwa diecezjalnego i zakonnego. **11 X**: Msza św. z okazji 500-lecia ewangelizacji Ameryki Łacińskiej, odprawiona u stóp pomnika Krzysztofa Kolumba z udziałem 200 tys. osób. **12 X – Higuey**: ponowna koronacja obrazu Matki Bożej Altagracia w sanktuarium maryjnym, czczonego od 1514 r.; Msza św. dla 50 tys. wiernych. **13 X – Santo Domingo**: Msza św. w Archidiecezjalnym Seminarium Duchow-

nym; audiencja dla Polaków; spotkanie z przedstawicielami Indian i Afroameryka-
nów; udział w pracach IV Konferencji Ogólnej Episkopatu Ameryki Łacińskiej.

57. pielgrzymka: Benin, Uganda, Sudan
3–10 lutego 1993 r.

BENIN (3–5 II)
3 II – Cotonou: Msza św. na Stade de l'Amitie. **4 II**: spotkanie z grupą wyznawców
wudu – jednej z najbardziej rozpowszechnionych religii tradycyjnych. **Parakou**: Msza
św. na miejscowym stadionie dla 15 tys. osób.

UGANDA (5–10 II)
6 II – Gulu: Msza św. na placu Kaunda Grounds dla ok. 100 tys. wiernych. **Kampala**:
spotkanie z 60-tysięczną rzeszą młodzieży na Nakivubu Stadium. **7 II**: wizyta w szpitalu z chorymi na AIDS. **Namugongo**: nawiedzenie sanktuarium anglikańskiego,
Msza św. w katolickim sanktuarium pw. 22 Świętych Męczenników. **8 II – Kasese**:
Msza św. dla wiernych z pięciu diecezji zachodniej Ugandy. **9 II – Kampala**: inauguracja posiedzenia Rady Sekretariatu Synodu Generalnego Specjalnego Zgromadzenia Synodu Biskupów poświęconego problemom Afryki. **Soroti**: Msza św. na miejscowym stadionie sportowym.

SUDAN (10 II)
10 II – Chartum: spotkania z miejscowym duchowieństwem, prezydentem Sudanu
oraz przywódcami wyznań chrześcijańskich i innych religii; Msza św. dla 100 tys.
osób na placu defilad Green Square.

58. pielgrzymka: Albania
25 kwietnia 1993 r.

ALBANIA (25 IV)
25 IV – Tirana: kurtuazyjna wizyta u prezydenta Seli Berishy w Pałacu Brygad; spotkanie z katolikami Albanii na placu Gjerga Kastriota Skanderbega. **Szkodra**: odwiedzenie miejsca na przedmieściach miasta, gdzie odbudowywano kościół; Msza św.
w katedrze pw. Najświętszego Serca Jezusowego.

59. pielgrzymka: Hiszpania
12–17 czerwca 1993 r.

HISZPANIA (12–17 VI)
12 VI – Sewilla: adoracja eucharystyczna w sewilskiej katedrze; Msza św. i wyświęcenie 37 kapłanów w Pałacu Sportu. **13 VI**: Msza św. na Campo de Feria na zakończenie XLV Międzynarodowego Kongresu Eucharystycznego. **Dos Hermanas**: uroczyste
otwarcie domu opieki dla ludzi w podeszłym wieku w ośrodku rekolekcyjnym Jezuitów. **14 VI – Huelva**: Msza św. dla 50 tys. wiernych. **Moguer**: nawiedzenie miejscowego kościoła parafialnego (w tamtejszym klasztorze św. Katarzyny modlił się Krzysz-

tof Kolumb przed swą historyczną wyprawą). **Palos de la Frontera**: odwiedzenie kościoła św. Jerzego Męczennika, w którym Kolumb wraz z załogą spędził na czuwaniu ostatnią noc przed podróżą. **La Rabida**: na placu przed klasztorem Franciszkanów, w którym żeglarz z Genui znalazł gościnę i wsparcie, koronacja XIII-wiecznej cudownej figury Matki Bożej z Dzieciątkiem. **El Rocio**: pielgrzymka do sanktuarium Matki Bożej Nuestra Senora del Rocio Almonte; w nabożeństwie maryjnym uczestniczyło ok. 100 tys. osób. **15 VI – Madryt**: kurtuazyjne spotkanie w rezydencji króla Hiszpanii Juana Carlosa I; konsekracja katedry pw. Matki Bożej Redl de la Almudena. **16 VI**: Msza św. na placu Krzysztofa Kolumba w obecności ponad miliona osób, kanonizacja bł. Henryka de Osso y Cervello.

> **60. pielgrzymka: Jamajka, Meksyk, Stany Zjednoczone**
> **9–16 sierpnia 1993 r.**

JAMAJKA (9–10 VIII)

9 VIII – Kingston: prywatne spotkanie w King's House z gubernatorem generalnym Jamajki; audiencja dla przywódcy opozycyjnej Partii Pracy w siedzibie arcybiskupiej. **10 VIII**: spotkanie ekumeniczne w kościele parafialnym Świętego Krzyża; Msza św. na Stadionie Narodowym.

MEKSYK (11–12 VIII)

11 VIII – Merida: prywatne spotkanie z ówczesnym prezydentem Meksyku Carlosem Salinasem; Msza św. na przedmieściach dla Indian i mieszkańców archidiecezji Jukatan. **12 VIII – Izamal**: spotkanie w sanktuarium Królowej i Patronki Jukatanu z przedstawicielami społeczności indiańskich.

STANY ZJEDNOCZONE (12–16 VIII)

12 VIII – Denver: spotkanie z prezydentem Billem Clintonem; spotkanie z młodzieżą na Mile High Stadium; Msza św. w katedrze Niepokalanego Poczęcia. **14 VIII**: Msza św. w katedrze dla delegatów Międzynarodowego Forum Młodzieży; modlitewne czuwanie z młodzieżą w Cherry Creek State Park. **15 VIII**: Msza św. w Cherry Creek State Park dla uczestników VIII Światowego Dnia Młodzieży; spotkanie w McNichols Sports Arena z grupą imigrantów wietnamskich.

> **61. pielgrzymka: Litwa, Łotwa, Estonia**
> **4–10 września 1993 r.**

LITWA (4–7 IX)

4 IX – Wilno: kurtuazyjne spotkanie w gmachu parlamentu z prezydentem Litwy Algirdasem Brazauskasem; modlitwa różańcowa w Ostrej Bramie; spotkanie w Nuncjaturze Apostolskiej z przedstawicielami różnych wyznań; odwiedzenie na antokolskim cmentarzu mogił 17 osób zabitych przez żołnierzy radzieckich w 1991 r.; Msza św. w parku na Zakręcie; spotkanie z miejscową Polonią w kościele Świętego Ducha. **5 IX – Kowno**: Msza św. na placu Santaka; spotkanie z ok. 25 tys. młodzieży z Litwy i krajów ościennych na stadionie sportowym. **6 IX – Szawle i Wzgórze Krzyży**:

Msza św. w pobliżu narodowego sanktuarium. **7 IX – Szydłów**: nawiedzenie maryjnego sanktuarium, powstałego w pobliżu miejsca objawień Matki Bożej w 1608 r.; Msza św. w XVIII-wiecznej barokowej świątyni.

ŁOTWA (8–9 IX)

8 IX – Ryga: przywrócenie kultu św. Meinharda w katedrze pw. św. Jakuba; kurtuazyjna wizyta u prezydenta Łotwy Guntisa Ulmanisa; Msza św. w parku Meża. **9 IX – Agłona**: Msza św. w sanktuarium Najświętszej Maryi Panny.

ESTONIA (10 IX)

10 IX – Tallin: nawiedzenie tablicy upamiętniającej ostatniego katolickiego biskupa Tallina Edwarda Profittlicha SJ, zmarłego w łagrze w 1942 r.; spotkanie z prezydentem Estonii Lennartem Meri; Msza św. na placu Ratuszowym.

62. pielgrzymka: Chorwacja
10–11 września 1994 r.

CHORWACJA (10–11 IX)

10 IX – Zagrzeb: przekazanie na ręce kard. Franjo Kuharicia relikwii kanonizowanego w 1983 r. św. Leopolda Mandicia. **11 IX**: Msza św. na podmiejskim hipodromie dla uczczenia 900-lecia erygowania archidiecezji zagrzebskiej.

63. pielgrzymka: Filipiny, Papua-Nowa Gwinea, Australia, Sri Lanka
11–21 stycznia 1995 r.

FILIPINY (12–16 I)

13 I – Manila: spotkanie z młodzieżą akademicką, uczestnikami V Międzynarodowego Forum Młodych. **14 I**: Msza św. z okazji 400-lecia ustanowienia na Filipinach pierwszej prowincji kościelnej, uczestniczyło w niej 2 mln wiernych; udział w czuwaniu modlitewnym w Riazal Park wraz z milionem chłopców i dziewcząt. **15 I**: Msza św. na zakończenie X Światowego Dnia Młodzieży, w której wzięło udział ponad 4 mln wiernych.

PAPUA-NOWA GWINEA (16–18 I)

17 I – Port Moresby: na stadionie Msza św. beatyfikacyjna Piotra To Rota, pierwszego męczennika Papui-Nowej Gwinei. **18 I**: prywatne spotkanie z premierem państwa; spotkanie z córką bł. Piotra To Rota – Rufiną oraz z grupą wiernych z Rakunai – miejscowości na wyspie Nowa Brytania, gdzie nowy błogosławiony był katechistą; Liturgia Słowa z udziałem chorych.

AUSTRALIA (18–20 I)

18 I – Sydney: spotkanie w parku Sydney Domain z mieszkańcami miasta. **19 I**: Msza św. beatyfikacyjna m. Marii MacKillop z udziałem 300 tys. wiernych, odprawiona na terenie wyścigów konnych.

SRI LANKA (20–21 I)

21 I – Kolombo: spotkanie ze zwierzchnikami innych wspólnot religijnych; Msza św. beatyfikacyjna Jozefa Vaza, w której uczestniczyło ponad milion wiernych, odprawiona nad brzegiem morza.

64. pielgrzymka: Czechy, Polska
20–22 maja 1995 r.

CZECHY (20–21 V)

20 V – Praga: prywatne spotkanie z prezydentem Vaclavem Havlem; spotkanie modlitewne na stadionie na Strahovie. **21 V – Ołomuniec**: Msza św. kanonizacyjna bł. Jana Sarkandra i bł. Zdzisławy z Lemberku; spotkanie z młodzieżą na Świętej Górce.

POLSKA (22 V)

22 V – Skoczów: wizyta w ewangelicko-augsburskim kościele Świętej Trójcy; Msza św. na wzgórzu „Kaplicówka" dla 300 tys. wiernych, w koncelebrze uczestniczyło 100 biskupów i ponad 700 kapłanów. **Bielsko-Biała**: spotkanie z prezydentem Lechem Wałęsą i premierem Józefem Oleksym; spotkanie z ok. 20 tys. wiernych na placu przed dworcem autobusowym. **Żywiec**: Liturgia Słowa dla 50 tys. wiernych.

65. pielgrzymka: Belgia
3–4 czerwca 1995 r.

BELGIA (3–4 IV)

3 VI – Bruksela: spotkanie z rodziną królewską na zamku Laeken; nawiedzenie kościoła pw. Matki Bożej z Laeken i modlitwa przy grobie zmarłego dwa lata wcześniej króla Baudouina. **4 VI**: Msza św. bcatyfikacyjna o. Damiana de Veustera przed bazyliką Najświętszego Serca Pana Jezusa.

66. pielgrzymka: Słowacja
30 czerwca – 3 lipca 1995 r.

SŁOWACJA (30 VI – 3 VII)

30 VI – Nitra: spotkanie ze 120–tysięczną rzeszą młodzieży na miejscowym lotnisku. **1 VII – Bratysława**: spotkanie z prezydentem i premierem Słowacji w pałacu prymasowskim. **Sastina**: Msza św., koronacja figury Matki Bożej Siedmiu Boleści, ogłoszonej w 1927 r. patronką Słowacji. **2 VII – Koszyce**: Msza św. na lotnisku dla 300 tys. wiernych, kanonizacja trzech męczenników koszyckich: Marka Križa, Stefana Pongracza i Melchiora Grodzieckiego. **Preszów**: nawiedzenie katedry i modlitwa przy grobie bp. Gojdića, zmarłego w 1960 r. w komunistycznym więzieniu; modlitwa przy pomniku upamiętniającym 24 męczenników protestanckich; spotkanie ze 100-tysięczną rzeszą wiernych rytu greckokatolickiego i wiernymi obrządku łacińskiego. **3 VII – Lewocza**: Msza św. dla ok. miliona wiernych w pobliżu sanktuarium maryjnego u stóp Tatr.

67. pielgrzymka: Kamerun, Republika Południowej Afryki, Kenia
14–20 września 1995 r.

KAMERUN (14–16 IX)

14 IX – Jaunde: ogłoszenie w Nuncjaturze Apostolskiej adhortacji posynodalnej „Ecclesia in Africa". **15 IX:** Msza św. na lotnisku wojskowym; pierwsza sesja celebracyjna synodu w katedrze Matki Bożej Zwycięskiej.

RPA (16–18 IX)

16 IX – Pretoria: spotkanie z prezydentem RPA Nelsonem Mandelą. **17 IX – Johannesburg**: Msza św. na hipodromie w Gosforth Park dla 500 tys. wiernych; obrady drugiej sesji celebracyjnej synodu biskupów w katedrze pw. Chrystusa Króla.

KENIA (18–20 IX)

18 IX – Nairobi: spotkanie z prezydentem Kenii Arapem Danielem Moi. **19 IX**: Msza św. w Parku Wolności dla ok. miliona wiernych; przewodniczenie trzeciej sesji celebracyjnej synodu w kościele ośrodka pielgrzymkowego Resurection Garden.

68. pielgrzymka: Stany Zjednoczone
4–9 października 1995 r.

STANY ZJEDNOCZONE (4 – 6, 9 X)

4 X – Newark: spotkanie z prezydentem USA Billem Clintonem. **5 X – Nowy Jork**: wizyta w siedzibie ONZ, związana z obchodami 50-lecia istnienia tej instytucji. **6 X**: Msza św. dla 100 tys. wiernych na torze wyścigów konnych. **7 X**: Msza św. w Central Park dla ok. 200 tys. wiernych; audiencja dla przedstawicieli innych Kościołów i wspólnot religijnych oraz delegacji muzułmanów; spotkanie z przywódcami społeczności żydowskiej. **East Rutherford**: Msza św. na Giants Stadium dla ok. 100 tys. wiernych. **8 X – Baltimore**: Msza św. dla ponad 50 tys. wiernych na stadionie baseballowym w Oriole Park at Camden Yards.

69. pielgrzymka: Gwatemala, Nikaragua, Salwador, Wenezuela
5–12 lutego 1996 r.

REPUBLIKA GWATEMALA (5–9 II)

5 II – Gwatemala City: spotkanie z mieszkańcami miasta na placu przed katedrą. **6 II**: Liturgia Słowa dla miliona wiernych na błoniach Campo de Marte. **9 II – Esquipulas**: Msza św. dla 100 tys. wiernych w pobliżu narodowego sanktuarium „Czarnego Jezusa"; nawiedzenie barokowej bazyliki.

NIKARAGUA (7 II)

7 II – Managua: Msza św. dla pół miliona wiernych w parku Malecon.

SALWADOR (8 II)

8 II – San Salwador: Msza św. w intencji umocnienia sprawiedliwości i pokoju, odprawiona dla ok. miliona wiernych na błoniach Siglo XXI; nawiedzenie katedry pw.

Najświętszego Zbawiciela i modlitwa przy grobie abp. Oskara Arnulfo Romeo, zamordowanego w 1980 r. podczas Mszy św. odprawianej dla chorych w szpitalu Bożej Opatrzności.

WENEZUELA (9–12 II)
9 II – Caracas: nawiedzenie więzienia Reten de Patia, w którym przebywało ok. 1100 skazanych. **10 II – Coromoto**: Msza św. na placu przed sanktuarium maryjnym. **11 II – Caracas**: Msza św. w intencji rozwoju dzieła nowej ewangelizacji, odprawiona z udziałem ok. miliona wiernych na lotnisku La Carlota; spotkanie z wielotysięczną rzeszą młodzieży na placu przy alei Los Proceres.

70. pielgrzymka: Tunezja
14 kwietnia 1996 r.

TUNEZJA (14 IV)
14 IV – Tunis: Msza św. w katedrze pw. świętych Wincentego à Paulo i Oliwii. **Kartagina**: nawiedzenie ruin rzymskiego teatru, miejsca męczeństwa świętych Felicyty i Perpetuy oraz spotkanie i wspólna modlitwa z członkami lokalnych wspólnot parafialnych i biskupami Afryki Północnej.

71. pielgrzymka: Słowenia
17–19 maja 1996 r.

SŁOWENIA (17–19 V)
18 V – Lublana: Msza św. w dzielnicy Stolice dla 120 tys. wiernych; spotkanie w kolegium św. Stanisława Kostki z premierem Słowenii. **Postojna**: Liturgia Słowa na lotnisku sportowym z udziałem 60-tysięcznej rzeszy młodzieży ze Słowenii, Włoch, Austrii i Chorwacji. **19 V – Maribor**: Msza św. dla 150 tys. wiernych.

72. pielgrzymka: Niemcy
21–23 czerwca 1996 r.

NIEMCY (21–23 VI)
22 VI – Paderborn: Msza św. dla ponad 100 tys. wiernych na pobliskim lotnisku Senne; spotkanie z przedstawicielami niemieckich Kościołów protestanckich; ekumeniczna Liturgia Słowa w katedrze. **23 VI – Berlin**: Msza św. na stadionie olimpijskim dla 100 tys. wiernych, beatyfikacja dwóch kapłanów: Bernharda Lichtenberga i Karola Leisnera.

73. pielgrzymka: Węgry
6–7 września 1996 r.

WĘGRY (6–7 IX)
6 IX – Pannonhalma: prywatne spotkanie z prezydentem Węgier Arpadem Goenczem w murach opactwa na Świętej Górze Panońskiej; przewodniczenie liturgii nie-

szporów z okazji 1000-lecia opactwa w klasztornej bazylice. **7 IX – Győr**: Msza św. dla ok. 150 tys. wiernych na błoniach parku miejskiego Ipari; nawiedzenie zabytkowej katedry i modlitwa przy grobie bohaterskiego bp. Vilmosa Apora.

74. pielgrzymka: Francja
19–22 września 1996 r.

FRANCJA (19–22 IX)
19 IX – Tours: prywatne spotkanie w prefekturze z prezydentem Francji Jacques'em Chirakiem. **Saint-Laurent-sur-Sevre**: spotkanie z wiernymi na „Dziedzińcu Czereśniowym". **20 IX – Sainte-Anne d'Auray**: Msza św. na placu przed bazyliką dla 150 tys. wiernych; spotkanie w Parku Pamięci z młodymi małżeństwami i ich dziećmi – Liturgia Słowa dla ok. 15 tys. osób. **21 IX – Tours**: Msza św. z okazji 1600. rocznicy śmierci św. Marcina z Tours, odprawiona dla ok. 150 tys. wiernych w wojskowej bazie lotniczej; przewodniczenie Liturgii Słowa w bazylice św. Marcina; spotkanie z grupą kilkuset osób „zranionych przez życie" – chorych na AIDS, alkoholików, narkomanów, kloszardów, imigrantów, upośledzonych umysłowo, ludzi z marginesu życia społecznego. **22 IX – Reims**: Msza św. z okazji 1500. rocznicy chrztu Chlodwiga, pierwszego króla Francji, przy polowym ołtarzu na lotnisku, w asyście ponad 1000 kapłanów; prywatne spotkanie z premierem Francji Alainem Juppe na lotnisku Champagne.

75. pielgrzymka: Bośnia i Hercegowina
12–13 kwietnia 1997 r.

BOŚNIA I HERCEGOWINA (12–13 IV)
12 IV – Sarajewo: nieszpory w katedrze Najświętszego Serca Pana Jezusa. **13 IV**: spotkanie w siedzibie arcybiskupiej z przedstawicielami Serbskiego Kościoła Prawosławnego; Msza św. dla ponad 50 tys. wiernych na stadionie Kosevo; spotkanie w siedzibie arcybiskupiej z duchowieństwem archidiecezji sarajewskiej oraz spotkanie z przedstawicielami wspólnot muzułmańskiej i żydowskiej.

76. pielgrzymka: Czechy
25–27 kwietnia 1997 r.

CZECHY (25–27 IV)
25 IV – Praga: spotkanie z członkami Konferencji Episkopatu Czech. **26 IV – Hradec Kralove**: spotkanie z młodzieżą. Praga: spotkania z prezydentem Vaclavem Havlem, chorymi i duchowieństwem w opactwie benedyktyńskim na Brzewnowie oraz delegacją Uniwersytetu Karola z okazji 650-lecia istnienia uczelni. **27 IV – Praga**: Msza św. na Letnej nad Wełtawą; modlitwa ekumeniczna w katedrze św. Wita, Wacława i Wojciecha.

> **77. pielgrzymka: Liban**
> **10–11 maja 1997 r.**

LIBAN (10–11 V)

10 V – Bejrut: spotkania z prezydentem Libanu Eliasem Hrawi i przedstawicielami najwyższych władz państwowych. **Bkerke**: podczas spotkania z młodzieżą podpisanie adhortacji posynodalnej „Nowa nadzieja dla Libanu". **11 V – Bejrut**: uroczysta Msza św., zamykająca Specjalne Zgromadzenie Synodu Biskupów poświęcone Libanowi; spotkanie z przedstawicielami Kościołów prawosławnych i wspólnoty protestanckiej.

> **78. pielgrzymka: Polska**
> **31 maja – 10 czerwca 1997 r.**

POLSKA (31 V – 10 VI)

31 V – Wrocław: spotkanie w ratuszu z prezydentem RP; poświęcenie kościoła garnizonowego pw. św. Elżbiety; modlitwa ekumeniczna w Hali Ludowej. **1 VI**: w centrum miasta Msza św. Statio Orbis na zakończenie 46. Międzynarodowego Kongresu Eucharystycznego z udziałem 300 tys. wiernych i najwyższych dostojników państwowych z prezydentem Aleksandrem Kwaśniewskim na czele. **2 VI – Legnica**: Msza św. na lotnisku i koronacja obrazu Matki Bożej z Krzeszowa. **Gorzów Wielkopolski**: Liturgia Słowa na placu przed kościołem pw. Pierwszych Męczenników Polskich. **3 VI – Gniezno**: nawiedzenie w katedrze relikwii św. Wojciecha; Msza św. na miejscowym stadionie z okazji 1000-lecia męczeństwa św. Wojciecha; spotkanie z prezydentami 7 państw Europy Środkowowschodniej: Czech – Vaclavem Havlem, Litwy – Algirdasem Brazauskasem, Niemiec – Romanem Herzogiem, Słowacji – Michalem Kovacem, Ukrainy – Leonidem Kuczmą, Węgier – Arpadem Goenczem i Polski – Aleksandrem Kwaśniewskim. **Poznań**: spotkanie z młodzieżą na placu Adama Mickiewicza. **4 VI – Kalisz**: Msza św. na placu Kilińskiego. **Częstochowa**: nawiedzenie kaplicy Cudownego Obrazu na Jasnej Górze; spotkanie z byłym prezydentem Lechem Wałęsą oraz jego żoną Danutą i córkami. **5 VI – Zakopane**: dzień przeznaczony na odpoczynek; Msza św. w domowej kaplicy „Księżówki". **6 VI**: Msza św. pod Wielką Krokwią i beatyfikacja s. Marii Bernardyny Jabłońskiej (1878–1940) – współzałożycielki Zgromadzenia Sióstr Albertynek, oraz s. Marii Karłowskiej (1865–1935) – założycielki Zgromadzenia Sióstr Pasterek od Opatrzności Bożej; pielgrzymka do pustelni Brata Alberta na Kalatówkach. **7 VI**: konsekracja sanktuarium Matki Boskiej Fatimskiej na Krzeptówkach. **Ludźmierz**: modlitwa różańcowa w sanktuarium maryjnym przed figurą Matki Bożej Ludźmierskiej, zwanej Gaździną Podhala. **Kraków**: nawiedzenie sanktuarium Miłosierdzia Bożego w Łagiewnikach. **8 VI**: na Błoniach Msza św. kanonizacyjna bł. Jadwigi; w kolegiacie św. Anny spotkanie z rektorami wszystkich wyższych uczelni w Polsce z okazji 600-lecia Wydziału Teologicznego Uniwersytetu Jagiellońskiego; w Collegium Maius UJ spotkanie z kadrą profesorską i młodzieżą akademicką. **9 VI**: Msza św. w kaplicy św. Leonarda w krypcie Katedry Wawelskiej; poświęcenie nowej Kliniki Kardiochirurgii w Szpitalu Specjalistycznym im. Jana Pawła II. **Dukla**: modlitwa przy grobie bł. Jana z Dukli w klasztorze Ojców Bernardynów. **10 VI – Krosno**: Msza św. kanonizacyjna bł. Jana z Dukli na miejscowym lotnisku; poświęcenie kościoła pw. św. Piotra i św. Jana z Dukli.

79. pielgrzymka: Francja
21–24 sierpnia 1997 r.

FRANCJA (21–24 VIII)
21 VIII – Paryż: prywatne spotkanie w Pałacu Elizejskim z prezydentem Francji Jacques'em Chirakiem; spotkanie na Polach Marsowych z 600-tysięczną rzeszą młodzieży ze 160 krajów. **22 VIII**: Msza św. beatyfikacyjna Fryderyka Ozanama w katedrze Notre-Dame. **Chalo-Saint-Mars**: odwiedzenie grobu zmarłego w 1994 r. prof. Jerome'a Lejeune'a, genetyka i gorliwego obrońcy życia nienarodzonych oraz prywatne spotkanie z rodziną Profesora. **Evry**: nawiedzenie jedynej wzniesionej w XX w. we Francji katedry Zmartwychwstania Pańskiego. **23 VIII – Paryż**: Msza św. dla delegatów VI Międzynarodowego Forum Młodzieży w kościele św. Stefana, w którym spoczywają prochy św. Genowefy, patronki Paryża. **24 VIII**: Msza św. dla ponad miliona uczestników XII Światowego Dnia Młodzieży na hipodromie w Longchamp.

80. pielgrzymka: Brazylia
2–6 października 1997 r.

BRAZYLIA (2–6 X)
2 X – Rio de Janeiro: spotkanie z władzami państwowymi. **3 X** – spotkanie z uczestnikami kongresu teologiczno-duszpasterskiego. **4 X** – Liturgia Słowa na stadionie Maracana dla rodzin przybyłych na II Światowe Spotkanie Rodzin. **5 X** – Msza św. w Aterro do Flamengo z udziałem ok. 2 mln wiernych; zawierzenie rodzin świata Świętej Rodzinie z Nazaretu.

81. pielgrzymka: Kuba
21–26 stycznia 1998 r.

KUBA (21–26 I)
21 I – Hawana: prywatne spotkanie z prezydentem Fidelem Castro w Pałacu Rewolucji. **22 I – Santa Clara**: Msza św. dla 150 tys. wiernych na stadionie akademickim. **23 I – Camaguey**: Msza św. dla 300 tys. wiernych na placu Ignacio Aframonte. **Hawana**: spotkanie z przedstawicielami świata nauki i kultury w gmachu Uniwersytetu Hawańskiego. **24 I – Santiago de Cuba**: Msza św. dla 500 tys. wiernych na placu Antonio Maceo; koronacja statuetki Matki Bożej Miłosierdzia z El Dobre, patronki Kuby. **25 I – Hawana**: Msza św. dla miliona wiernych na placu Rewolucji, obecny był także Fidel Castro.

82. pielgrzymka: Nigeria
21–23 marca 1998 r.

NIGERIA (21–23 III)
21 III – Abudża: poświęcenie budynku Nuncjatury Apostolskiej i odsłonięcie pamiątkowej tablicy; kurtuazyjne spotkanie z prezydentem Nigerii gen. Sanim Abacją. **22 III – Onitsha (Oba)**: Msza św. dla 2 mln wiernych, beatyfikacja pierwszego Nigeryjczyka – o. Cypriana Michała Iwene Tansi. **23 III – Abudża**: Msza św. na równinie Kubwa.

83. pielgrzymka: Austria
19–21 czerwca 1998 r.

AUSTRIA (19–21 VI)
19 VI – Salzburg: Msza św. w katedrze, w której uczestniczył prezydent kraju Thomas Klestil oraz członkowie prezydium Ekumenicznej Rady Kościołów Austrii. **20 VI – Sankt Poelten**: w Landhausparku Msza św. wotywna do Ducha Świętego w intencji powołań. **Wiedeń**: kurtuazyjne spotkanie w zamku Hofburg z prezydentem Austrii i przedstawicielami władz państwowych, korpusem dyplomatycznym oraz przedstawicielami organizacji międzynarodowych, mających siedzibę w Wiedniu. **21 VI**: na placu Bohaterów Msza św. beatyfikacyjna s. Marii Restytuty Kafki, o. Jakuba Kerna i ks. Antoniego Marii Schwartza.

84. pielgrzymka: Chorwacja
2–4 października 1998 r.

CHORWACJA (2–4 X)
2 X – Zagrzeb: spotkanie z mieszkańcami miasta na placu Katedralnym. **3 X**: kurtuazyjne spotkanie z prezydentem Chorwacji Franjo Tudjmanem. **Marija Bistrica**: Msza św. beatyfikacyjna kard. Alojzego Stepinaca, arcybiskupa Zagrzebia, w której uczestniczyło ponad pół miliona wiernych. **4 X – Split**: Msza św. dla 500 tys. wiernych na równinie Żnjan. **Solina**: nawiedzenie najstarszego sanktuarium maryjnego w Chorwacji – Matki Bożej Patronki Wysp (Gospa ot Otoka) – i Liturgia Słowa.

85. pielgrzymka: Meksyk, Stany Zjednoczone
22–28 stycznia 1999 r.

MEKSYK (22–26 I)
22 I – Mexico City: podpisanie posynodalnej adhortacji apostolskiej „Ecclesia in America". **23 I – Guadalupe**: Msza św. na zamknięcie Specjalnego Zgromadzenia Synodu Biskupów poświęconego Ameryce. **24 I – Mexico City**: Msza św. na autodromie im. Braci Rodriquez, w której uczestniczyło ponad 2 mln wiernych. **25 I**: Msza św. w siedzibie Nuncjatury Apostolskiej dla ok. 300 zaproszonych gości; spotkanie z kardynałami, przewodniczącymi 24. Konferencji Episkopatów Ameryki; spo-

tkanie na Stadionie Azteków ze 150 tys. osób, reprezentujących „wszystkie pokolenia".

STANY ZJEDNOCZONE (26–28 I)

St. Louis – 26 I: spotkanie w Kiel Center z 20-tysięczną rzeszą młodzieży. **27 I**: Msza św. na stadionie Trans World Dome dla 100 tys. wiernych; prywatna rozmowa z wiceprezydentem USA A. Gorem.

86. pielgrzymka: Rumunia
7–9 maja 1999 r.

RUMUNIA (7–9 V)

7 V – Bukareszt: nawiedzenie katedry patriarchalnej i wspólna modlitwa z rumuńskimi biskupami prawosławnymi; spotkanie z patriarchą Teoktystem. **8 V**: nawiedzenie katolickiego cmentarza Belu, na którym znajdują się groby męczenników z czasów komunistycznej władzy, między innymi kard. Iuliu Hossu i bp. Vasile Aftenie; papieska asysta w Służbie Bożej sprawowanej w katolickiej katedrze pw. św. Józefa; spotkanie w pałacu patriarchalnym z patriarchą Teoktystem oraz członkami Świętego Synodu Rumuńskiego Kościoła Prawosławnego – podpisanie wspólnej deklaracji w sprawie pokoju na Bałkanach. **9 V**: spotkanie z premierem rządu rumuńskiego Radu Vasile; na placu Unirii uczestnictwo w Służbie Bożej sprawowanej przez patriarchę Teoktysta dla 70 tys. wiernych; Msza św. w parku Podul Izvor dla 200 tys. wiernych.

87. pielgrzymka: Polska
5–17 czerwca 1999 r.

POLSKA (5–17 VI)

5 VI – Gdańsk: nawiedzenie w Oliwie kaplicy sióstr Brygidek; spotkanie z byłym prezydentem RP Lechem Wałęsą; **Sopot**: na miejscowym hipodromie Msza św. z okazji jubileuszu 1000-lecia kanonizacji św. Wojciecha. **6 VI – Pelplin**: Msza św. na Biskupiej Górze dla ponad 200 tys. wiernych. **Elbląg**: nabożeństwo czerwcowe z udziałem 250 tys. wiernych. **7 VI – Licheń**: nawiedzenie sanktuarium i poświęcenie wznoszonej bazyliki. **Bydgoszcz**: Msza św. na miejscowym lotnisku dla ponad pół miliona wiernych. **Toruń**: nabożeństwo czerwcowe na lotnisku Aeroklubu Pomorskiego z udziałem 300 tys. wiernych oraz beatyfikacja ks. Stefana Wincentego Frelichowskiego, męczennika obozu koncentracyjnego w Dachau. **8 VI – Ełk**: Msza św. na placu Sapera dla 250 tys. wiernych. **8–9 VI – Wigry**: czas odpoczynku w eremie pokamedulskim. **10 VI – Siedlce**: Msza św. dla pół miliona wiernych. **Drohiczyn**: nabożeństwo ekumeniczne dla 200 tys. wiernych. **11 VI – Warszawa**: spotkanie w Pałacu Namiestnikowskim z prezydentem RP Aleksandrem Kwaśniewskim; poświęcenie pomnika Armii Krajowej i Polskiego Państwa Podziemnego; spotkanie w Sejmie z parlamentarzystami; modlitwa za ofiary holocaustu na Umschlagplatz; modlitwa przy pomniku Sybiraków; uroczyste zamknięcie II Synodu Plenarnego w katedrze św. Jana. **12 VI – Sandomierz**: Msza św. dla pół miliona wiernych.

Zamość: Liturgia Słowa z udziałem 300 tys. osób. **13 VI – Warszawa**: na placu Piłsudskiego Msza św. beatyfikacyjna Reginy Protmann, Edmunda Stanisława Bojanowskiego oraz Antoniego Juliana Nowowiejskiego, Henryka Kaczorowskiego, Aniceta Koplińskiego, Marianny Biernackiej i 104 towarzyszy męczenników z okresu drugiej wojny światowej; Liturgia Słowa na placu przed kościołem św. Floriana; nawiedzenie katedry. **Radzymin**: nawiedzenie cmentarza żołnierzy poległych w wojnie polsko-bolszewickiej w 1920 r. **14 VI – Łowicz**: Msza św. na błoniach dla 300 tys. wiernych. **Sosnowiec**: Liturgia Słowa dla 300 tys. wiernych. **15 VI – Kraków**: choroba Papieża uniemożliwiła mu wzięcie udziału w uroczystej Mszy św. z okazji 1000-lecia diecezji krakowskiej – na Błoniach zgromadziło się ok. 1,5 mln wiernych (pod nieobecność Jana Pawła II Eucharystii przewodniczył sekretarz stanu kard. Angelo Sodano). **16 VI – Stary Sącz**: Msza św. kanonizacyjna bł. Kingi dla ok. 700 tys. pielgrzymów. **Wadowice**: nawiedzenie kościoła pw. Ofiarowania Najświętszej Maryi Panny. **17 VI – Kraków**: Msza św. w katedrze na Wawelu; nawiedzenie grobu rodziców i brata na cmentarzu Rakowickim. **Gliwice**: spotkanie na lotnisku Aeroklubu Gliwickiego z rzeszą ok. pół miliona wiernych, do których Papież nie mógł przybyć 15 czerwca. **Częstochowa**: modlitwa w kaplicy Matki Bożej oraz spotkanie z pielgrzymami na wałach jasnogórskiego klasztoru.

88. pielgrzymka: Słowenia
19 września 1999 r.

SŁOWENIA (19 IX)
19 IX – Maribor: Msza św. beatyfikacyjna bp. Antoniego Marcina Slomska; Liturgia Słowa w katedrze św. Jana Chrzciciela z udziałem delegatów na krajowy synod Kościoła w Słowenii.

89. pielgrzymka: Indie, Gruzja
5–9 listopada 1999 r.

INDIE (5–8 XI)
6 XI – New Delhi: oficjalne spotkanie w pałacu prezydenckim Rashtrapati Bawan z prezydentem Indii Kocherilem Ramanem Narayanem; nawiedzenie Raj Ghat – mauzoleum Mahatmy Gandhiego; udział w uroczystej sesji zamykającej Specjalne Zgromadzenie Synodu Biskupów poświęconego Azji. **7 XI**: Msza św. dla kilkudziesięciu tysięcy wiernych na stadionie im. Jawaharlata Nehru; w ośrodku konferencyjnym Vigyan Hawan spotkanie z przedstawicielami innych wyznań i religii Indii – hinduizmu, islamu, religii sikhów, dżainizmu, buddyzmu, zaratustrianizmu, judaizmu i bahaizmu.

GRUZJA (8–9 XI)
8 XI – Tbilisi: spotkanie w siedzibie patriarchatu z Katolikosem-Patriarchą Eliaszem II. **Mcchet**: nawiedzenie katedry patriarchalnej, w której według tradycji przechowywana jest szata Chrystusa; podpisanie z Katolikosem-Patriarchą wspólnej deklaracji w sprawie pokoju w świecie i na Kaukazie. **9 XI – Tbilisi**: poświęcenie

budynku Caritasu – papieskiej rezydencji na czas pobytu w Gruzji; Msza św. „Pro Ecclesia" w Pałacu Sportu; spotkanie z prezydentem Gruzji Eduardem Szewardnadze; nawiedzenie „polskiego" kościoła Świętych Piotra i Pawła, jedynej katolickiej świątyni w Gruzji.

90. pielgrzymka: Egipt
24–26 lutego 2000 r.

EGIPT (24–26 II)
24 II – Kair: spotkanie z głową Ortodoksyjnego Kościoła Koptyjskiego, papieżem Szenudą III; spotkanie z wielkim szejkiem Mohammedem Sayedem Tantali – najwyższym przedstawicielem w hierarchii muzułmańskiej Egiptu. **25 II**: Msza św. w miejscowym Pałacu Sportu dla 20 tys. wiernych; spotkanie ekumeniczne w katolickiej katedrze pw. Matki Bożej Patronki Egiptu. **26 II – Góra Synaj**: nawiedzenie klasztoru św. Katarzyny, miejsca, w którym według tradycji Bóg ukazał się Mojżeszowi; przewodniczenie Liturgii Słowa w klasztornym gaju oliwnym.

91. pielgrzymka: Ziemia Święta
20–26 marca 2000 r.

JORDANIA (20–21 III)
20 III – Amman: nawiedzenie sanktuarium Mojżesza na górze Nebo; oficjalne spotkanie z królem Jordanii Abdullahem II bin Al.-Husseinem. **21 III**: Msza św. na miejscowym stadionie dla 40 tys. osób. **Wadi Al-Kharrar**: nawiedzenie miejsca, gdzie według tradycji św. Jan udzielał chrztu w wodach Jordanu; spotkanie z zakonnikami.

IZRAEL (21–26 III)
22 III – Al.-Maghtas: nawiedzenie według tradycji miejsca chrztu Pana Jezusa. **Betlejem**: Msza św. przed bazyliką Narodzenia; oficjalne spotkanie w pałacu prezydenckim z przywódcą Palestyńczyków Jasirem Arafatem. **Deheisheh**: spotkanie z grupą uchodźców palestyńskich. **23 III – Jerozolima**: nawiedzenie Wieczernika i odprawienie uroczystej Mszy św.; spotkanie w siedzibie Wielkiego Rabinatu z naczelnymi rabinami Izraela: rabinem aszkenzyjskim Meirem Lau i rabinem sefardyjskim Mordechajem Bakshi-Doronem; oficjalne spotkanie z prezydentem Ezerem Weizmanem; wizyta w Instytucie Pamięci Yad Vashem. **24 III**: spotkanie w klasztorze Franciszkanek z premierem Ehudem Barakiem; pielgrzymowanie śladami Jezusa nad brzegami Jeziora Galilejskiego: Tabgha – nawiedzenie kościoła Rozmnożenia Chleba; modlitwa w kościele Prymatu Piotra. **Kafarnaum:** modlitwa przy ruinach domu Piotra. **Korazim**: Msza św. na Górze Błogosławieństw dla 100-tysięcznej rzeszy młodzieży z kilkudziesięciu krajów świata. **25 III – Nazaret**: Msza św. w bazylice Zwiastowania. **Jerozolima**: nawiedzenie bazyliki i ogrodu Getsemani; spotkanie ekumeniczne z przedstawicielami Kościołów chrześcijańskich w siedzibie greckoprawosławnego patriarchy Jerozolimy Diodowa I. **26 III**: wizyta u wielkiego muftiego Jerozolimy i Ziemi Świętej szejka Akrami Sabriego; nawiedzenie „ściany płaczu" – muru otaczającego od zachodu miejsce, gdzie wznosiła się dawna świątynia jerozo-

limska; nawiedzenie ormiańskiej prawosławnej katedry św. Jakuba i spotkanie z ormiańskim patriarchą prawosławnym Torkomem II Manoogianem; nawiedzenie bazyliki Grobu Świętego; Msza św. w kaplicy ukazania się zmartwychwstałego Jezusa.

92. pielgrzymka: Portugalia
12–13 maja 2000 r.

PORTUGALIA (12–13 V)
12 V – Fatima: nawiedzenie Kaplicy Objawień. **13 V**: Msza św. beatyfikacyjna Franciszka i Hiacynty Marto, dwojga pastuszków, którzy wraz z kuzynką Łucją byli w 1917 r. świadkami objawień Matki Bożej w Cova da Iria; we Mszy uczestniczyło ponad milion wiernych; ujawnienie tzw. trzeciej tajemnicy fatimskiej.

93. pielgrzymka: Grecja, Syria, Malta
4–9 maja 2001 r.

GRECJA (4–5 V)
4 V – Ateny: spotkanie ze zwierzchnikiem Kościoła prawosławnego arcybiskupem Aten i całej Grecji Christodoulosem; pielgrzymka na Areopag, skaliste wzgórze nieopodal Akropolu. **5 V**: Msza św. w Pałacu Sportu odprawiona w obrządku łacińskim dla 18 tys. wiernych.

SYRIA (5–8 V)
5 V – Damaszek: spotkanie ekumeniczne w greckoprawosławnej katedrze Zaśnięcia Najświętszej Maryi Panny. **6 V**: Msza św. na stadionie Abbasydów dla 50 tys. wiernych z Kościołów wszystkich obrządków katolickich; spotkanie z duchowieństwem, zakonnikami i wiernymi świeckimi Kościołów prawosławnych i katolickich oraz przedstawicielami innych społeczności chrześcijańskich w syryjskoprawosławnej katedrze św. Jerzego; wizyta w damasceńskim meczecie Omajjadów i spotkanie z syryjską wspólnotą wyznawców islamu. **7 V**: nawiedzenie starożytnego kościoła św. Pawła na Murach; spotkanie z młodzieżą w melechickiej katedrze Zaśnięcia Matki Bożej. Kunejtra: nawiedzenie zniszczonego podczas wojny bliskowschodniej greckoprawosławnego kościoła; poświęcenie drzewka oliwnego, które zostało zasadzone w „ogrodzie przyjaźni"; spotkanie z żołnierzami austriackimi kontyngentu ONZ.

MALTA (8–9 V)
9 V – La Valetta: na placu Spichlerzy Msza św. odprawiona w rycie rzymskim dla ok. 200 tys. osób, beatyfikacja ks. Jerzego Preki, Ignacego Falzona i s. Marii Adeodaty Pisani. **Hamrun**: nawiedzenie kościoła Matki Bożej Cudownego Medalika, w którym spoczywa ciało bł. Jerzego Preki, oraz Liturgia Słowa z udziałem członków założonego przez bł. Prekę Towarzystwa Nauki Chrześcijańskiej.

94. pielgrzymka: Ukraina
23–27 czerwca 2001 r.

UKRAINA (23–27 VI)

23 VI – Kijów: modlitwa w greckokatolickim kościele św. Mikołaja przed słynnym wizerunkiem Matki Boskiej Zarwanickiej; spotkanie z prezydentem Ukrainy Leonidem Kuczmą i premierem Anatolijem Kinachem w barokowym Pałacu Mariańskim; pod Pomnikiem Nieznanego Żołnierza oddanie hołdu ukraińskim żołnierzom poległym w czasie drugiej wojny światowej, a także prześladowanym przez nazistów i komunistów. **24 VI**: Msza św. dla 150 tys. wiernych na lotnisku Czajka; spotkanie z Wszechukraińską Radą Kościołów i Organizacji Religijnych w gmachu Filharmonii Narodowej. **Bykownia**: nawiedzenie miejsca zwanego „ukraińskim Katyniem". **25 VI – Kijów**: Msza św. w obrządku ukraińsko-bizantyjskim na lotnisku Czajka; odwiedzenie kościoła św. Aleksandra – jednej z pięciu czynnych w Kijowie świątyń rzymskokatolickich. **Babi Jar**: nawiedzenie miejsca kaźni ukraińskich Żydów. **Lwów**: odwiedzenie kolejno trzech katedr – łacińskiej Wniebowzięcia Najświętszej Maryi Panny, ormiańskiej Zaśnięcia Najświętszej Maryi Panny i greckokatolickiej św. Jura. **26 VI**: Msza św. na lwowskim hipodromie dla 300 tys. wiernych, beatyfikacja wybitnego teologa i społecznika abp. Józefa Bilczewskiego oraz ks. Zygmunta Gorazdowskiego, założyciela Zgromadzenia Sióstr św. Józefa; spotkanie z kilkusettysięczną rzeszą młodzieży na osiedlu Sychów. **27 VI**: na hipodromie nabożeństwo beatyfikacyjne 27 męczenników (11 biskupów, 12 księży, 2 sióstr zakonnych, 2 osób świeckich) oraz s. Jozofaty Hordaszewskiej.

95. pielgrzymka: Kazachstan, Armenia
22–27 września 2001 r.

KAZACHSTAN (22–25 IX)

22 IX – Astana: złożenie hołdu ofiarom totalitaryzmu pod pomnikiem ku ich czci. **23 IX**: Msza św. na placu Matki Ojczyzny dla 60 tys. wiernych, w tym ok. 8 tys. polskiego pochodzenia; spotkanie z prezydentem Kazachstanu, Nursułtanem Nazarbajewem. **24 IX**: Msza św. w katedrze Matki Bożej Nieustającej Pomocy, jedynym katolickim kościele w Astanie.

ARMENIA (25–27 IX)

25 IX – Eczmiadzyn: wspólna modlitwa z ormiańskim Katolikosem w katedrze Ormiańskiego Kościoła Apostolskiego; oficjalne spotkanie w pałacu apostolskim z Katolikosem Karekinem II. **26 IX – Erewan**: modlitwa pod pomnikiem ofiar masakry narodu ormiańskiego Cycernokaberd; nawiedzenie nowej katedry pw. św. Grzegorza Oświeciciela, największej z ormiańskich świątyń, wzniesionej z okazji 1700. rocznicy chrztu Armenii. **27 IX – Eczmiadzyn**: Msza św. na terenie zabytkowego kompleksu dla ok. 10 tys. osób; podpisanie przez Jana Pawła II i Karekina II wspólnej deklaracji na temat sytuacji międzynarodowej. **Chor Wirab**: nawiedzenie klasztoru „głęboka studnia", w którym przez 13 lat był więziony św. Grzegorz Oświeciciel; odmówienie jubileuszowych modlitw Ormiańskiego Kościoła Apostolskiego.

96. pielgrzymka: Azerbejdżan, Bułgaria
22–26 maja 2002 r.

AZERBEJDŻAN (22–23 V)
22 V – Baku: złożenie kwiatów pod pomnikiem poległych w walce o niepodległość; spotkania z prezydentem, zwierzchnikami wspólnot religijnych, politykami oraz przedstawicielami świata kultury i sztuki. **23 V**: Msza św. w Pałacu Sportu; spotkanie ze zwierzchnikami muzułmańskimi na Kaukazie, prawosławnym biskupem Baku i przewodniczącym gminy żydowskiej.

BUŁGARIA (23–26 V)
24 V – Sofia: spotkanie z prezydentem Bułgarii; nawiedzenie katedry św. Aleksandra Newskiego; złożenie wieńca pod pomnikiem świętych Cyryla i Metodego; oficjalne spotkanie z Maksymem, patriarchą Prawosławnego Kościoła Bułgarii. **25 V – Ryła**: nawiedzenie historycznego monastyru. **Sofia**: spotkanie z wielkim muftim Selimem Mehmedem; spotkania ze wspólnotami katolickimi w Bułgarii – odwiedziny kościołów w rytach łacińskich i bizantyjskich. **26 V – Płowdiw**: na Placu Centralnym Msza św. beatyfikacyjna Kamena Wiczewa, Jozafata Sziszkowa i Pawła Dżidżowa; spotkanie z młodzieżą.

97. pielgrzymka: Kanada, Gwatemala, Meksyk
23 lipca – 1 sierpnia 2002 r.

KANADA (23–29 VII)
23 VII – Toronto: powitanie przez najwyższych zwierzchników państwowych. **24 VII**: odpoczynek na Wyspie Truskawkowej. **25 VII**: spotkanie z młodzieżą na centralnym placu miasta. **27 VII**: spotkanie z premierem Kanady; rozpoczęcie nocnego czuwania w Downsview Park. **28 VII**: Msza św. z okazji XVII Światowego Dnia Młodzieży z udziałem ok. 800 tys. osób.

GWATEMALA (29–30 VII)
30 VII – Gwatemala City: Msza św. kanonizacyjna św. Józefa de Betancurt z udziałem ponad 800 tys. wiernych.

MEKSYK (31 VII–1 VIII)
31 VII – Mexico City, Guadalupe: kanonizacja Juana Diego Cuauhtlatoatzina w bazylice Matki Bożej. **1 VIII**: ogłoszenie świętymi bł. Jana Chrzciciela i Hiacynta od Aniołów.

98. pielgrzymka: Polska
16–19 sierpnia 2002 r.

POLSKA (16–19 VIII)
17 VIII – Kraków: Msza św. i konsekracja sanktuarium Miłosierdzia Bożego w Łagiewnikach; spotkanie w Pałacu Biskupim z prezydentem RP Aleksandrem Kwa-

śniewskim i premierem Leszkiem Millerem. **18 VIII**: Msza św. na Błoniach dla 2,5 mln wiernych – beatyfikacja abp. Zygmunta Szczęsnego-Felińskiego, o. Jana Beyzyma, ks. Jana Balickiego i s. Sancji Janiny Szymkowiak; nawiedzenie Katedry Wawelskiej; nawiedzenie kościoła św. Floriana, w którym w latach 1948–49 Karol Wojtyła był wikarym. **19 VIII – Kalwaria**: Msza św. z okazji 400-lecia sanktuarium maryjnego. Kraków – nawiedzenie klasztoru oo. Kamedułów na Bielanach oraz oo. Benedyktynów w Tyńcu.

99. pielgrzymka: Hiszpania
3–4 maja 2003 r.

HISZPANIA (3–4 V)
3 V – Madryt: spotkanie z młodzieżą w bazie lotniczej. **4 V**: na placu Kolumba kanonizacja pięciu błogosławionych: Pedra Povedy Castroverdego, Jose Marii Rubio y Peralty, Genowefy Torres Morales, Anieli od Krzyża i Marii Maravillas od Jezusa; spotkanie z parą królewską.

100. pielgrzymka: Chorwacja
5–9 czerwca 2003 r.

CHORWACJA (5–9 VI)
5 VI – Rijeka: spotkanie z prezydentem Chorwacji w miejscowym seminarium archidiecezjalnym. **6 VI – Dubrownik**: Msza św. beatyfikacyjna s. Marii od Ukrzyżowanego Jezusa Petković. **7 VI – Osijek**: Msza św. na lotnisku sportowym Osijek-Čepin. Djakovo: prywatna wizyta w katedrze. **8 VI – Rijeka**: Msza św.; spotkanie z premierem Chorwacji. **9 VI – Zadar**: nabożeństwo Słowa Bożego na Forum.

101. pielgrzymka: Bośnia i Hercegowina
22 czerwca 2003 r.

BOŚNIA I HERCEGOWINA (22 VI)
22 VI – Banja Luka: Msza św. beatyfikacyjna Jana Merza; spotkanie z członkami władz kraju i Rady Międzyreligijnej Bośni i Hercegowiny; nawiedzenie katedry.

102. pielgrzymka: Słowacja
11–14 września 2003 r.

SŁOWACJA (11–14 IX)
11 IX – Bratysława: spotkanie w nuncjaturze z przedstawicielami władz. Wizyta w katedrze św. Jana Chrzciciela w Trnawie. **12 IX – Bańska Bystrzyca**: Msza św. dla 100 tys. wiernych i uroczysta inauguracja synodu diecezjalnego na Słowacji. Wizyta w diecezjalnym Wyższym Seminarium Duchownym w Badin, podczas której odczytano Orędzie Jana Pawła II do słowackich biskupów. Spotkanie z przedstawicielami kościołów chrześcijańskich. **13 IX – Rożniawa**: Msza św. dla 170 tys. wiernych. **14 IX – Bratysława**: Msza św. beatyfikacyjna dwojga słowackich męczenników

z czasów komunistycznych: bp Vasila Hopko i s. Zdenki Schelingovej, w której uczestniczyło ponad 200 tys. wiernych.

103. pielgrzymka: Szwajcaria
5–6 czerwca 2004 r.

SZWAJCARIA (5–6 VI)
5 VI – Berno: spotkanie Pawła II z młodzieżą w Pałacu Lodowym kompleksu Bea Bern Expo. **6 VI – Berno:** Msza św. na błoniach Allmend; spotkanie Papieża w rezydencji Viktoriaheim ze szwajcarskimi biskupami; spotkanie z byłymi członkami Gwardii Szwajcarskiej.

104. pielgrzymka: Francja – Lourdes
14–15 sierpnia 2004

FRANCJA – LOURDES (14–15 VIII)
14 VIII – Tabes: spotkanie na lotnisku z prezydentem Francji Jacquesem Chirakiem. Lourdes: dwukrotne nawiedzenie Groty Objawień w Massabielle. **15 VIII – Lourdes:** Msza św. na błoniach w pobliżu sanktuarium; spotkanie w rezydencji Accueil Notre-Dame z członkami rady stałej episkopatu Francji; prywatna modlitwa w Grocie Objawień.

Ostatnia pielgrzymka Ojca Świętego

2.04.2005 r.

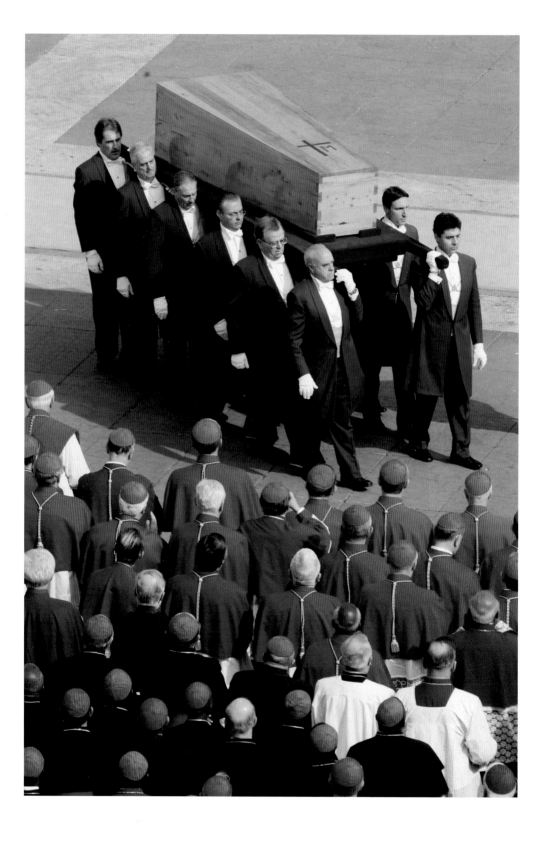

Ostatnia pielgrzymka Ojca Świętego

Przybądźcie z nieba na głos naszych modlitw mieszkańcy chwały, wszyscy święci Boży, z obłoków jasnych zejdźcie aniołowie, z rzeszą zbawionych śpieszcie na spotkanie.

Anielski orszak niech Twą duszę przyjmie, uniesie z ziemi ku wyżynom nieba, a pieśń zbawionych niech ją zaprowadzi aż przed oblicze Boga Najwyższego.

Niech cię przygarnie Chrystus uwielbiony. On wezwał ciebie do Królestwa Światła. Niech na spotkanie w progach Ojca domu po ciebie wyjdzie litościwa Matka.

Anielski orszak niech Twą duszę przyjmie, uniesie z ziemi ku wyżynom nieba, a pieśń zbawionych niech ją zaprowadzi aż przed oblicze Boga Najwyższego.

Promienny Chryste, Boski Zbawicielu, jedyne światło, które nie zna zmierzchu, bądź dla tej duszy wiecznym odpocznieniem, pozwól oglądać chwały Twej majestat.

Anielski orszak niech Twą duszę przyjmie, uniesie z ziemi ku wyżynom nieba, a pieśń zbawionych niech ją zaprowadzi aż przed oblicze Boga Najwyższego.